新潮文庫

本屋さんのダイアナ

柚木麻子著

新潮社版

10549

目次

本文中イラスト　斉藤知子

本屋さんのダイアナ

第1章

“ほんもの”の友達

新しい教室の窓際《まどぎわ》の席からは、空《から》のプールがよく見える。昨日まで降り続いた雨のせいで、うっすらと底に水がたまり、その上には校庭から吹き飛ばされてきた桜の花びらがふかふかと積もっていた。新学年の一日目がなんとか晴れてよかった。新しい机は滑《なめ》らかで木のいいにおいがする。三年三組の新しいクラスメイトの黒い頭がずらりと並んでいるのを、一番後ろから眺めるのは壮観だった。四月の風にそよぐカーテンもパリッと糊《のり》付けされていて清潔そのものだ。

こんな風に何にも染まっていないまっさらの新学期はむやみに希望を抱かせるけど、それも名前を名乗るまでのわずかな間だけだとこれまでの経験からよくわかっている。自分の番がだんだん近づいてくることが怖くて仕方ない。頭がぼうっとし、みぞおちの辺りがしくしくと痛み始めている。数年後に必ず訪れると言われているノストラダムスの大予言がたった今、本物になればいいのにとさえ思う。朝、大急ぎですすり込んだパック入りのゼリー飲料が冷た過ぎたせいだけではないだろう。教室前方に座るおさげの女の子が立ち上がった。

「出席番号十番、佐藤みゆきです。好きなことはドッジボールと指相撲です」

ぱちぱち、と教室のあちこちから拍手が起きる。さとう、みゆき、という平凡な名前がうらやましくてたまらない。ああ、洋服を簡単に着替えるように、名前も着替えられたらいいのに。

矢島《やじま》ダイアナは字が読めるようになるずっと前から、自分の名前が大嫌いだった。外国の血など一滴も入っていないのにダイアナ、それもよりによって漢字で「大穴」と書く。ダイアナの父は競馬が大好きだったらしい。毎週のように府中の競馬場に出かけて、まったく働かずに賭《か》け事だけで生計を立てていたそうだ。大穴とは競馬や競輪、競艇で賭け金の百倍を超える当たりを意味するらしい。

――パパと相談して、あんたが世界一ラッキーな女の子になれるようにと思ってつけたんだ。世界一の名前じゃん。本当はパパが毎年必ず行く「青葉賞」の青葉ちゃんにしようと思ったけど、ダイアナの方がかっこいいからそっちに決めたの。

ティアラは得意そうに微笑《ほほえ》むけれど、この名前のせいで、ダイアナは八歳にして未来に絶望していた。もし今、父に会うことができたら、文句の一つも言ってやりたいが、彼の顔さえ覚えていない。ティアラの初恋の人だったが、ダイアナが生まれてすぐ遠くに行ってしまったそうだ。この話をする時、ティアラはなぜか誇らしげだ。

——うちを嫌いになって出て行ったわけじゃないんだよ、きっと。だから、うちはパパのやりたいようにさせてあげるのが一番だと思ったの。好きな人の夢を応援するのが、いい女じゃん。

どういうわけか、ティアラはおしゃべりにノッてくると関西人でもないのに自分を「うち」と呼ぶ。

外でティアラに名前を呼ばれるたび、周囲の人は一斉に振り返る。ダイアナとティアラを見比べると、誰もがはは あ、と合点がいったように肩を竦《すく》め、皮肉な笑みを頬に貼《は》り付かせる。ティアラの外見なら、へんてこな名前を娘につけても納得というこ とか。びっくりするほど小さな顔にとがった顎《あご》、つけまつげとカラーコンタクトで作り上げた大きな青い瞳《ひとみ》、金色に染めた髪は高々と結い上げられている。とにかく派手で態度も大きいので、一緒に歩くのは相当恥ずかしい。ティアラの好みで、ダイアナの髪も小さな頃から繰り返し金色に染められ、まるで古いバービー人形のようにパサパサに傷《いた》んでいる。

ティアラには矢島有香子《ゆかこ》というちゃんとした本名があるのだが、勤め先のキャバクラで使っている名前をとても気に入っていて、ダイアナにもそう呼ばせている。口がかゆくなるような名は本当に恥ずかしいけれど、十六歳でダイアナを産んだティアラは確かに「お母さん」と呼ぶにふさわしくない。

「お母さん」とは——。例えば大好きな『大草原の小さな家』のインガルス夫人、『若草物語』のマーチ夫人もいい。好きな本に登場するお母さんたちは、大抵家にいて、つくろいものをしたり、素朴なパンやケーキを焼いてくれる。控えめでしっかり者で優しくて家庭的で、なにより地に足がついている。ティアラのように「うちが作るより絶対うまいし！」と娘にお金を渡してコンビニやファーストフードで食事を買ってこさせることも、携帯電話に貼り付けたプリクラの男の人がころころ変わることも、明け方ホロ酔いで帰ってきて家中を引っかき回して大騒ぎすることも、チェーンの居酒屋で店員と殴り合いのケンカをすることも、万が一にもない。もちろん子供に変な名前をつけたりもしない。誰よりも正しくて、軸がブレることがない大人の女性こそ「お母さん」だ。

だからといって、ダイアナは決してティアラを嫌いなわけではないのだ。ただ、周りの大人に嘲笑《ちょうしょう》されてもそれに気付かない母親を見ていると、自分がしくじった以上に恥ずかしく、いたたまれなくなる。授業参観、運動会、スーパーでの買い物。わあああ、と叫んでティアラの細い腰をつかみ、全力で制止したくなる場面は日々の暮らしの中で数え切れないほど経験してきた。

ティアラの居ないアパートで膝《ひざ》を抱え、図書館で借りてきた本を読みふける時だけ、ダイアナは自分を取り戻すことができる。胸に湧《わ》いた思いを言葉にすることはもともと得意ではない。一生誰にも会わず、こうして家で本だけ読んで過ごせないか、と思う時がある。父がいないことも、母が明け方にならないと帰ってこないことも、なによりも自分のおかしな名前も忘れることが出来るから。十五歳になったら、お役所に行って名前を変えよう。青葉でもいいし、花子でもいい。とにかく平凡で普通な名前――。呼ばれた時に周囲がクスクス笑わないような常識的な名前を手に入れるのが、ダイアナのささやかで一番大事な夢だった。

とうとう、自己紹介の順番が来た。ダイアナはしぶしぶ立ち上がった。教室中の視線がこちらに集まるのがわかる。根元が黒くなり始めてパサパサした金髪頭、くだらないアニメのTシャツ、とがった顎、やせっぽちの薄い体。自分でも嫌になるくらい鋭く大きな目に、皆が好奇のまなざしを向けている。

「矢島ダイアナです。本を読むのが好きです」

出来るだけ小さな声で言い、すぐさま椅子《いす》に腰を下ろす。周囲と目を合わさないように膝小僧を見つめた。皆がひそひそ話しているのがわかる。

「ダイアナだって！　あの子、外国の子？」

「違うよ。私、二年の時一緒だったけど、日本人だよ。確か、公園の近くのアパートにお母さんと二人で住んでるの」

「へえ、でも、髪が金色だよ」

「あれ、根っこは黒いじゃん。へんなの」

「染めたのかな？　子供がそういうことしていいの？」

お調子者らしい男子が右手を耳につけてぴんと伸ばした。

「ねー、ダイアナってどういう字書くの？　カタカナ？」

「……大きい穴」

消え入るような声でつぶやくと、どっと笑いが起きた。

「はい、皆さん、静かになさい」

新しい担任の岩田《いわた》敦子《あつこ》先生がきっぱりとした口調でそう言うと、教室は一瞬で静まった。色白ででっぷりした四十代くらいの女の先生で、縁なしの眼鏡の奥に鋭い目が光る。とても怖いけれど、一人ひとりと熱心に接してくれるから生徒に人気がある。

「質問は今じゃなくて、休み時間にしましょう。新しいお友達と仲良くなるチャンスですよ。……矢島さんは本がとっても好きなのよね」

　突然話しかけられ、ダイアナはおそるおそる顔を上げた。

「一年生の時も二年生の時も、図書室をたくさん利用した人に贈られる『たくさん借りましたで賞』を受賞してますね。たくさん本を読むのはとてもいいことです。みんな、矢島さんを見習って図書室をどんどん利用しましょう」

　はーい、と元気のよい声が響く。ダイアナの名前のことは忘れてしまったようで、ほっと胸を撫《な》で下ろす。岩田先生が自分のことを知っているなんて、考えてもみなかった。ダイアナは先生のことがもうすっかり好きになっていた。先生なら二年生の時の担任みたいに頭ごなしに叱《しか》りつけたり、「乱暴で育ちの悪い子」と決めつけたり、ティアラを悪く言ったりもしないだろう。ほうれん草や魚など、給食で出る普段食べ慣れないものを残したって、怒らないかもしれない。もっともっと本を借りて、先生に褒められたい。

　休み時間になっても胸のどきどきを抑えられずにいると、ピンク色のカーディガンを羽織り、髪を編み込みにした女の子が、ダイアナのところにつかつかやってきた。

「ねえ、その髪の毛、どうしたの？　自分で染めたの？」

　気の強そうな味噌《みそ》っ歯が唇から覗《のぞ》き、探るような目で尋ねられた。

「ううん……。ティ……、ええと、お母さんが」

「へえ〜、うちのママが言ってた。子供のうちに髪を染めたり、脱色すると、健康によくないんだって。大きくなれないらしいよ？　矢島さんのお母さんって変わってるんだね」

訳知り顔で、周囲に聞かせるように声を張り上げる。何人かの女の子が振り返ってじろじろとこちらを見ている。出会って間もないのにどうしてこちらを攻撃するような真似《まね》をするのだろう。恐れる気持ちを堪《こら》え、上目遣いで観察していると、味噌っ歯はおびえたような色を浮かべた。みんなそうだ。話しかけてきたのはそっちのくせに、ダイアナが見つめ返すと、大抵の子供は怖がって先に目を逸《そ》らす。

「なに、その目。にらむことないじゃない！」

にらんだつもりなんてない。びっくりして何か言い返そうとしても言葉が出て来ない。

「私、なんにも悪いことなんて言ってないじゃない。なによ、ダイアナなんて変な名前のくせに。あんたのママ、おかしいよ！」

味噌っ歯の言う通りだった。ティアラは確かにおかしい。どうして普通のお母さんのようになれないのか。わざわざ指摘されなくても、ダイアナはいつもため息をつきたいような思いで生きている。どうしてみんなはダイアナを放っておいてくれないのだろう。自分が人を不快にする存在だということくらい、よくわかっている。好かれようなんて思ってない。ただ、静かに過ごせればそれでいいのに。

「ダイアナは変な名前じゃないわよ。みかげちゃん」

すっと胸がさわやかになるような、よく通る声がした。振り向くと、真っ黒なおかっぱ頭の女の子がにこにこしていた。真っ先に、綺麗《きれい》な子だ、と思った。華やかな顔立ちではないが、目鼻だちが整っている。陶器人形のようになめらかな肌、形のよい広い額はいかにも頭が良さそうで、髪はお習字の墨のように黒々とつやがある。着ているものは地味なブラウスと紺色のスカートだけど、パリッとしていて清潔な印象だ。明らかに、他の子とは何かが違う。

「『赤毛のアン』って知ってる？　アンの親友はダイアナって言うんだよ」

わあ――。ダイアナは目を丸くする。『赤毛のアン』はほとんどベストワンと言ってもいいくらい、大好きな一冊だ。暗記するくらい何度も読み返している。アンというおしゃべりで空想好きな女の子が好きでたまらなかったし、いちご水やパフスリーブ、ハートのキャンディなど可愛《かわい》いものや美味《おい》しそうなものに満ちている。ダイアナはアンの自慢の美しい親友で、どんな時でも心が通じ合っている二人の関係がうらやましかった。こんな風に本の話を誰かと出来るなんて——。みかげちゃん、と呼ばれた味噌っ歯はなんだかつまらなそうに肩をすくめた。

「知らない。私、本なんて読まないもーん。彩子《あやこ》ちゃんと違ってね。ママは読め読めうるさいけど」

みかげちゃん、とやらはどうやら彩子ちゃんに一目置いているらしい。たしなめられた時に、ひどく傷付いた顔をした。彩子ちゃんという女の子にはおしとやかに見えて、周りの人をぐっと納得させてしまうような芯《しん》の強さが感じられた。

「もったいない。とっても面白いんだよ。ああ、ダイアナなんて名前で羨《うらや》ましいなあ」

女の子はこちらをまっすぐに見つめると、にっこり微笑んだ。素直でまっすぐでぴかぴかで、友達になりたいとどんな子でも思うようなそんな笑顔だった。育ちがいい、とはこういうことを言うのかもしれない。

——あなたは育ちが良くないから……。

二年生の担任に投げつけられた暴言がよみがえった。

「私は神崎《かんざき》彩子っていうの。子がつく名前なんてめずらしいでしょ。おばあさんみたい」

味噌っ歯が行ってしまうと、彼女ははにかみながらそう名乗った。ダイアナはやっとのことで首を横に振る。おばあさんだなんてとんでもない。神崎彩子——うっとりするくらい素敵な名前だ。きっとお父さんとお母さんが心を込めて名付けたのだろう。

「私、一年生の時からあなたのこと知ってるの。中央図書館を使ってるでしょ」

「う、うん」

「私、何度もあなたのこと見てるよ。中央図書館でも貸し出しの数が多くて、ロビーのところに表彰状が飾ってあったでしょ。パパがね、すっごく褒めてた。いっつも鞄《かばん》にたくさん本を詰めて、あなたが一人で借りたり返したりしているところを私達、何度か見たのよ。あんなにたくさん本を読むなんて偉いねえって。岩田先生も言ってたけど、ダイアナちゃん、すごいね。私、同じクラスになれて、とっても嬉《うれ》しい」

まさか、自分の姿が誰かの目に留まっているなんて考えたこともなかった。この子と仲良くなりたい。心の中で何かが静かに震え出す。彩子ちゃんと仲良くなったら、途方もなく楽しい毎日が始まる気がした。彼女を取り巻く穏やかで澄んだ空気にどうしようもなく惹《ひ》かれる。このチャンスを逃したくない。彼女ならきっと自分を分かってくれる。腹の底に力を込めた。アンにジョー、パッティにロッテにエリザベス。物語のヒロインはいつだって勇敢で、自分から人と繋《つな》がることを恐れない。ああ、みんな、私に力をちょうだい。

「ねえ、あのよければ……。学校が終わったら、中央図書館に行くの。返却が今日までなんだ。一緒に……行かない？」

彩子は大きく目を見開いた。綺麗な顔にやさしい微笑が広がっていくのを、ダイアナは息を詰めて見つめた。カーテンが風にふくらみ、ふんわりと二人を包み込む。教室の喧噪《けんそう》が一瞬遠のき、世界はダイアナと彩子だけのものになった。春が始まったばかりの、しんと冷たくて、それなのに日向《ひなた》くさい風が頬をなでた。

早く、早く――。

一刻も早くおうちに帰ってお昼を済ませ、あの女の子の待つ図書館に行かなければ。通学路を走る神崎彩子の頭の中は、ついさっき親しくなったばかりの素敵な名前の美少女でいっぱいだった。矢島ダイアナ――。一年生の頃に図書館で見かけてからずっと気になっていた彼女とついに同じクラスになった上、こんなに早く親しくなれるなんて夢みたい。走る度にランドセルが揺れ、中で筆記用具ががちゃがちゃとぶつかり合う。一年生の時から使い続けているそれらは、今年もやっぱり買い換えてもらえなかった。

新学期、女の子たちは持ち物を一新する。光るシールや蛍光ペンや人気アニメのキャラクターがまぶしい。だけど、彩子だけはずっと同じペンケースや鉛筆けずりだ。いずれもママが自由が丘の文房具店で買ってきた、フランス製の高級品である。いくら乱暴に使っても憎たらしいくらいに壊れにくく、新品同様のままだ。

地味で丈夫で長く使えるもの。それがパパとママの好みだった。でも彩子は、すぐに壊れてしまうとしても、キラキラした可愛いものが大好きだった。八歳の女の子ならごく普通の感覚だと思う。

——ああいうものは、すぐに飽きちゃうし、シックじゃないでしょう？

デパートでピアノの発表会のドレスや習い事のバッグをねだるたびに、ママはやんわりと、でも有無を言わさない口調でお願いをつっぱねる。彩子の子供らしい好みはママのおめがねに適《かな》わないのだ。フリルがたっぷりついたピンクのドレス、キラキラしたビーズで彩《いろど》ったレースのバッグ。甘い色合いのそれらは、手にした女の子をお姫様にしてくれるような強い魔力を放っているというのに。

——値段が高くても飽きのこない、質の良いものを長く使うのが、一番なのよ。彩子にとっても地球にとっても。ママは彩子には〝ほんもの〟がわかる女性になってもらいたいの。

ママのことは好きだけど、ママの言う〝ほんもの〟が〝にせもの〟より素敵だとは思えなかった。同じピアノ教室に通うみかげちゃんはしょっちゅうパパとママにおねだりして〝にせもの〟を買って貰《もら》い、得意げに見せびらかしている。みかげちゃんは味噌っ歯だし鼻が上を向いていて、絶対に可愛いものが似合う容貌《ようぼう》ではないのに。それに引き換え、ダイアナちゃんは、まさにキラキラしたものを身に付けるために生まれてきたようなとびきりの美少女だ。

今日、新しいクラスで、窓から差し込む日の光を浴びてきらきら輝く金髪を見付けた瞬間、あっと声をあげそうになった。金色の透けるような髪、びっくりするほど小さな顔。大きな瞳は相手を吸い込むような深いはしばみ色で、長い睫《まつげ》がびっしり縁取っている。きっと外国の血が入っているに違いない。おまけにダイアナちゃんが着ているのは、彩子が憧《あこが》れている、あのキャラクターのTシャツ――「ダンシン☆ステファニー」は小学校低学年の女の子に抜群の人気を誇っている。プレイヤーがステファニーという女の子の洋服をコーディネートし、彼女になりきってライバルらとダンスで対戦しながらポイントを稼いでいくテレビゲームだった。ゲームの世界観そのままのアニメは、日曜日の朝放送しているらしいが、彩子はパパとママの方針でテレビを見せてもらえず、テレビゲームだって買ってもらえないのだ。遊んだのはお正月にいとこの家に行った時の、ただ一度だけだ。あの時の、脳がしびれ体が操られるように勝手に動き出す感覚は今も忘れがたい。

でも、ああいう可愛い女の子はいじめっ子に目をつけられるから大変だ。自己紹介するダイアナちゃんを見て、隣に座る武田君という男の子がぼそっとつぶやいたことを思い出す。

――変な名前だな、ダイアナなんて。どう見ても日本人じゃんか。

意地悪な物言いにむっとした。武田君とは一年の時から同じクラスだったけど、ちゃんとしゃべるのはそれが初めてだった。

――あら、素敵な名前じゃないの。新しい友達のことをそんな風に悪く言うなんて、良くないわよ。

彩子がたしなめると、武田君はかすかに顔を赤らめて怒ったようにプイと横を向き「がみがみ女！」と毒づいたっけ。

嫌いたければどうぞご自由に――。信号を待つ間にあの不快な気分を思い出し、彩子は小さく身を震わせてランドセルを背負い直す。こっちだって男の子なんか乱暴で大嫌い。お肉屋さんの一人息子の武田君は、勉強はさっぱりだけどサッカーが得意な体の大きい人気者だ。女の子の中でもおませな子は、武田君っていいよね、なんて騒いでいるけれど、彩子にはさっぱり魅力がわからない。彩子がいいなあ、と思うのは、ディズニーアニメに出てくるような白馬にまたがった優しい王子様。もしくはパパのように温かくて頼れる大人の男の人だ。

ダイアナちゃんはきっと複雑な家庭に育った、おとぎばなしのヒロインのような女の子に違いないのだ。せっかくのTシャツも小柄な彼女にはちょっとぶかぶかだし、上履きも汚れている。でもきっとあれは仮の姿で、本当は小公女セーラみたいな、良家の子女なのだ。彼女だったらティアラやパフスリーブ、マフや馬車もなんの違和感もなく似合うだろう。彩子から声をかけたら、ダイアナちゃんははにかみながらも図書館に誘ってくれた。いつ見かけても一人で居る彼女が、一緒に遊ぶことを許してくれた——。誇らしさと晴れがましさでいっぱいで、終業ベルが鳴るのが待ち遠しくてならなかった。

家に着き、玄関のドアを開けると、ダンがキャンキャンと激しく吠《ほ》えながら出迎えてくれた。足下にじゃれついてきた褐色の親友をよしよしと撫でてやる。玄関には女性物の靴がずらりと並んでいた。複数の香水とキッチンから漂うブイヨンの匂《にお》いで、今日がお料理教室の日だったことを思い出す。二年前からママが家で始めた教室はいつも定員オーバーで、キッチンはいろんな歳の女の人であふれかえっている。

「ママ、ただいま。みなさん、こんにちは。ごゆっくりどうぞ」

「あら彩子、おかえりなさい」

リビングのドアを押すなり、生徒さんたちに向かってぺこりと頭を下げる。たったそれだけのことなのに、女の人達はいつもと同じ感嘆したようなため息を漏らし、しきりに彩子を褒めそやす。

「さすが先生のお嬢さんね。しっかりしていらっしゃる」

「なんて可愛いスプリングコート。Aラインでシックな紺色が可愛いわ。まるでマドレーヌちゃんね。どちらのブランド？」

「うちの子に見習わせたいです。彩子ちゃんと同じガールスカウトに入らせてみようかしら」

ママの機嫌を取るように言ったのは、みかげちゃんのママだ。三軒先に住むみかげママは料理教室の常連なだけではなく、頻繁にこの家に出入りしている。子供の目から見ても、彼女がママに憧れていることははっきりわかる。とにかく、なんでもママの真似をしたがるのだ。現に、今日みかげママが身に付けているエプロンは、以前ママが気に入っていたものと同じ柄だ。みかげちゃんが彩子と同じピアノ教室に通いはじめたのも、音楽が好きというよりみかげママの作戦なのだろう。母はもちろん優しく接するけれど、彩子はあの母娘《おやこ》が好きじゃない。二人とも、人の持ち物をじろじろ見るし、どことなく必死な感じがするからだ。目上の人に対して失礼だけど、そういうのって格好悪いと思う。

「それでは盛りつけして、ランチにしましょうか」

先生、と呼ばれるママを見るのが好きだ。生徒さん達からまぶしげな視線を浴び、キッチンに立つ姿が誇らしい。とびきり有能で頼れる大好きなママ。彩子が生まれる前、ママはパパと同じ出版社の料理本の編集者だった。さらさらの髪を男の子のように短く切り揃《そろ》え、すっぴんに近い薄化粧に、トレードマークである紺色の眼鏡がよく似合う。今年で四十五歳になるママの落ち着きのせいか、生徒さん達がやけに子供っぽく見えた。そもそもお料理を習いたくて来るというより、ママ自身に惹かれて集まっているように見える。生成り色が爽やかなシンプルなリビングにはママの好みの銅版画が飾られ、出窓に並んだ香水瓶のミニチュアだけが光を透かしてほんのりと色彩を放っている。この淡い色の家で生まれ育ったせいで、彩子は強い色や激しく光るものを見ると心を奪われてしまうのかもしれない。もう一度お辞儀をして部屋を後にすると、生徒さんやママのしゃべり声が背中を追いかけてきた。

「しっかりしたお嬢様ね。公立の小学校に通っているなんて、信じられないわ」

「まだ子供なのよ。いつまで経《た》っても自分のことを彩ちゃんなんて呼ぶんだから困っちゃう」

「あら、可愛い」

　笑い声がさざめき、彩子は一人赤くなる。

「主人と話し合って、小学校六年間は公立に通わせることにしたの。夫も私も下から私立育ちで苦労知らずだったでしょ。似た境遇の人とばかり付き合ってきたせいか、視野が狭くなったわ。中学で女子校に入るまでに、いろんなお友達とわけへだてなく仲良くできる社交性やたくましさを身につけさせたいのよ」

　彩子が二階の自室に行くと、しばらくしてトレイを手に母が入ってきた。

「ごめんね、彩子ちゃん。今日は一人で食べさせて。それもお教室のあまりもの」

　ママはすまなそうだけれど、彩子は首を横に振る。幼稚園の頃に使っていたままごと用のテーブルセットを引っ張り出し、一人で食べるお昼ご飯は悪くない。物語に出てくるような、自分一人の力で生きている強い女の子になった気がする。

「ママ、あのね、彩ちゃん、お昼食べたら図書館に行ってきていい？　新しいクラスの子と待ち合わせているの。とっても可愛くて素敵な名前の子」

「まあ、なんていう名前？」

「ダイアナちゃん。矢島ダイアナちゃん。可愛いでしょ。あの本と一緒だよ」

ママの細い目が一瞬大きく見開かれ、唇がへの字に結ばれる。でも、すぐにいつもの笑顔が広がった。

「もうお友達が出来たの。もちろんいいわ、楽しんでらっしゃいね。でも、遅くとも四時までには帰るのよ」

お昼はじゃがいものニョッキと菜の花のサラダ、白身魚のパイ包み、いちごのムースだった。軽やかな旬《しゅん》の野菜を使ったそれらは、食卓に並ぶいつもの料理よりちょっぴりよそゆきの味わいだ。ママの作る料理はどれもあっさりした味つけだけど、その分素材の美味しさが生かされていて、教室でも評判らしい。庭で育てたハーブや野菜もふんだんに使う。そんなママのおかげか、彩子は基本的に食べ物の好き嫌いが少ない。給食でちょっと苦手なものが出ても、残さず食べることを心がけている。自分では普通だと思うが、お箸《はし》の持ち方やフォークの使い方がきれいだ、と先生達によく褒められる。

お昼を食べ終わると、キッチンまでトレイを運び流しに皿を浸《つ》ける。ママや生徒さんに「いってきます」と告げ、お気に入りのバッグを手に自宅を後にした。

中央図書館は家から歩いて五分ほどの、大きな公園の中にある。並木道を彩る桜はおとといの嵐《あらし》のせいですっかり花を落としているけど、その分さっぱりとすがすがしく見えた。図書館まで続く道に、まるで湖みたいな大きな水たまりが広がっている。白い花びらが隙間《すきま》なくびっしりと浮かんでいる様を見るのが楽しい。まるでお花の絨《じゅう》緞《たん》だ。風が吹くたびにかすかに絨緞はうごめく。模様がどんどん変わっていく。時折のぞく水面《みなも》が陽差しを受けてきらっと輝いている。水たまりを通り過ぎると、図書館の前のベンチにちょこんと腰かけているダイアナちゃんを見つけた。おーい、と手を振りながら駆け寄ると、彼女はほんのり頬を赤らめた。紙に包まれたハンバーガーを手に、コーラらしき飲み物を飲んでいる。傍らにはランドセルが立てかけてあった。

「あれっ、それがお昼なの？　おうちで食べて来なかったの？」

首を傾《かし》げながらベンチの隣に腰を下ろす。ひんやりと湿った感覚がここちよく、スカートが濡《ぬ》れることも気にならない。

「うん、うち、お母さん夕方まで寝てるから。起こすの嫌なの。学校からそのままきちゃった」

「そのハンバーガーどうしたの？」

「途中、マクドナルドで買ったんだ」

ダイアナちゃんの口からはぷんと肉汁とピクルスのにおいがした。マクドナルド。昼も夜も開かれている赤と黄色で彩られたあの賑《にぎ》やかな空間に、彩子はまだ足を踏み入れたことがない。ごはんと一緒におもちゃが出てくるというのは本当なのだろうか。そもそも彩子は一度も買い食いをしたことがない。一人で食べ物を買って、淡々と食事をするダイアナちゃんがひどく大人に思えた。お茶や牛乳じゃなく、コーラでハンバーガーを流し込むなんて、なんて格好いいんだろう。今までコーラを味わったことがあるのは友達の誕生日会と夏祭りの二回だけで、それは特別な飲み物だった。お昼を食べたばかりだというのに、喉《のど》の奥が小さく鳴る。ふと視線を横に移動し、彩子はあっと声を上げそうになる。立てかけられたランドセルは午後の光を浴び、なにやらキラキラと反射していた。触っていい？　と断って手を伸ばす。赤いランドセルには色とりどりのダイヤのような石で模様が描かれていた。同級生の間で噂《うわさ》になっている、評判の可愛いランドセル。強烈なうらやましさで彩子はかすかに目眩《めまい》を覚える。そっと触れたダイヤは冷たくてつるつるしていた。

「すごいね。このランドセル。みんなうらやましがってるよ。どこで売ってるの？」

「ティア……、ええと、お母さんが飾りがいがありそうだからって、勝手にやっちゃったの」

ダイアナちゃんは何故《なぜ》かうんざりした顔で答えた。唇がケチャップで赤く濡れている。彼女はそれをTシャツを使って乱暴にぬぐい、指先をぺろぺろなめた。そんな仕草は、本に出てくる〝みなし子〟そのもので、彩子は無条件で敬意を払ってしまう。

「これママがやってくれたの!?」

「なんだかゴチャゴチャ飾り付けるのが好きな人なの。お母さんは物を見ると、なんでもこうするの。テレビのリモコンからパソコンまで、家中。莫迦《ばか》みたい。爪《つめ》や携帯電話もそう。ほら、みてよ。学校で見つかるとすごく叱られるって言ってるのに」

ダイアナちゃんが無造作に突き出した指先には、お花や蝶々《ちょうちょう》や星がちょこんと描かれている。あまりの愛らしさに、彩子はほうっとため息を漏らした。

「ダイアナちゃんのママってすごいなあ」

ランドセルや指先をあんな風に飾ることができたらどんなに素敵だろう。ため息まじりに彩子は思った。彼女がうらやましい。パパもママも大好きだけど、こんな風にクラスメイトと話すたびに、自分がいかに多くのことを禁じられて、狭い世界で生きているかを痛感する。ハンバーガーを食べ終え、包み紙をくしゃくしゃと丸めながら、ダイアナちゃんが言った。

「私は彩子ちゃんがうらやましいな。なんていうか、シブくて格好いい」

「え〜、やだ。シブいなんて。おばあさんみたいな言い方」

思い切り顔をしかめてダイアナちゃんを睨《にら》んだ。すると彼女はくすりと笑った。整った顔が優しくゆるんで、春の木漏れ日の中にとけていくみたいだ。

「そう？　でもさ、赤毛のアンのよそゆきドレスも茶色だよ。ピンクじゃなくて。本当に格好いいものってそういうもんなんじゃないかな。飽きなくて、ごてごてしてなくて、相手を不安にさせなくて、その人の髪や肌や目の色にすっとなじんで」

まさか同い年の女の子の口からママと同じような言葉を聞くなんて思わなかった。

ダイアナちゃんは心底嫌そうに自分のTシャツをつまんでみせた。

「恥ずかしい。こんなTシャツ、子供っぽい。来年には着れないよ。でも、うちのお母さん、子供はこのアニメが好きだって思い込んでて、すぐにグッズを買うの。おまけに毎晩ゲームに付き合わされるんだよね」

「『ダンシン☆ステファニー』を持ってるの？　しかもママと遊ぶの？」

自分でも声が震えているのがわかる。そんなに物わかりのいいママがこの世に存在するなんて。ダイアナちゃんばかりがこんなに恵まれていてもいいのだろうか。さすがに不公平に感じられ、喉の奥が熱くなってくる。

「うん、明け方にたたき起こされて朝まで付き合わされるの。寝かせてくれないんだよ。お母さんにとってほとんど日課なの。スポーツジムに行くお金がもったいないからって。ダイエットにちょうどいいらしくて」

「はあ、いいなあ。私の夢だよ……。『ダンシン☆ステファニー』で好きなだけ遊ぶの」

彩子が羨ましそうにつぶやくと、ダイアナちゃんはしばらくためらった後で、遠慮がちに彩子を見た。

「よければ……。今度遊びに来る？ うちに。好きなだけやらしてあげる、『ダンシン☆ステファニー』。その……、ごちゃごちゃしている家でよければ」

彩子は飛び上がらんばかりに喜び、思わず彼女の手を取った。

「わああっ、いいの？ 本当にありがとう！ 私もダイアナちゃんに何かしてあげられたらいいんだけど……。ダイアナちゃん、欲しいものとかやりたいこと、ある？」

ダイアナちゃんはびっくりしたように目を逸らす。しばらく足下の水たまりに視線を落とした後、ぽつりとつぶやく。

「やりたいことかあ。早く大人になることかなあ。大人になったら何でも自由に選べるでしょ、ご飯も持ち物も。私、大人になったら自由に名前を選びたいんだ」

「えっ、ダイアナっていう名前、嫌なの？　可愛いのに」

「可愛くなんてないよ。だーいっきらい」

ダイアナちゃんは鼻にしわを寄せて、いーっと歯をむき出しにしてみせた。いつの間にか、二人は昔からの仲良しみたいに、すっかりくだけた口調になっていた。

「十五歳になったら名前って自由に変えられるんだって。そうしたら私、普通の名前に変えるの。それと、お父さんを探しにいくんだ。こんな名前にしたことの文句を言ってやるの」

彼女の話にはぞくぞくさせられる。十五歳、自分で名前を付ける、パパを探す旅。本当に物語のヒロインみたい。自分の思い込みに間違いはなかったのだ。ああ、なんてドラマチックなんだろう。彩子はうっとりとダイアナちゃんを見つめた。髪も瞳も透き通り、人を夢中にさせる力を放っている。それでいて、どこか心細そうで、おびえた目をしていた。私が守ってあげなきゃ――。例えば、シェットランドシープドッグのダンが家に来た時、ガールスカウトで上級の女の子に混じって飯盒炊爨《はんごうすいさん》を担当した時、二年生の一学期に学級委員に選ばれた時。こんな風に内側から熱が沸き上がるような感覚を味わったものだ。

「でも……。ダイアナっていい名前だと思うよ。私達が仲良くなるきっかけにもなったわけだし……。私は好きだけどな。うちにね、『秘密の森のダイアナ』っていう絵本があるの。大好きな本なんだ。一緒に読もうよ。パパが作った本なんだ」

「えっ、彩子ちゃんのお父さんって本を書く人なの？」

ダイアナちゃんは、たちまち小さな顔いっぱいに尊敬の色をたたえた。

「ううん。編集者っていう仕事。作家と一緒に本を作るの。今は雑誌だけど、むかしは絵本を作ってたんだ」

「わあ、すごい仕事だね。すごい。すごいね。そんな仕事があるんだね」

本当に本が好きなんだな――。彩子は嬉しくなる。

『秘密の森のダイアナ』は「はっとり　けいいち」という人が絵と文を書いた全五巻の物語だ。パパが作った本なので、幼い頃から繰り返し読んで、ほとんど内容を暗記している。意地悪な魔法使いのせいで、両親と生き別れになった少女ダイアナが森の動物や妖精《ようせい》達に助けられ、自分の力で生き抜いていく物語だった。自立して生きていく主人公と、目の前の女の子は綺麗に重なる。父の手がけた本をこの新しい友達が気に入ってくれたらどんなに幸せなことだろう。

「面白そう。その本、読んでみたいなあ。彩子ちゃんのおうち、素敵だろうなあ」

ダイアナちゃんが我が家にやってくる。想像しただけでわくわくして、彩子は公園のさわやかな空気を胸いっぱいに吸い込む。三年生は楽しい一年になりそうだ。桜を浮かべた大きな水たまりは、『赤毛のアン』でアンとダイアナが親友になることを誓った花の咲き乱れる庭園や、「輝く湖水」を思わせた。

神崎彩子の家に遊びに行った四月の半ばの日曜日を、ダイアナは一生忘れないだろう。

あの日を境に人生が変わった。自分が楽に呼吸できる場所を、はっきりと心に思い描けるようになったのだ。彩子の家にはダイアナの欲しいものすべてがあった。こんな風にしたい、と夢見ていた光景が自然に存在していた。

「ダイアナちゃん、いらっしゃい。彩子があなたの話ばかりするから初めて会った気がしないわ。はじめまして」

「はじ、め、まして……」

大人からこんな風に丁寧に接してもらったことなどない。そもそも友達の家に招待されるのも、これが初めての経験なのだ。玄関で出迎えてくれた中年の女性は化粧気がなく、皺《しわ》や白髪も目立つのに、透き通るように綺麗で汚れのない空気をまとっていた。紺色の眼鏡に長い灰色のカーディガン、あせた緑色のゆったりとしたパンツという地味な格好なのに、なんとも優雅で好ましい。この人なら私をわかってくれる、とダイアナは直感した。

神崎家の門をくぐった瞬間から、心臓が飛び出しそうになっている。なんという広い家だろう。ティアラとダイアナが暮らすアパート全体よりもはるかに大きな、生クリームみたいになめらかな風合いの筒形の二階建てだ。英国風の庭には季節の花が『秘密の花園』のように咲き乱れていた。一見無造作でありながら、整然とした学校や公園の花壇より、よっぽどあかぬけている。

「うちのママ、年取ってるでしょ？」

彩子ちゃんは少しも恥じる様子はなく、くすくすとささやきかける。教室を離れて、彩子ちゃんと過ごす幸せに目がくらむ。みんなが一目置いている彼女を独り占めできるなんてなんという贅沢《ぜいたく》なのだろう。味噌っ歯のみかげちゃんを咄嗟《とっさ》に思い浮かべる。日曜日、彩子ちゃんの家に行くの楽しみ！　と、わざと彼女に聞こえるように大きな声で言った時のあの口惜《くや》しそうな表情。ちょっと意地悪だったかな、と反省したけれど、かなりせいせいした。

「パパはもっともっと年上なの。もうすぐ散歩から帰ってくるけど、きっとダイアナはびっくりすると思う。私はね、すごく遅くにできた子なんだよ」

　お母さんの後に続いて広々とした居間へと向かいながら、彩子ちゃんは足下にまとわりつく子犬を抱き上げた。

「この子、シェットランドシープドッグのダン。ね、ダイアナ、だっこしてみる？」

　真っ黒な目は濡れていて焦《こ》げ茶の毛はまるでキャラメルのようになめらかだ。抱きたい気持ちはあるけれど犬に触るのは初めてで、つい腰が引けてしまう。以前、酔っ払ったティアラが止めるのも聞かず民家の庭に入ってしまい、飼い犬に噛《か》まれたのを目の前で見て以来、すっかり犬が怖くなった。でも、時間をかければ、ダンとは仲良くなれる気がした。優しい目をしてたから。

　それにしてもなんて素敵な家なんだろう。家具や壁紙がすべて、ティアラがときどき飲んでいる牛乳が多めのカフェオレみたいな色で統一されているせいか、穏やかで心地良い。びっくりするほど物が少なく清潔で、さっぱりしている。真っ先に目を引いたのが、天井まで届く壁一面の本棚だ。難しそうな分厚い本から英語で書かれたもの、料理の本、写真の本、文庫本……。大人の本も子供の本も隙間なく並べられている。

「本屋さんみたいなおうち……」

そうつぶやくと、お茶とお菓子を運んできた彩子ちゃんのお母さんは笑った。

「我が家は本が多いから、家族全員の本をみんなここに集めることにしているの。ダイアナちゃんはとっても読書家なんですってね。なんでも好きなものを借りていっていいのよ。ねえ、ダイアナちゃんはどうしてそんなに本が好きなの？」

ふいに尋ねられて、ダイアナは考え込んでしまう。お母さんがせかしたりしないので、ゆっくり考えて答えることができた。

「ええと、その……。小さな頃、よく寝る前にお母さんがお話ししてくれるのが好きだったんです。なんだか違う世界に行けるみたいで――。それで、もっともっとお話ししてって頼んだら、お母さんはあんまりお話をしらないし忙しいから、自分で字を覚えて早く本を読みなさいって言われて、それで……」

「まあ、ダイアナちゃんのお母様は素敵な方ね。とてもいい育て方をなさったのね。ダイアナちゃんもきっと自立した素敵な女性になるわ――」

彩子ちゃんのお母さんの言葉に、ダイアナは心底驚いた。嘘《うそ》ではない証拠にその目はあたたかい。ティアラを誰かに褒められたのなんて初めてで、急に呼吸が楽になる気がした。

彩子ちゃんにすすめられ、座り心地の良い木の椅子に腰掛けると、広々としたテーブル越しに庭がよく見えた。

「はい、ゼリーと紅茶よ」

ダイアナは目をぱちくりさせ、彩子ちゃんのお母さんの差し出した湯気の立つマグカップと半分に切ったグレープフルーツに詰まったゼリーを見下ろす。ダイアナにとってゼリーとは、コンビニで買う、透明のカップに入った濃い色のものだ。ところが彩子ちゃんの家では、生の果実をくりぬいて器として使っているのだ。彩子ちゃんにならってひとすくい口に運ぶと、爽《さわ》やかで香り高い甘酸《あまず》っぱさがぷるんと弾《はじ》けた。あまりの美味しさにしばし恍惚《こうこつ》となる。ぽってりとした素焼きのマグカップを両手で持つと、なんだかほっとする。人に出された温かい飲み物っていいな――染《し》み込むように広がる安堵感《あんどかん》に、ダイアナはひとり浸った。

「新しいクラスはどうなの？　彩子」

「すっごく楽しいよ。元気な子が多いし。それに岩田先生はいい先生だよ。この間だって、ダイアナをからかった男の子のことをビシッと怒ったんだから。それでね、彩ちゃんは――」

自分のことを「彩ちゃん」だなんて。彩子ちゃんはダイアナのびっくりした視線に気付かず、今週学校で起きたことを夢中で話している。学校ではしっかりしているのに、お母さんの前だと別人のように甘えん坊でおしゃべりなのが、無性にうらやましい。ダイアナもこの懐《ふところ》の深そうな大人の女性に、すべてを委《ゆだ》ねてじゃれついてみたい。

「武田君ってダイアナにひどいことばっかり言うよね。名前がおかしいとか、髪がへんだとか。許せないよ。今度言われたらまた先生を呼ぼうね」

「武田君はダイアナちゃんのことがきっと好きなのよ」

彩子ちゃんのお母さんがからかうように言い、ダイアナと彩子ちゃんは顔を見合わせる。

「ギルバートがアンの髪の色のことをからかったのは、なんでだったかしら?」

えーっ、と思わず抗議の声をあげたら、彩子ちゃんのお母さんは、ごめん、ごめんと笑い、それ以上のことは何も言わなかった。こんな風に初対面の大人の人と快活にしゃべっているなんてなんだか信じられない。彩子ちゃんのお母さんに気に入られたい一心で思わず言ってしまった。

「私の夢はね、本屋さんで働くことなんです。大好きな本だけ選んで、小さくても可愛くて趣味のいいお店を開くの」

「まあ、すばらしい夢ね。きっといいお店になるわね」

褒めてもらえたことが嬉しくてダイアナは天にものぼる心地だった。

すると玄関のドアが開く音がし、まもなく白髪の男の人が現れた。開襟《かいきん》シャツと平たい帽子がさわやかだった。なんとなく、スタジオジブリの映画に出てくるお父さんのような落ち着きと上品さがある。

「パパ、お帰りなさい」

「やっと会えたね、話は聞いているよ。新学期から二週間、彩子は君の話しかしないんだ。はじめまして。彩子の父です」

確かに彩子ちゃんの言う通りだった。お父さんというよりおじいさんと言った方がいいかもしれない。男の人としては小柄で背中が丸まっている。おまけに髪がサンタクロースのように真っ白だ。それでも、笑うとたくさん皺の寄る目尻《めじり》が優しげだ。『赤毛のアン』のマシューってこんな感じなのかもしれない。なんとなく懐《なつ》かしい――。こちらがじっと見つめても、彩子ちゃんのお父さんは怪訝《けげん》な色を浮かべるでもなく、にこにこと笑いかけてくれる。胸に本を抱いた彩子ちゃんが割って入った。

「パパ、パパ。彩ちゃん、ダイアナに『秘密の森のダイアナ』を貸してあげたらね、とっても面白かったって。五巻まであっという間に読んじゃったのよ」

彩子ちゃんはお父さんとものすごく仲良しのようだ。深く安心しきった様子で体をすり寄せる彼女を、ダイアナは神々《こうごう》しいものを見るような思いで見つめる。お母さんといる時とはまた違う、甘やかな空気が流れている。いいな――。もし、お父さんがいたら、ダイアナもこんな風に仲良くできるのだろうか。ティアラもキャバクラを辞め、家にいるようになって、普通のお母さんのように手作りのお菓子をおやつに出してくれるようになるのだろうか――。ダイアナは思いきって口を開く。勇気を振り絞ってこの家に来たのは、この質問をしたかったからといっても過言ではない。

「この、作者の『はっとり　けいいち』さんってどんな人なんですか？　おじさんは知っているんですよね」

「ああ、でも、どうしてだい？」

「この人の本、もっともっと読んでみたいんです……」

八歳にしては色んな本を読んできたつもりだ。けれど、『秘密の森のダイアナ』は今まで読んだどの本よりも胸にささった。ストーリーに引き込まれるというより、森で一人で暮らす孤独なお姫様は、彩子ちゃんにも指摘された通り、姿も性格も自分に似ているような気がしたのだ。しばらくして、彩子ちゃんのお父さんは静かな声で言った。

「ああ、彼はね、このシリーズを書き上げた後、作家をやめたんだよ。だから『秘密の森のダイアナ』以外に本はないんだ」

「え……、そうなんですか」

よっぽどショックを受けた顔をしたのだろう。彩子ちゃんのお父さんは取りなすように笑いかけた。

「どういうところが気に入ったの？　おじさんに教えてくれないかな」

一人前の大人を相手にするようなその話し方が嬉しくて、悲しい気持ちがたちまち吹き飛んでしまう。

「ええと、この、ダイアナが森にやってきたケンジントン公爵《こうしゃく》夫人に、自分の暮らしを語るところ――」

お気に入りのページを開き、声をあげて朗読をする。


「同情なんてしないで。公爵夫人」

と、ダイアナは朗らかな調子で言った。

「この森にはすべてがあるんですもの。私は十分に恵まれた暮らしをしているんですから」

「まあ、こんな掘っ立て小屋でろくなドレスもないじゃない。友達だっていないないんでしょう」

と、公爵夫人。

「鳥やリスたちがいい話し相手ですわ。ドレスは一着でも季節の葉や木の実で飾ることはできる。それに、私にはとびきりの知恵と器用な手があるわ。そう、欲しいものはなんだって、自分の力で作り出すことができるんですもの」

ダイアナは思わずうっとりと息をついた。まるで自分のためにあるような言葉だと思う。これでいいんだよ、と励まされている気分だ。「はっとり　けいいち」さんは、ダイアナの気持ちをきっとわかってくれるはずだ。こんな風に心にぴたっとくる描写や表現に出会えるから、読書はやめられない。彩子ちゃんのお父さんはにっこりとうなずいてくれた。

「おじさんも、そのダイアナの台詞《せりふ》は好きだよ。すごく励まされるし、むくむくやる気が出てくるよね。そんな風に言えるダイアナはすごいなあ、と本を作りながら思ったよ。はっとりさんも、この部分を気に入っていたっけ」

「本当ですか！　嬉しい……」

ふと、涙がこぼれそうになった。彩子ちゃんのお母さんももちろん素敵だけど、お父さんという存在の大きさと温かさはまた別格だった。そばにいるだけで、まるで自分の存在をまるごと肯定され、この先なにも怖いことなんてないよ、と包んでもらえる気分だ。お父さんが欲しい――ダイアナは強く思った。こういう大人の男性に守ってもらいたい。十五歳までなんて待てない。早く自分の父親を探さねば、と心に決めた。

「書斎にはっとりさんのイラストが飾ってあったな。ちょっと見てこよう」

彩子ちゃんのお父さんが二階に行ってしまうと、お母さんは立ち上がった。

「そうね、じゃあ、二人に食器洗いを手伝ってもらって、それからカステラを作りましょうか。簡単よ、すぐにできるわ」

「カステラって作れるの？」

びっくりして聞き返すと、彩子ちゃんのお母さんはいたずらっぽくうなずいた。

「『ぐりとぐら』もそうだったでしょう？」

懐かしいそのタイトルにダイアナの心にぱっと花火がはじけた。

「ダイアナちゃん、これからいつでも遊びに来てね。おばさんが暇な時は、難しくないお料理をいくつか教えてあげるわ。お母さんがいないときは一人で食べているんでしょう。買った物も悪くないけれど、手作りするのは楽しいし、とっても美味しいのよ」

帰りたくない――。

外は明るいのに突然、強く思った。たった一人で来た道を引き返し、コンビニでお弁当を買い、冷たくて暗い部屋で食べる。いつもしていることなのに、この時はっきりとダイアナの心はそれを拒否していた。いやだ、一人になりたくない。この温かな部屋で好きな人たちに囲まれていたい。この家庭の持つ、優しくて穏やかな雰囲気をもう少しでいいから感じていたい。ずっと一人が楽だと決めつけていたけれど、そんなの思い込みだったのだ。本当の自分は寂しがりやで人が好きで、あまったれなんだ。

結局、夜の七時まで彩子ちゃんの家で過ごした。彩子ちゃんのお母さんは焼きたてのカステラだけでなく、夕食に出してくれたきんぴらごぼうとひじき、おむすびまでタッパーに入れて持たせてくれた。彩子ちゃんのお父さんが、彩子ちゃんと一緒に車で送ってくれたので、帰り道もにぎやかで寂しくなかった。

帰宅後、彩子ちゃんと庭で摘んだマーガレットの花束とハーブをコップに入れて飾ると、冷え切った原色尽くしの部屋がほんのりとなごんだ気がした。

「よし、これで夕食の準備はばっちり。さ、早くうちを出よう！」
　炊飯器のスイッチをピッと押して、ダイアナは満足そうにパンと手を打った。彩子のママが彼女に教えた海老《えび》ピラフは、横で見ていてもとても簡単そうだ。といだお米にミックスベジタブルと海老、コンソメキューブと粉末パプリカ、バターを入れて分量通りの水を入れて炊《た》けばいい。火を使う料理も早く教えてもらいたい、とダイアナはもどかしそうに言っている。
「彩子ちゃんのお母さんがいろいろ教えてくれるおかげで、なんだか大人になった気分。ああ、彩子ちゃんのお母さんってかっこいい。なんでも知ってるんだもん」
　ママがダイアナの役に立っていると思うと誇らしいが、それどころではない。彩子の全神経は小さなテレビ画面に釘付《くぎづ》けだ。「ダンシン☆ステファニー」がいよいよセカンドステージに突入する。ステップマークの付いたビニールシートの上で、彩子はステファニーの動きに合わせて夢中で手足を動かす。ダイアナはこちらに来て、つまらなそうに腕を引っ張った。

「もうずーっとゲームしてばっかじゃん。ね、早く彩子ちゃんちにいこうよ。もう夜ご飯の支度も、明日の学校の準備もできたし」

うん、あとちょっと、とつぶやくものの、彩子はテレビの前から動けないでいた。ダイアナはしきりに家に遊びにきたがるけれど、正直ここでずっと過ごしたいくらいだ。もちろん自慢の親友とパパとママが仲良しなことは嬉しいし幸せだけど、最近ちょっぴり焼きもちを感じてもいる。二人とも、ダイアナの頭のよさ、感性のするどさにいつも驚いている。彩子がいいというものには難色を示すママも、ダイアナの食や本や色の好みには心から満足そうに目を細めるのだ。彩子にはわからない〝ほんもの〟が、ダイアナにわかるからだろうか。

なにより、彩子はダイアナの暮らすこの家のキラキラとした魔力に魅入られている。まるでおままごとのように小さなお部屋はドールハウスみたい。いたるところにカラフルな瓶がずらりと並び、壁じゅうにお姫様みたいなドレスがかかっている。アクセサリーやかつらが宝物のように積み上げられ、カーテン代わりの半透明のキャンディみたいな玉すだれも可愛い。ダイアナの言っていた通り、テレビからエアコン、冷蔵庫から炊飯器までびっしりとキラキラのシールかビーズで彩られ、いつまでも眺めていたくなる。

それればかりではない。ダイアナの出してくれる食事やおやつが信じられないほど美味《お》しいのだ。手際《てぎわ》よく作ってくれたインスタント焼きそばの味はわすれがたい。舌がしびれるほど強いソース味。やわらかな麺《めん》のかみ心地の良いことといったら——。ポッキーにポテトチップスにじゃがりこ。いずれも夢にみるほどの味わいだった。

「ねえ、彩子ちゃん、ゲームじゃなくて呪《のろ》いを解く遊び、やろうよう」

それを聞いて彩子はようやく、テレビ画面から目を離し、親友に向き合った。

『秘密の森のダイアナ』に出てくる「呪いを解く儀式」ごっこは二人のお気に入りの遊びだった。

「リュークス、リュークス、フィルフィルルー」

鏡の前に並び呪文《じゅもん》を唱えた。

ずっとここでこうしていたいな——。

彩子は思わず言ってしまう。

「私、ダイアナんち好きだなあ。本当に楽しいなあ。ここの子になりたい」

「ええ、うちなんか！　彩子ちゃんちの方がぜんぜんいいじゃん」

「ええ、そう？」

「そうだよ。そうだよ。私も彩子ちゃんちみたいに、広くてお金持ちで……、お父さんがいたらなあって思うよ」

そう言うなり、ダイアナが赤くなってうずくまるので、彩子は驚いて隣にしゃがみ込んだ。

「十五歳までなんて待てない。私、お父さんに今すぐ会いたい。それで、お母さんともう一度結婚してもらうの。そうしたら、お母さんも働かなくていいし、家にいられるもん」

彩子は、ダイアナの自由な暮らしに憧れていた自分を恥じた。彼女がどれほど寂しいかということにずっと無頓着《むとんちゃく》だった。

「ダイアナ、私、ダイアナのパパ探しに協力するよ。うん、二人で探せば、きっとすぐ見つかるよ。ナンシー・ドリューみたいに探偵やろうよ」

「でも、手がかりなんてなにもないよ。競馬が好きだってことくらいしかわかんない」

「写真とかないの？　あと、手紙とか？」

ダイアナは金髪を揺すって首を振った。ああ、なにかいい案はないか――。二人が考え込んでいると、玄関のドアがばたんと乱暴に開き、ジャージ姿のほっそりした女の人が飛び込んできた。乱暴にサンダルを脱ぎ捨て、どすどすと部屋に入ってくると、いきなり鍵《かぎ》を床にたたきつけた。煙草《たばこ》のにおいがふわりと広がる。

「ただいまー。あれ、友達？」

「やだ、なんで今帰ってくるのよ。ミノルくんとのパチンコデート、ゆっくりしてきてって言ったじゃん！　今、内緒話の最中なのに！」

ダイアナは真っ赤になってどなった。彼女は構わずに、こっちを見るとニッと笑う。

「あー、あんた、ダイアナの友達？　彩子ちゃんだっけ〜。おつ〜。ティアラどえ〜す」

ティアラ、ということはダイアナのママか。目の前にいるのは、どうみてもお姉さんにしかみえないのに。それにしても、なんて綺麗《きれい》な人なんだろう。くるくるとカールされた金髪に青い目。フランス人形がしゃべっているみたいだ。まさにティアラを身に付けるために生まれてきたような美女で、上下豹柄《ひょうがら》の紫色のジャージを身につけているのも、華やかでかっこいい。

「ちょうど良かった。『銀だこ』でたこ焼き買ってきたんだけど、一緒に食べない？　パチンコ大当たりしちゃってさあ。機嫌いいから、おみやげ〜」

「ティアラ、やめてよ！」

「えー、なんでよお。あんたの好きなチーズ明太子だよ。ほら、食うべ？」

「いらないよ！　彩子ちゃんの前で変なもの出さないで！」

ダイアナがなんだか泣き出しそうに見えて、彩子は少しびっくりしてしまう。ティアラさんは少しも怯《ひる》まない。

「じゃあ、あんただけでも食べな。たこ焼き、好きでしょ？」

彼女に勧められるまま、折りたたみテーブルの上に無造作に投げられたその温かな包みを開いてみた。かりっと焼かれた丸いたこ焼きにピンク色のソース。食欲をそそる香ばしい匂いにうっとりする。一口食べて思わず、わあっと叫ぶ。こんがりした表面からとろりとした生地があふれ出す。明太子とチーズが信じられないほどまろやかでよく合った。

「ダイアナのママってお姫様みたい……。それに、こんなおいしいもの、食べたことない」

ティアラさんは一瞬目を丸くし、喉をのけぞらせて笑った。

「やだ、この子、ウケるんですけど！　あんた超おもしろいね！」

ティアラさんにぴしゃっと背中を叩《たた》かれ、むせそうになった。ダイアナは心底うんざりしたような顔でため息をついていた。でも、彼女はきっとママそっくりの、その輝きで世界を惹《ひ》きつけるような美しい女性になるだろう。大人になったダイアナの隣にふさわしい自分になりたい、とあつあつのたこ焼きを頬張りながら、彩子は温かい気持ちでそう思った。

午後の教室に彩子ちゃんの澄んだ声が響き渡る。親友としてもっとも誇らしい瞬間だ。

「先週の日曜日、矢島さんとお母さんが我が家に遊びにきました」

みかげちゃんがわざわざ振り向いて、口惜しそうに睨み付けてきた。

「庭のいちごは今、真っ赤に色づいてまるでルビーみたいです。触るとひんやりして、見ているだけでほっぺたの中がちょっとすっぱくなります。お砂糖や練乳をつけなくても、十分おいしいと思います。バスケットが宝石箱みたいでした」

彩子ちゃんの作文はとっても上手だ。情景がいきいきと目に浮かぶようだし、ちょっとした言葉使いがしびれるほど的確なのだ。先生に指名されて一人だけ朗読するのも納得だ。おかっぱを光らせて原稿用紙を目で追う彩子ちゃんに、心の中でありったけの拍手を送る。

それに比べて——。ため息まじりに自分の作文に目を落とす。岩田先生の力強い赤い字で、

「上手に書こうとしなくていいので、もっと楽しんで書きましょう」

と書かれている。ダイアナは文章を書くのが得意ではない。何かを読むのは大好きだけど、自分から発信することがなんとなく恥ずかしい。嘘が混じってしまう気がして、どうにも抵抗がある。自分の感情を大げさに盛り上げてしまうことが怖い。読書感想文は特に苦手で、頑張って書き上げても、大好きな本を自分の言葉で汚してしまったような後悔がいつもつきまとう。だから、作文を書くのが上手《うま》い彩子ちゃんはなによりの自慢だ。

「矢島さんのお母さんはとってもきれいでたのしくて、まるでお姫様のような人です」

それは言い過ぎだ——。彩子ちゃんは気を遣ってくれているのだ。あの日のティアラの無作法を思い浮かべると、いたたまれない気持ちになる。

——すごいじゃーん。ダイアナー。やっと友達できたんだ。彩子ちゃんみたいなお嬢と仲良くなってくれてマジ安心〜。今度うち、お礼にいかないと。

ティアラがまさかそんなことを言い出すなんて想像もしていなかった。必死で止め

たのだがなんの屈託もなく、彩子ちゃんの家でジャム作りをするのにくっついてきたのだ。

　――ちーす。すっごい家ですね～。お城って感じ。

　落ち着いた色彩の彩子ちゃんの家で、ティアラはいつも以上にけばけばしさが極立っていた。煙草とお酒でつぶれた声で、九官鳥みたいにギャアギャアしゃべるのが恥ずかしくてならない。おまけに不器用で、キッチンを汚してばかりいる。それを嫌がる風はみじんもなく、彩子ちゃんのご両親は楽しそうに接してくれた。帰り道、ティアラはやたらとハイテンションだった。

　――彩子ちゃんママ、マジかっけ～。今度料理教室においでって誘われちゃったよ。

　――やめなよ。ティアラが行ったら、浮いちゃうよ。絶対に笑われるよ。

　――え～。そうかな。でも料理教室っていってみてえ。ミノルも家庭的な女が好きだっていってたし。

　ティアラの話に出てくる男の人はくるくる変わるけれど、ダイアナは一度として顔を合わせたことがない。ダイアナを残して外泊することはしょっちゅうあるけれど、ティアラは決して二人の部屋に誰かを招くことはなかった。もしかして――。娘がいることを隠して彼らと付き合っているのではないだろうか。基本的に悪気はないティアラだけど、自分はやはり「秘密の森」に隠された存在なのかもしれない。なんだかむしょうにとげとげしい気持ちになって、ティアラのジャージの袖《そで》をぐいとひっぱる。

——ねえ、ティアラは嫌じゃないの。気にならないの。私が彩子ちゃんちにしょっちゅういくこと。彩子ちゃんちと比べられていやじゃないの？

どきどきしながら返事を待ったのに、ティアラの答えには拍子抜けしたものだ。

——んー、だってさ、彩子ちゃんのお父さんもお母さんも、すっごく年上じゃん。それに金持ちじゃん。だからちゃんとしてて当たり前かなって。うちはバカだけどそれがうちの個性じゃん。ダイアナと二人で誰にも迷惑かけずに生きているだけで、十分うち、がんばってるもん。うちはうちじゃん。オンリーワンじゃん。

やたらと晴れ晴れした顔を見て、気を揉《も》んで損した、とダイアナはがっくりした。この人に普通の感情が欠落しているのを忘れていた。ティアラが神崎家の三名とあっさりと打ち解けてしまったことも、ほっとしたような悲しいような、妙な気分だった。ダイアナは彩子ちゃんのご両親に気に入られて有頂天だったけれど、結局誰にでも親切な一家なのではないかと思うと寂しくなる。

「神崎さんの作文はとてもいいですね。皆さんも神崎さんを見習って、小さなことをしっかり心に留めて、言葉にする習慣を身につけましょう」

岩田先生に褒められ、彩子ちゃんは照れくさそうに頰を染め、着席した。

先生の指名による朗読はまだ続いていたが、他の子なんてどうでもいい、とダイアナは窓の外のプールを見つめていた。しかし、どきっとするような単語に、我に返った。

——競馬

確かにそう聞こえた。見れば、彩子ちゃんの隣の武田君が作文を読み上げている最中だった。

「日曜日、ぼくはお父さんと競馬場にいきました。お父さんはかけごとが好きです。お母さんには内緒です」

教室のあちこちでくすくす笑いが起きた。

「でも、『大穴』だと思っていたのに外れてしまい、帰り道ぷんぷん怒っていました。喜んだり怒ったりするお父さんをそばで見ているのはとても楽しいです。大きな馬もそばで見れて、とても良かったです。子供があそべる小さな遊園地もありました。また競馬を見にいきたいです。今度の土曜日は『青葉賞』というのがあるので、それにも連れて行ってもらえそうです」

もう少しのところで、大声をあげてしまうところだった。そうだ、競馬場——。どうして今まで思いつかなかったのだろう。お父さんを見つけられるかもしれない。首筋がカッと熱く、喉がからからに干上がっていく。

休み時間のチャイムが鳴るなり、ダイアナは席を蹴《け》って武田君のもとへと走った。意地悪を怖がってる場合ではない。こんなチャンスを逃す手はない。彩子ちゃんがそれを見て、慌《あわ》てて立ち上がる。

「今度、『青葉賞』にお父さんといくなら、私も連れてって。小さい頃に私を置いて出てったお父さんがそこにいるかもしれないの。探すのを手伝って」

体中の気力を振り絞って、まっすぐに武田君を見上げた。ティアラの口癖を思い出している。

――いいか、ダイアナ。ガン飛ばしたら絶対にそらすんじゃないよ。先にそらした方が負け。要求を通すってのはそういうもんだ。

確かに、彼がたじろいでいるのがわかる。

「なんだよ、意味わかんない。なんでお前を連れて行かなきゃいけないんだ」

心底困惑したような武田君に向かって、ダイアナは必死で言葉を尽くす。

「私のお父さんはきっと競馬場にいるの。だって、お母さんが言ってたもん。毎週競馬に出かけていたって。一等の大穴にかけていたって。青葉賞の日に競馬場にいれば、きっとお父さんを見付けられる気がする。ねえ、武田君。次の土曜日、私を競馬場に連れて行ってよ」

「お願い。ダイアナのパパが見つかるかもしれないんだよ。私からもお願い」

「やだよ！　意味わかんね。女なんか連れてったら、オヤジもびっくりするよ」

武田君は何故かおびえたように教室を見回している。ダイアナは夢中で頭を下げた。

「競馬場なんて一人じゃいけない。お願い、一生のお願い」

　クラスメイトの目も気にならない。どうしてもお父さんに会いたい。ぼんやりした男の人のイメージに、彩子ちゃんのお父さんの優しい笑顔が強く重なった。


　コースの濃い緑が目にしみるようだ。

　一応大人が引率しているとはいえ、こんな遠くまで、それも内緒の目的を抱えて来たことなどない。ここまで広いところだなんて思わなかった。見渡す限り人、人、人の波。こんなに大勢の人がいては、ダイアナのパパが居ても見付けられないのでは、と不安になってくる。すれ違ったおじさんの煙草のけむりに、彩子は少し咳込《せきこ》んでしまう。競馬場と聞いた時、彩子もダイアナもてっきり学校の校庭くらいの大きさを想像していたのだ。

——武田君のパパに競馬場に連れて行ってもらうの？　ダイアナちゃんと一緒に？

うーん、そうねえ。少し考えさせてもらえるかな。

ママに相談すると、すぐに了解は得られなかった。

——彩子もダイアナちゃんもきっといい社会勉強になるわ。ええ、それにダイアナちゃんだって……。お父さんを……。

真夜中、トイレに行った帰りにふと耳にしたママの電話。相手はティアラさんだったのだろうか。心配していたけれど競馬場行きは許され、今朝はお小遣いを与えられて送り出された。

武田親子に連れられ、府中競馬場に電車で辿《たど》り着いたのは朝十時だった。武田君のパパはいかにもお肉屋さんらしくコロコロと丸い色白のおじさんだった。でも、電車の中でもどこか心ここにあらずといった様子で、しきりに手帳を覗《のぞ》き込んだり、折りたたんだ新聞に赤ペンで何か書き付け、ため息をついたり独り言をつぶやいたりしている。競馬場に着くなり、子供そっちのけでさっさと観客席の方まで行ってしまった。

途方にくれたように周囲をきょろきょろ見回すダイアナに、彩子は場内放送の大きさに負けまいと大声で問う。

「お父さんぽい人、いる？」

「わかんない。多すぎて。でも、子供だけでうろうろしていたら目立つし、こっちは顔がわからなくても、きっと向こうが気付いてくれるはずだよ。私はティアラにそっくりだもん」

きっぱりと言いながらも、ダイアナは見たこともないほど不安そうな顔つきだった。競走馬を映し出す巨大モニターを見上げていた武田君は、ためらいがちに口を挟んだ。

「だいたいここにお父さんが来る保証なんかあるのかよ」

「来るよ。うちのお父さんは毎年青葉賞に必ず来るんだもん。私の名前も青葉にしたいって言ってたくらいだから」

「へえ、青葉か。ダイアナよりぜんぜんまともじゃんか」

「武田君、失礼よ」

三人は競馬場の中を、足が棒になるまで歩き廻り、ダイアナはすれ違う男の人一人ひとりの顔を丹念に見ていた。観客席を何往復もし、場内の飲食店だけでなく併設された日本庭園の中までくまなく探したのに、何時間経《た》っても、誰一人としてダイアナに声をかけてくる大人はいなかった。閉門を告げるアナウンスが聞こえると、とうとう観念したようにダイアナは立ち止まった。

「ごめんね。武田君、彩子ちゃん。せっかく連れてきてくれたのに。ここにお父さんはいないみたい――」

「そんな、謝らないでよ。ダイアナ。こんなに人が多いなんて思わなかったもん。見つからなくて当たり前だよ。仕方ないよ」

「ううん。そういうことじゃないんだ」

ダイアナの目から一筋の涙がこぼれ落ちて、彩子は息を呑《の》んだ。武田君が体をさっと強《こわ》ばらせたのがわかる。

「あのね、私、彩子ちゃんのお父さんみたいな優しい人がお父さんだったらいいなあって思ってた。でも、競馬場のおじさん達って、大声出すし、煙草を吸うし、お金の話ばっかりするし、全然イメージが違って。私のお父さんって、きっと彩子ちゃんのお父さんとは違うタイプなんだろうなあって思ったら、なんだか――」

彼女がそんなことを感じていたなんて、想像もしていなかった。ダイアナの気持ちも考えずに、目の前でパパに甘えてきたことをひどく後悔した。パパの顔さえ覚えていない彼女の心細さを思うと、こちらまで泣いてしまいそうになる。

「また来年もこようぜ」

ぽつん、と武田君が言った。驚いている彩子を見て、そしてダイアナに目を向けた。照れくさそうに彼はこう続ける。

「お前、やせっぽちで体も小さいじゃん。そんなんだから、まだ、あんまりお母さんに似てないいんだよ。もっとデカくなれば、お父さんだって遠くからでも気付くって。だからさあ、もっとクラスで友達つくっていっぱい遊んで、給食をもりもり食べろよ」

ダイアナがこっくりとうなずいた。あれ——。武田君の頬がほんのりと染まったのはどうやら、日が落ち始めたせいでもなさそうだ。

やっぱりママの言う通りなのかもしれない。彩子の胸に味わったことのない感情が広がっていく。武田君がかわいそうな気がしてきたのだ。ダイアナのことが大好きなのは彩子も一緒だ。でも、女の子同士はすぐに仲良くなれるけど、男の子と女の子ではそれは難しい。クラスメイトの目もある。少なくとも今は、からかったりいじめたりするくらいしか、彼女とつながる手段がないのだ。

「大丈夫だよ、ダイアナ。いつかきっとお父さんに会える日がくるよ」

日が陰っているせいか、ダイアナの金髪は褐色に沈み、ひどく大人びて見えた。もう夕方の五時になるところだ。武田君のパパが遠くから走ってくるのに気づく。

「子供だけでどこに行ってたんだ。心配したよ。もう閉門だから帰らないとまずいぞ」

「父さん、俺たち、腹ペコだよ。なんか食べたい」

「仕方ないなあ」

閉門間近で売店のほとんどが店仕舞いをしている中、開いているお店に慌てて飛び込んだ。彩子はその日、アメリカンドッグというものを初めて食べた。ふっくらとした生地に包まれたソーセージは均一なやわらかさだった。ケチャップにまみれているそれは屋外で食べるせいもあって、彩子にはぼうっとするほど美味しく感じられた。武田君はそんなに悪い子ではない。時々なら仲間に入れて遊んであげてもいいかもしれない。温かい風がふわりと吹いてコースの芝生の緑のかおりをここまで運ぶ。もうじき夏が始まることを思い出した。今年はパパとママに頼んで、葉山の別荘にダイアナとティアラさんを連れて行こう。

青い海辺に母娘《おやこ》のさらさらした金色の髪はよく映えるだろうと、彩子は思った。

第2章

別世界の人

午後の授業は危険だ。

給食の後にこっそり牛乳で飲み込んだ痛み止めが効き始めて体がとろとろ温まり、油断すると眠気がどっと襲ってくる。腰がだるくてしょうがない。十一月もそろそろ終わるというのに、窓から差しこむ日差しは机の木目を浮かび上がらせるほど強い。シャツの中はうっすらと汗ばんでいた。背中のブラジャーが透けてしまったらどうしよう、と彩子は気が気ではない。ママの編んだすみれ色のカーディガンは教室後方のロッカーに入れたままだ。真後ろに座る山崎君は女子の体の変化にめざとい。陰でこそこそと嫌らしいあだ名を付けたり、身体検査を覗き見して発育をランク付けしたり、すれ違いざま、わざとぶつかってきたりするので、女子の間で嫌われていた。用心しているから直接的な被害にあったことはまだないものの、それも時間の問題だろう。山崎君に何かされる前に無事卒業を迎えたい、と祈るように思う。彼のにやにやした視線が背中に集中しているような気がして、怖くて振り向くことができなかった。

六年生になってから、彩子の体は急速に成長した。身長はクラスで二番目に高く、胸のふくらみはもはやスポーツブラでは押さえきれないほどだ。ママは大人用のブラジャーを薦めるけれど、それだけはどうしても恥ずかしくてしぶっている。体育の時間に男の子達の視線が自分の体に集まるたび、消え入りたい気持ちになる。

五年生の二学期から始まった生理に、一年経《た》つ今も、彩子は慣れることが出来ないでいた。足の間が常に生温かく濡《ぬ》れているのが落ち着かないし、ナプキンが肌にくっついたり離れたりする感触も気色悪い。自分が不潔になったような感覚も拭《ぬぐ》えない。わけもなく悲しみや苛立《いらだ》ちがこみ上げ、抑えきれずにママに八つ当たりするなんて少し前までは考えられなかったことだ。まだ今日で一日目。だいたい一週間は続くので、これから始まる六日間を思うと憂鬱《ゆううつ》でならない。

学校の授業が簡単過ぎるのも眠気の原因かもしれない。受験勉強もいよいよ大詰めで、放課後は塾や家庭教師の予定がびっしり詰まっている。正直なところ、学校に通う時間を勉強に充《あ》てたいくらいだ。でも、登校すれば友達に会える――。斜め前に座っている、ダイアナをこっそり盗み見る。とうとう四年間ずっと一緒のクラスで過ごすことが出来た。一番の仲良しのパサパサの金髪は、黒い頭の群れの中でとても目立つ。なんとかして目立たぬ色に染め直そうと、薬局でカラー剤を購入し、何度もダイアナの家のお風呂場で挑戦したものの、幼い頃から繰り返し脱色されたせいかすぐに色が抜けてしまう。ダイアナはクラスで一番体が小さい。出会った頃のままの、か細い手足にとがった顎《あご》、おうとつのない薄い体をしている。

最近、ダイアナとゆっくり話せていない。今日も学校が終わったら、すぐ家に帰り、ランドセルを置いて塾へと向かわなければならない。この間の模試の成績が芳《かんば》しくないのだ。理由はわかっている。以前のように、息をとめていつまでも海に潜っていられるような集中力が失われつつあるのだ。勉強している最中、完全に自分が消える、ということがなくなった。気付くと時計の針をちらちら見てしまう。とりわけ生理の最中は、背筋を伸ばして長時間座っていることさえ苦痛になってきた。

生理を迎えている子はこの教室で一体、何人くらいいるのだろう。体の大きな川口さんや佐山さんはきっともう始まっているかもしれない。でも、なんとなく、はっきりとは確かめることはできないムードが女子の間に流れている。チャイムが鳴り、担任の林先生は教科書を閉じた。

「それでは、授業を終わります。次の授業は理科室です。日直はプリントを集めてください」

日直の号令に合わせ、立ち上がって、礼をする。ふと違和感があり、上半身をひねってお尻《しり》の辺りを見下ろした。体中の血がどっと下がるのがはっきりわかった。

「どうしよう……」

スカートが汚れている。小さなシミだけれど、紺色と水色のチェックのスカートに、くすんだ赤が滲《にじ》んでいた。頭の中が真っ白になり、教室のざわめきが遠のいていく。後悔と恐怖でいっぱいになりながら慌《あわ》てて腰を下ろす。こわごわ背後を確認すると幸い山崎君は友達とのおしゃべりに夢中で、こちらを見ていなかった。こんなしくじりをするなんて、泣きたいほど恥ずかしく、惨《みじ》めだった。人目を気にしながらポーチを持ってトイレに行くのがおっくうで、まめにナプキンを交換しなかったせいだった。次の授業はよりによって理科室だ。移動中にみんなにスカートの後ろをさらさねばならない。

「彩子ちゃん、どうしたの？　一緒に理科室いこう」

どきりとして顔を上げると、理科の教科書を胸に抱いたダイアナがこちらを覗《のぞ》き込んでいた。はしばみ色の大きな瞳《ひとみ》が不思議そうに揺れている。

「どうしよう、スカートのうしろを汚しちゃったみたい……」

消え入りそうな声でそう言うのがやっとだった。ダイアナの瞳が一層大きく開かれる。彼女はまだ初潮を迎えていないから、もっと説明が必要だろうか――。

「落ち着いて、私にまかせて」

ダイアナがきっぱりと言ったので、彩子は驚いた。一瞬ですべてを飲み込んだ顔で親友は大きくうなずく。周囲をさっと見回すと、こちらの耳に唇を寄せた。

「次の授業は休んで、スカートのシミを落とそう。図工室ならニスを乾かすドライヤーも洗剤もたわしもある。洗っている間は、体操着を着てればいいよ。ね、私、彩子ちゃんの後ろをぴったりくっついて歩くから、絶対にわからないよ」

彩子は思わず涙ぐみそうになる。なんと頼れる子を親友にもったのだろう。張り詰めていた気持ちがほどけ、抱きついてすべてを委《ゆだ》ねたくなった。彩子は机のフックにかけてある体操着入れをつかんだ。席を立つなり、ダイアナはぴたりと後ろに張り付く。ムカデ競走よろしく、二人は足並みを揃《そろ》え、教室前方のドアを一直線に目指した。

最前列に座るみかげちゃんに向かって、ダイアナは素早く声をかけた。

「みかげちゃん、彩子ちゃんがちょっと熱っぽいんだって。保健室に私が連れていくから、先生に言っといて」

「大丈夫？　私も付き添うよ」

分厚い眼鏡の奥の目が疑わしそうに光っている。おしゃまで饒舌《じょうぜつ》だったみかげちゃんは、中学受験が近づくにつれ、ぴりぴりしたガリ勉になっていた。内申書を意識してか、学級委員まで引き受けている。けれど、視力が落ちるまで勉強し、四六時中問題集を手放そうとしないわりには、成績は振るわない。彼女の第一志望は彩子と同じ山の上女学園だ。なんでも彩子に倣《なら》いたがる、彼女のママの方針だった。もちろんみかげちゃんの努力が実ればなによりだが、そこまで親しくもないのに自分の小学校時代をよく知る子と同じ中学に通うというのはちょっと面倒臭い気もする。

「ダイアナにおねがいしたいの。ごめん」

思わず突き放す口調になってしまった。学校でも一緒、塾でも一緒、ママ同士も親しいとなると、つい何を言っても許されるような気がしてしまうのだ。みかげちゃんは傷ついたように唇を噛《か》みしめ、引き下がった。そんな表情を見て、彩子はほんの一瞬、反省した。廊下に出ると、隣のクラスの武田君がすれ違いざまに話しかけてきた。

「お前ら、どこいくんだよ。もう授業だろ」

「うるさいなあ。ほっといてよ」

ダイアナは武田君の顔を見ようともせず、そっけなく返した。四年生までは三人で遊ぶことも多かったが、いつの間にかすれ違っても声さえ掛けないようになっていた。ぐんぐんと身長が伸び、のど仏も浮き出た武田君は男の子というより、男の人に近い。

放課後は中学生の不良たちとつるんでいるともっぱらの噂《うわさ》だ。彼に憧《あこが》れている女の子も多いと聞くけど、ぶっきらぼうな態度やがっしりした体軀《たいく》に、彩子はどうしても緊張してしまう。引っ込み思案なくせに、武田君のような乱暴者と対等に口をきくダイアナに驚かされる。

一階東側にある図工室にたどり着くと、ダイアナはそっと扉を開け、よかった、誰もいない、と安堵《あんど》の声を漏らした。絵の具の匂《にお》いがぷんと漂い、ようやくほっとして二人は顔を見合わせた。彩子は教壇に隠れて、短パンに着替える。スカートを流しに持っていって、さっそく水で洗おうとすると、ダイアナが制した。

「こういうのは、擦るんじゃなくて叩《たた》いた方がいいんだよ」

ダイアナはポケットからタオルハンカチを取り出し、水で濡らすと、洗剤を一滴垂らす。作業台の上にスカートを載せて、シミをとんとんと叩いていく。汚れ物を処理される恥ずかしさを忘れ、彩子は作業台に腰掛けてその慣れた手つきに見とれた。

「ティアラがよく、店のドレスにしみつけるからさ。ねえ、彩子ちゃんとこんな風にゆっくりするの久しぶりだね」

染《し》み抜きが終わると、ダイアナはドライヤーのプラグをコンセントに差し込み、温風を吹きかけた。ドライヤーの風音に負けないように彩子は声を張り上げる。

「ごめんね。私が忙しいせいだよねえ。あーあ、勉強するの嫌だなあ」

「もうちょっとの辛抱だよ。あと三ヵ月もすれば受験も終わって、また二人でゆっくり遊べるじゃん」

「本当に受かるのかなあ……。心配だよ」

「彩子ちゃんなら大丈夫。勉強できるもん。ねえねえ、それより、またあの学校の話して」

　ダイアナは山の上女学園の話を聞くのが大好きだ。校舎やカリキュラム、制服がどんなふうなのか説明すると、まるで夢見るようにうっとりと目を細める。

「はあ、いいなあ。女子校かあ。なんだか『おちゃめなふたご』や『おてんばエリザベス』、『はりきりダレル』の世界だね。なんて素敵なんだろう」

　ダイアナに山の上を褒めてもらえるとほっとする。というのも、どうして山の上女学園を目指しているのか、最近分からなくなってきているのだ。大好きなママの母校で、制服が可愛《かわい》くて、去年初めて行った文化祭もとても楽しかった。たしかに理由があって自分で決めたはずなのに、受験勉強が辛《つら》いせいだろうか、誰かに強制されている気がしてならない。なにより、ダイアナと離れ離れになることを考えると、無理して受からなくてもいい気がしてくる。

「ダイアナと山の上に通えるんなら、やる気も出るのに……。ねえ、ダイアナは中学受験する気はない？　今から頑張れば、受かるんじゃないかなあ」

もうずっと考えていたことだった。山の上女学園は国語教育に力を入れていることで有名なのだ。受験は二教科で国語の成績が重視される上、万が一テストが振るわなくても、面接と作文で取り返すこともできるのだ。読書家のダイアナにぴったりではないか。

「無理無理、私、読むのは好きだけど、書くのはからっきしダメだもん」

そうか、と彩子は小さくうなずく。実際、ダイアナは文章で自分の思いを表現することがあんまりうまくない。楽しいことやきらきらしたことはみんな胸のうちにとどめておく奥ゆかしい性格だった。今の彩子には、そんな彼女がひどく豊かに思える。最近では本を読むことが、勉強の一部になりつつあるから、純粋な読書から遠ざかっているこことがなんだか悲しい。

「パパがまた遊びにいらっしゃいっていってたよ。ダイアナと本の話をするのは楽しいって」

パパはダイアナの趣味にもともと一目置いていたが、彼女が大きくなるにつれ、まるで友達としゃべるように対等な会話をするようになった。そう、いつの頃からか、ダイアナは大人っぽい作品を好むようになっていた。サリンジャーの『ライ麦畑でつかまえて』はこのところの彼女の愛読書ということで借りてみたが、数十ページ読んでみても彩子には意味がわからない。正直にそう言ったら、ダイアナはそうかあ、と特に残念そうな様子もなく、つぶやいた。それでも、彼女が次に薦めてくれたジュディ・ブルームという作家は素直に面白いと思えた。

「『カレンの日記』『いじめっ子』もいいけど、『神さま、わたしマーガレットです』が面白いよね。都合よく神様に頼って、お祈りするところがすごく可愛い」

「アメリカの小学生っておませなんだね。パジャマパーティーとか楽しそう。大人になることをあんまり怖がってないんだよねえ」

ブラジャーや初潮を無邪気に心待ちにしている主人公・マーガレットが、彩子にはうらやましく思えた。湿った感じはまるでなく、あっけらかんと好きな男の子や自分の体の変化について口にする、そんな明るい女の子に自分もなれたらいいのに——。

久しぶりにダイアナと本の話ができて、彩子の心はあたたまった。

ダイアナの大人びた感性とは反対の、子供のままのぺたんこの胸やか細い足が、清潔で涼やかに思えた。自分ときたらとっくに体は大人になったのに、少しも心がついていけない。

「ああ、あと三年で十五歳かあ。そうしたら、この変な名前ともおさらば！　大きくなるって、幸せだよね」

ダイアナは心から嬉《うれ》しそうに言い、ドライヤーのプラグをコンセントから抜いた。スカートの染みは跡形もなく消え、からりと乾いている。彩子は何度もお礼を言いながら、着替えを済ませ、一緒に図工室を後にした。廊下を歩きながら、感謝を込めてダイアナの腕に自分のそれを絡《から》ませる。

「中学になったら、お小遣いも増えるし、行動範囲も広がるから、またダイアナのお父さん探しを再開しようね。ねえ、ダイアナ、約束して。学校が変わっても親友でいてくれるって」

「もちろんだよ。私たちはいつまでも仲良しだよ。どこに居たって、親友だもの。そう思えばナンチュウに行ってもくじけず頑張れる」

親友、と口に出して言うなんて、気恥ずかしいし大げさな気がして、彩子は自分に戸惑った。ダイアナも同じらしく、決まり悪そうに鼻をこすっている。そんな言葉にすがらねばならないほど、お互い別れることが恐ろしかったのかもしれない。離れて暮らすなんてまったくイメージが出来なかった。

くすくす笑い、もつれ合うようにして教室に戻ると、ちょうど理科室からクラスメイトたちも戻ってきたところだった。ダイアナと彩子の姿に目を留めるなり、何人かが集まってきた。みかげちゃんがいないのはわかるけど、なんであんたまで休んでんのよ」

「体調が悪い彩子ちゃんが尖《とが》った声でダイアナをとがめる。

彩子が口を開きかけた瞬間、山崎君がずいと前に出た。丸い顔を火照《ほて》らせ、口元に下卑たにやにや笑いを貼《は》り付かせている。生温かい息をふきかけて、耳打ちしてきた。

「神崎、具合が悪いってもしかして、ねえ、今日アレなの……」

さっと背中に冷たい汗が湧《わ》く。自分が嫌で嫌で消えたくなるのはこんな時だ。きっと気付かないだけで落ち度でいっぱいなのだろう。だからこんな風になめられる。喉《のど》がからからで、どうしても言葉が出てこない。おもむろにダイアナが一歩前に出ると、山崎君の上履きを力一杯踏みつけた。

「いってえな、何すんだよ！　誰もお前の話なんてしてないだろ！」

痛みに顔をしかめて片足でぴょんぴょん飛びながら、山崎君は怒鳴った。クラス中がこのやりとりを面白そうに見ている。ダイアナは口を真一文字にしてじっと彼を睨《にら》むばかりだ。その迫力に恐れをなしたのか、山崎君は顔をゆがめ、ダイアナを横から突き飛ばす。床に膝《ひざ》をついて、痛そうに顔をしかめている彼女を、彩子はすぐに抱き起こした。山崎君が唾《つば》を飛ばしてわめいている。

「このおとこおんな！　お前、中学になったら、みてろよ。ナンチュウにはおれのアニキがいるんだからな。徹底的にしめてやるからな！」

彩子はぞっとする。クラスメイトの大半が進学する南台中学校こと「ナンチュウ」はここ最近、校風が荒れていることで有名だった。

「もう、なにやってんの！　先生を呼ぶわよ」

みかげちゃんが叫び、あっという間に皆、散り散りになる。

彩子はおそるおそるダイアナを盗み見た。頬を紅潮させ、肩で小さく息を弾ませている。この子を一人で、ナンチュウにいかせてしまって大丈夫だろうか。自分のために闘ってくれる友達に感謝する反面、何も出来なかった自分に失望してしまう。いつから、こんなに弱い女の子になってしまったのだろう。でも――。男子の視線の前では手足が動かなくなってしまうのだ。窓の外に広がるミルク色の空に、ブナの木の枝が荒々しい割れ目を作っていた。

ティアラがテレビのお笑い番組を見ながら、缶ビール片手に膝をぴしゃぴしゃ打っ

て、けたたましい笑い声を上げている。

ダイアナは布団《ふとん》の上で寝そべり、『秘密の森のダイアナ』の二巻をめくっている。ジュエリーボックス風デザインの箱に入った全五巻のシリーズは、十一歳の誕生日に彩子ちゃんとそのご両親がプレゼントしてくれた宝物だ。本を静かに閉じ、膝を抱える。山崎君に突き飛ばされた時に滲んだ血は、とっくに茶色のかさぶたになっていた。彩子が経験している出血と自分から流れ出たそれとはやっぱり別物なのだろうか。彩子のスカートにぽっちり滲んだ赤い染みを思い出し、かすかに身震いした。生理ってどういうものなんだろう――。あんな場所から血が出るなんて、やっぱり痛いのだろうか。性に関する知識はそれなりに本から仕入れているつもりだけど、いざ自分の身に置き換えるとなると実感がわかない。

山崎君を庇《かば》うつもりは全くないけれど、男の子達が皆、彩子に憧れを抱いているのはよくわかる。大人に近づいていく女の子は皆まぶしいものだけれど、彩子の美しさは群を抜いているのだ。胸や腰がふっくらとまろやかで、長い髪や白い肌は瑞々《みずみず》しくて手を伸ばして触れてみたくなる。中学に進んだら、彩子はますます美しくなっていくのだろう。それを間近で見守れたらどんなにいいか。

――山の上女学園にいくのって、そんなにお金がかかるんだろうか。

身の程知らずとわかってはいても、中学でも彩子と一緒にいたい。いや、いい子ぶるのはやめよう。山の上女学園こそが自分の居場所、という予感が強くするのだ。プロテスタント系でチャリティー活動が盛んで、文化人を数多く輩出しており、国語教育に力を入れている。さらにイギリスのヨークシャーにある姉妹校は全寮制だそうだ。ヨークシャー——大好きな『秘密の花園』の舞台となった土地ではないか。なにより、私立女子校としては日本一の規模を誇る図書館が学内にあるのだそうだ。ダイアナは思いきって、体を起こす。言うべきか迷ったが、いちかばちかでティアラの前に行き、正座した。

「ティアラ、あのさ、もし、例えばだけど、あたしが、彩子ちゃんと同じ学校に行きたいって言ったらどうする？」

ティアラは笑うのを止《や》めた。リモコンでテレビを消し、体ごとこちらに向いた。我が家に不似合いなしんとした空気に、ダイアナは戸惑う。

「なに、え、山の上女学園のこと言ってんの？」

固有名詞に弱いティアラがさらりと学校名を口にしたことに、ダイアナは驚く。うなずくと、ティアラはあぐらを組み、うーんと天井を睨み付けた。

「あのさー、そもそもさ、中学受験ってすっげえ大変だよ。彩子ちゃんも超早くから塾行ってたじゃん。今からじゃフツーに考えて間に合わなくね？」

あれ、ティアラがちゃんと受験の仕組みを理解している——。自分でも心配していることを突きつけられたが、ダイアナは負けまいと背筋を伸ばす。

「でも……、面接や作文をすごくちゃんと見てもらえるらしいよ。絶対受かるとは思わないけど、今から彩子ちゃんと一緒に頑張るし、受けるだけ、受けてみちゃだめ？」

こんな風に、自分からティアラに何かをお願いするのは初めてかもしれない。母子家庭の大変さはよくわかっているから、つとめてわがままは言わないようにしてきた。でも、ティアラはよく「歌舞伎町《かぶきちょう》〈ヘラクレス〉NO．1」と自慢しているし、将来はお店を持ちたい、と公言している。山の上女学園に中高六年間通うだけの学費を捻《ねん》出《しゅつ》するのも不可能ではない気がするのだ。

「お金のことだけ言ってんじゃないよ。ただrealさ、あの学校でダイアナがのびのびやれるとはうちには思えないんだよね」

「え……」

「だってさあ、あそこに通うのは、苦労知らずのお嬢様ばっかりじゃん。少しでも変わった子がいたら爪弾《つまはじ》きにされるんだよ。親や先生もそう。人の中身を見ずに、外見や親の職業で判断するようなのばっかり。自分たちは絶対正しいって思い込んでて、そのくせ狭い世界から出ようとしてない弱虫の集まりだよ」

いつになく冷静な表情で淡々と語るティアラを見て、ダイアナは目を丸くする。こんなに理知的な顔をするティアラを初めて見た。こちらの視線に気付くと誤魔化すように立ち上がり、ジャージのポケットからマルボロライトを取り出すと、火を点《つ》けた。換気扇の前に行くと煙と一緒に振り返る。その笑顔はやはりいつもの脳天気で何も考えていないティアラだった。

「だいたいさあ、山の上の制服なんて超ダッサいじゃん。リンチュウの方がぜってー、かわいいし、モテ系じゃーん。共学だから彼氏だってすぐに出来るしさあ〜」

なんだか気が抜けて、ダイアナは肩を落とす。やはりティアラ相手に真面目《まじめ》な話をしても伝わるわけがない。早くもこの話題から興味を失ったとみえ、ティアラは携帯電話を取り出した。長い爪でかちかちとメールを打ちながら、鼻から煙を出しているティアラを見つめていたら、むかむかと腹が立ってきた。

「制服なんてダサくていいよ！　男子なんて興味ないっ！　ティアラみたいに、チャラチャラすることばっかり考えてる人と一緒にしないで！」

ティアラが顔を上げ、驚いたようにこちらを見る。ダイアナは心を決めた。今までティアラと真っ向から対立することを避けてきたが、きちんと言葉にしないと、この人には何も伝わらない。欲しいものを欲しいと言って何がいけないのか。ジェーン・エアのようにおしとやかな女性だって、ここぞという場面ではものすごい激しさで主張する。この変てこな名前が授けられた時、ダイアナはまだ赤ちゃんでＮＯが言えなかった。でも今は十二歳で、たくさんの言葉を身に付けている。要求を通す時が来たのだ。

「私、ちゃんと勉強して、将来本屋さんを開けるような立派な人になりたいの！　そのためにはちゃんとした学校に行きたいの。それに彩子ちゃんと一緒に……」

「彩子ちゃんちは彩子ちゃんち、うちはうちだよ」

ぴしゃりと遮られ、ダイアナは口をつぐむ。飲み残しの缶ビールに煙草の吸い殻をねじ込むと、ティアラはにっと笑う。それから有無を言わさぬ強い口調でこう言った。

「はい、この話もう終わり！　ほら、『お城のパーティーより森での夜露のダンスの方がずっときらきらしてまぶしい』の精神でいこうぜっ、なっ」

何言ってるんだ、この人――。言い返したいことは山のようにあったが、ここまではっきりと拒絶を示すティアラも初めてで、これ以上何を言っても無駄な気がした。悔しさに任せて、布団を乱暴にかぶると、膝を抱えてうずくまる。鼻をぐすぐす鳴らして泣き真似《まね》をしてみたが、ティアラはどうやらテレビを点けたようだ。芸能人の甲高い笑い声が母娘《おやこ》二人の小さな部屋を覆《おお》った。

ダイアナ、ダイアナ、どこにいるの——。

図工室、音楽室、二階の渡り廊下。六年四組に掃除が割り振られている場所を次々に見て回りながら、わずか数十秒前の教室での光景が蘇《よみがえ》ってきて、彩子は耳たぶまで熱くなる。

——男子たち、静かにしてよ。ちゃんと掃除しなよ。

ほうきでチャンバラごっこをしている男子たちにさすがに腹が立ち注意すると、いきなり山崎君に肩をつかまれたのだ。

——お前なんて怖くねえよ。知ってるぞ。もうブラジャーしてるくせに。へへ。クラス一の巨乳じゃん。

頭が熱くなり、体中をどくどくと血が駆け巡った。女の子たちは困ったようにうつむき、男の子たちは好奇心をむき出しにして、彩子の体をじっと見ている。泣き出しそうになるのを堪えて背を向けると、夢中で教室を飛び出した。奥歯を嚙みしめ、廊下を強く蹴《け》って走る。

こんなの絶対におかしい――。恥じるべきことを口にしたのは山崎君なのに、何故《なぜ》恥をかくのは自分なのだろう。一刻も早く、親友の手にすがりつき、この居たたまれなさから救ってもらいたい。彩子に落ち度はない、と言ってもらいたい。走り回るうち、ようやく気付く。そう、ダイアナはうさぎ小屋の掃除当番だったはずだ。階段を駆け下りると、上履きのまま一階昇降口を飛び出した。校庭の隅にあるうさぎ小屋までまっすぐに走っていく。砂埃《すなぼこり》の向こうで、小屋の前に置いてあるベンチに、ダイアナがちょこんと座っているのが見えた。傍らには、ダイアナの小さな体を覆い尽くすかのように武田君がぬっと立っていた。掃除を途中で放り出したらしく、ベンチの背にはデッキブラシが立てかけられ、開け放した小屋から出てきた数匹のうさぎが周囲を取り巻いている。

彩子が近づいてくるのも気付かず、二人は何やら怒鳴りあっている。

「あっち行ってよ！　なんでもないんだから！」

「なんでもねえわけないだろ。こんなところで一人でしょんぼりしてたら、誰だって心配するだろうが！　一階の教室からお前が見えて、すっとんできたんだからな！」

武田君の言葉にどきりとした。確かにダイアナは遠目にもそうと分かるほど、目を赤くしていた。小屋の傍まで来ると、彩子は咄嗟《とっさ》に柵《さく》の陰に体を隠す。うさぎの糞《ふん》がたくさん落ちているので、踏まないよう注意を払った。

「ほら、話せよ。誰にも言わねえから」

熱心な追及に負けたらしく、ダイアナがしぶしぶといった具合に口を開いた。

「ティアラ……、お母さんに、彩子ちゃんと同じ学校に行くの、反対されて……。私、がのびのびやれる学校じゃないって言われて……。それで、ケンカしちゃったの。私、ナンチュウになんか行きたくない。図書室だってすっごく小さいし、不良ばっかりじゃん。彩子ちゃんなしで通える自信なんかないよ……。他に友達も居ないのに」

彩子は、ここ最近、山の上の話ばかりしていたことを思い出し、申し訳ない気分になった。矢島家が母一人子一人で、自分の家より生活が大変なことくらい、もうわかる年齢になっているのに。

ダイアナは膝を抱えて顔をうずめた。武田君は困った顔つきでそれを見守っていたが、突然きっぱりした口調でこう言った。

「大丈夫だよ。お前が誰かに何かされたら、そいつがどんな奴《やつ》だって、俺が殴ってやる。心配することない。お前一人くらい俺が何とかするから」

彩子は体がぼうっと熱を帯びるのを感じた。くらりとするのは、生理痛のせいばかりではない。今よりもっと幼かったあの頃と同じ、いや、もっともっと熱を感じさせる視線を武田君はダイアナにまっすぐに注いでいる。好きな人が毎日変わるクラスの女子を見てきたから、ずっと一人の子を想《おも》っているなんて信じられなかった。まるで物語みたい――。ときめきが過ぎ去ると、ふいに寂しくなった。

武田君から愛を勝ち得ているダイアナが急に遠い存在に感じられた。大人の真似事みたいに体が膨らんでいることは、異性の揶揄《やゆ》の対象でしかない。それに、つまはじきになった寂しさも味わっている。受験勉強にあくせくすることもなく、何からも自由で、好きなことだけしているダイアナ。それなのに周囲の心をごく自然につかむのだ。パパやママの心まで――。

武田君の真摯《しんし》でストレートな言葉もダイアナにはまるで響かないらしく、いつまでも顔を上げようとしない。彩子はやっと気持ちを立て直し、無理に笑顔を作った。

「見いちゃった！」

わざとおどけた声で、二人の前にぴょんと飛び出すと、武田君がぎょっとしたように退いた。ほら、私の出番よ、あんたなんか、邪魔――。そんな気持ちを込めて、武田君を乱暴に押しやると、ダイアナが赤い目に安堵の色を浮かべてこちらを見上げた。

「彩子ちゃん――」

まるで朝露の中、小さなつぼみが開くかのような微笑だった。やっぱり、どんな男も自分たちの親密さには踏み入ることは出来ない。彩子は勝ち誇った気分で、ダイアナの肩を抱く。ちらりと武田君を見ると、居心地悪そうに首を掻《か》いていた。

「ダイアナ、よかったじゃん。聞いたよ。これで、中学に行っても安心だね。あー、よかった。武田君っ、ダイアナをよろしくお願いしまーす」

からかうように言って背中を思いきり打つと、武田君はぶっきらぼうに吐き捨てた。

「うるせえなあ。そんなんじゃねえよ。いい子ぶりっ子の出しゃばり女、うぜえよ」

背中を向けるなり、すごい速さで校舎の方に走っていく。ダイアナはほっぺたを膨らませ、校庭の彼方《かなた》にどんどん小さくなっていく武田君の姿を睨んでいる。

「なに言ってんのよ、彩子ちゃん。あんな乱暴者のウソ、信じるの？　ああやって私を油断させて、スキを見て一気に攻撃をしかけるつもりなんだから」

照れているのではなく、本気でうんざりしているみたいだ。あんなに大人の小説ばかり読んでいるくせに、少しも現実に生かせないみたい、と彩子はびっくりしてしまう。でも、この不思議なちぐはぐさに惹《ひ》かれる男の子がこの先何人も現れるのだろう。そして自分はその時違う場所にいるのだと思うと、無性に寂しかった。

「ねえ、ダイアナ、今週の土曜日、一緒に山の上女学園に行かない？　文化祭があるの」

たった今、思いついたことを、そのまま口にする。

「え、そりゃ行きたいけど、でも、私は受験できないし……」

ダイアナは困ったように目を伏せたが、彩子は抜け目なく覗き込み手を取った。ティアラさんは女優さんのように美しいし、彩子の両親より遥《はる》かに休みもなく働いているのだから、いざとなればまとまったお金も作れるだろう、と都合よく考えを巡らせる。家族ぐるみの付き合いなのだし、なんならパパとママがいくらか貸してもいいのではないだろうか。なによりも、ティアラさんが受験に反対しているのは、ダイアナがさっき言っていたように、山の上への間違ったイメージのせいなのだ。

「まずはダイアナがその目で学校をちゃんと見た方がいいよ。山の上がどんなところなのかティアラさんにきちんと説明して、もう一度お願いしてみなよ」

「そうかなあ……」

やはり、ダイアナにはナンチュウに行って欲しくない――。彩子はその金色の髪を優しく撫《な》でながら、強く想う。

彼女の隣にいるのは常に自分でなくてはならない。武田君なんかにたやすくその座を渡してなるものか。彩子がダイアナを思う気持ちは強くてまっすぐだけれど、男の子のそれにはいやらしい目的が含まれているに決まっているのだから。ダイアナと武田君がそんな関係になると想像しただけで、胸にざらつきを感じる。ティアラさんは十六歳でダイアナを出産したという。たった四年後ではないか。今は自分同様に潔癖なダイアナだけど、ある日突然、ママから受け継いだ血が目覚め、男の子の欲望に進んで応《こた》えるようにならないとも限らないのだ。ただでさえ、人目を惹くとびきりの美少女なのだから――。

ダイアナは足下の太った白いうさぎをひょいと抱き上げ、思案するように鼻をうずめた。

レバーを使った料理と小豆と南瓜《かぼちゃ》を炊《た》いたものは、彩子の生理中にほぼ毎食食卓に登場するメニューだった。ママは体を冷やさないように、これだけは必ず食べなさい、と口癖のように言うけれど、食欲はない。体が火照っている気がするので、むしろ冷やしたいくらいなのだ。チョコレートアイスクリームのようなものを欲しているのだけど、もちろん残さず食べた。

箸《はし》を置くなり、彩子はママにダイアナを明日の文化祭に誘ったので、朝十時に家に来て一緒に出かけると報告した。食後のほうじ茶を注いでいた母は、ぴくりと眉《まゆ》を上げ手を止めた。

「でもご迷惑じゃ……。ダイアナちゃんは、その、受験しないんでしょう？」

案の定、あまり乗り気でない様子なのは見て取れた。彩子は姿勢を正し、用意した言葉でママを説き伏せにかかる。

「でも、ダイアナすごく山の上が好きなんだよ。一度ちゃんと見ておくのは悪いことじゃないでしょう。彩ちゃんね、大きい図書館、あの子に見せてあげたいの」

「そうねえ」

「ティアラさんは、山の上女学園のこと、ちゃんとわかってないだけなんだよ。ダイアナが自分の目でちゃんと見て伝えれば、考え方も変わるんじゃないかな？」

ようやく観念した、といった顔つきで、ママは丸々とした林檎《りんご》に手を伸ばす。

「わかったわ。でも、くれぐれも無理強いしちゃだめよ。ダイアナちゃんにはダイアナちゃんの事情があるんだから」

彩子はクラスの男子がするように、ガッツポーズを決めたい衝動に駆られる。小さなナイフで林檎の皮をむくママの手元を見つめていたら、闘志がふつふつと湧いてきた。

「だいたい、彩ちゃん、ダイアナを一人でナンチュウになんか行かせられない。男の子って乱暴だし、すごくいやらしいし……。今日だって……。マジ死んでくれって感じ！」

調子に乗ってティアラさんの口癖を真似たら、ママは露骨に顔をしかめた。

「まあ、汚い言葉を使うもんじゃないわ。その子が意地悪するのはあなたが好きだからよ。男の子って子供だから、そうやって気を惹く以外、方法を思いつかないのよ。許してあげなさい」

彩子は怪訝《けげん》な面持ちで、ママを見上げる。聡明《そうめい》なママの口から出た言葉とは思えない。

男って子供――。なんて便利な言葉なんだろう。子供なら人を傷つけても許されるのか。こちらがこんなに傷ついているのに、男というだけですべてが許されてしまうのは何故なのだろう。だいたい、山崎君が自分を好きなわけがない。あのぶしつけな視線と馴《な》れ馴《な》れしさに、こちらへのいたわりや敬意などみじんも感じられないではないか。

「それとね、彩子、もう六年生なんだから、自分を彩ちゃんと呼ぶのはやめなさい」

「家の中だけだよお」

「家の中でもダメよ。面接でうっかり口から出ちゃうかも知れないでしょ？　あなたはもう生理もあるお姉さんなんだから」

生理があるからって大人になったわけじゃないのに——。

こんなに猛々《たけだけ》しい気持ちが収まらないのはまだ生理が終わっていないからだ、と彩子は自分に言い聞かせ、うさぎの形の林檎に手を伸ばした。

想像通り、いや想像以上の素晴らしい校舎だった。
世《せ》田谷《たがや》線の小さな駅から、歩いて十五分。住宅の合間に突然、英国小説に出てくるような煉瓦《れんが》造りのお屋敷が出現し、ダイアナは息を呑《の》む。「第53回　山の上女学園文化祭」という横断幕が、蔦《つた》で覆われた壁を飾っていた。
門をくぐると、モスグリーンのジャケットとプリーツスカートに身を包んだお姉さんたちが手作りのパンフレットを差し出してくれた。どこからかブラスバンドの演奏が聞こえてきて、お汁粉や焼きそばの匂いが漂う。たくさんの人で賑《にぎ》わっているのに、気負いなく振る舞う生徒や保護者ばかりのせいか、少しも不快な騒がしさではなかった。

案内係のお姉さんらのガイドでダイアナたちは学校を見学した。広い校舎も礼拝堂も素晴らしいが、入り口から覗かせてもらった図書館にすっかり心を奪われてしまった。これまで見たどの図書館よりも広々としたやや薄暗い空間に、見渡す限り本棚が続いていた。この夢のような場所で、彩子ちゃんは六年間を過ごすのだ。

彩子ちゃんとお母さんのような、受験生風の親子と何度もすれ違った。誰もティアラやダイアナのように髪を金色に染めている人間などいない。どのお母さんも落ち着いた品のよい服装に控えめなお化粧、女の子は仕立てのよいワンピースやシャツに温かそうなカーディガンを合わせていた。

受験は無理だ――。ダイアナははっきりと絶望する。お金や学力の問題だけではない。生まれ育ったバックボーン。自分はおそらくそこで振り落とされてしまうだろう。「大穴」なんて名前を持つ時点で望みはないのだ。ティアラがあしざまに学校をののしった理由がやっと理解できる。ここは選ばれた人間しか受け入れられない場所なのだ。

それでも、どうしても惹かれてしまう。たくさんの少女に当然のように与えられる権利が、どうして自分には与えられていないのだろう。初めて味わう、ぬるぬると沼の底を這《は》うような暗い気持ちに、ダイアナは戸惑う。なんだか自分が自分でなくなるような予感がした。彩子ちゃんのお母さんの言葉にようやく我に返った。

「彩子ちゃん、ちゃんと模試頑張るのよ。最近、モチベーションが落ちてきてるでしょ」

「うん、来てみてわかった。彩ちゃん、この学校が好き。女の子ばっかりってすごく落ち着くね。今日からまた頑張るよ」

彩子ちゃんはこの間とは別人のように、晴れ晴れとした顔つきだ。

「受験に成功したら、彩ちゃんにごほうびにノートパソコンを買って。ねえ、いいでしょ」

お母さんに甘えてすり寄る彩子ちゃんを見て、ダイアナは少しびっくりした。受験させて貰《もら》える上に当然のようにご褒美《ほうび》まで要求するなんて、いくらなんでも贅沢《ぜいたく》すぎやしないだろうか。おまけに六年生にもなって自分をちゃん付けで呼ぶなんて。ダイアナよりずっと大人の体なのに――。

「ね、ダイアナも、ティアラさんによく話しなよ。山の上の本当の良さをわかってもらえたら、絶対許してくれるって！」

弾けるような笑顔の彩子ちゃんが、初めて疎《うと》ましいと思った。ダイアナはどうしていいのか分からず、ずっと黙っていた。

彩子ちゃんとお母さんは、受験生が無料で受けられる集団模擬面接に参加することになり、図書館で一人待つことになった。

窓から差し込む日差しの中でほこりが舞い、大量の紙のしっとりとした重みが文化祭の喧噪《けんそう》を吸い取っているようだった。司書の先生さえ見当たらず、昼下がりの図書館は完全にダイアナ一人のものだった。しかし、少しも心は弾まない。どんよりした気分で「海外小説」の棚の前に座り込み、足を抱えたその時、低い声がした。

「矢島……矢島有香子!?」

顔を上げれば、ひょろりとしたチョッキ姿の男の人が、まるで幽霊でも見るような顔つきでこちらを見下ろしている。ダイアナはためらいながら、小声で返事をした。

「矢島有香子は私の母です」

「娘だって……。まるで生き写しじゃないか」

彼は、まさか、と一人でぶつぶつつぶやき、ようやく心を落ち着けた様子で、軽く屈《かが》み込んだ。年齢は三十歳から四十歳の間くらい、担任の林先生よりは上の世代だろうか、ちょっと年齢がよくわからないタイプの大人だった。白髪まじりの七三分けはおじさんと呼ぶ方がふさわしいけれど、気弱で優しそうなまなざしはなんだか同い年の男の子みたいで、どことなく彩子ちゃんの飼っている犬のダンを思わせた。

「君の名前は？」

「矢島ダイアナです。……母のことを、知ってるんですか」

事情がよく飲み込めないまま、疑わしい気持ちで問いかける。まさか山の上女学園でティアラの本名を聞くなんて思ってもみないことだった。

「いや、その、矢島有香子さん、君のお母さんは僕のかつての教え子なんだ」

ダイアナは耳を疑い、男の人をまじまじと見つめる。

「僕はここの教師。高柳修太郎《たかやなぎしゅうたろう》です。今は中等部の教師だけど、昔は初等部、つまりここの小学校を受け持っていた。その時、君のお母さんの担任だったんだ」

突然、たくさんの高い本棚が今にもこちらに倒れ込んできそうな錯覚に襲われた。男の人、いや高柳先生の声がよく聞き取れない。生徒？　ティアラが山の上女学園の生徒？　あのガサツで乱暴者で、娘に「ダイアナ」と名付けるキャバクラ嬢が、山の上の出身？

「君がここに居るってことは、今日はお母さんと一緒なの？」

「ちがいます……」

喉に熱い固まりがこみ上げている。高柳先生はダイアナの肩をとんとんと叩くと、顔を覗き込む。彼の目を見ていると、気持ちがようやく落ち着いてきた。高柳先生はダイアナを閲覧コーナーのテーブルに連れて行って、向かい合わせに腰かけた。ダイアナはゆっくりゆっくり説明をする。小学六年生であること、友達の彩子ちゃん母娘に付いてここにやってきたこと、ティアラは水商売をしながら女手一つで自分を育てていること——。高柳先生は決して急《せ》かしたり、口を挟んだりせず、ただ穏やかに話を聞いてくれた。林先生とは全然違う。お嬢様学校が選び抜いただけのことはある、すごく優秀な先生なんだろうな、とダイアナはぼんやり思った。

「矢島有香子、いや、君のお母さんは山の上女学園の初等部からの生徒だったんだよ。ここを去った彼女がどうなったのか、ずっと心配だったんだ。今でも胸にひっかかっている。穏やかで大人しくて賢い子だったから」

穏やか？　大人しい？　賢い？　ティアラに全く似合わないそれらの言葉を頭の中で転がしてみる。どう考えても同姓同名の別人ではないだろうか。

「小学六年生の後半くらいから、不登校になったんだ。中等部の入学式に突然現れて。その……なんといったらいいか……」

こんなこと、話していいものか、と独り言のように言った後で、高柳先生はダイアナの必死な目に気付いたようだ。ため息をついた後、遠慮がちにこう続けた。

「いきなり金髪でやってきて、停学になった。その後、彼女は学校をやめ、公立の中学に移った。その後のことは僕も知らない」

ダイアナは確信した。間違いない。その子はティアラだ――。

「あの、ええと……母の小学生の頃の写真、見せてもらえませんか？」

少し迷った後で、高柳先生は席を立つと、ガラス張りの司書室の向こうに姿を消した。すぐに緑色の大きな本を抱えて戻ってきた。「山の上女学園初等部　卒業記念アルバム」とある。

「卒業アルバムはみんなこの図書館に保管してあるんだ。個人情報が載っているから持ち出しは出来ないんだけれど」

先生が開いたページを、食い入るように見つめる。ずらりと並んだ制服姿の女の子達。ダイアナは小さく悲鳴をあげた。自分にそっくりな女の子がこちらを見つめ、育ちの良さそうな笑顔を向けている。さらさらの長い黒髪に白い肌がいかにも清楚《せいそ》な印象だ。

彼女の下には「矢島有香子」と記されていた。

いつものように、浜崎あゆみを口ずさみながら仕事用のお化粧を念入りに施すティアラを、ダイアナは見知らぬ女性を見るような目で追いかけた。あのあと、文化祭からどうやって帰ってきたのかよく覚えていない。気もそぞろなダイアナに彩子ちゃんも彩子ちゃんのお母さんも、心配そうな顔つきをしていた。

どうしよう、どうしよう――。

こんなことは、受験を控えた彩子ちゃんには言えない。ティアラが山の上女学園に通っていたなんて。でも、そうだとすると、すべてに納得がいく。どうりで受験や学校の様子に詳しいはずだ。彩子ちゃんに隠し事をするのは初めてで、みぞおちがずしんと重くなる。

とにかく心を落ち着けねば――。本棚の『秘密の森のダイアナ』に手を伸ばす。どんな時でもこの本をめくれば、誰かに抱きしめられたみたいに安心できるのだ。

珍しく五巻を読んでみようという気になった。一巻から四巻は暗記するまで読み込んでいるのに対して、五巻はそこまで熱心に目を通していない。ダイアナが大人になり、アンドリュー王子との恋愛がメインになるせいで、いまひとつ興味が持てないのだ。勇気があって賢いダイアナがにわかに自信なさげになるのが、どうにも気に入らない。でも今なら、未知の環境に戸惑い、自分を見失いかける彼女の気持ちに寄り添える気がした。

アンドリュー王子のことは大好きですが、ダイアナにはお城で暮らす自信がありません。お城で暮らすような女の子はきっとドレスをたくさん持っていて、華やかな笑い声で、歌やお芝居をたくさん知っているとびきりの美人。自分にはつとまりそうにありません。

でも――。読者は知っている。ダイアナは本来、お城で生まれた女の子であることを。そう、自分だって本当は山の上にふさわしい場所に生まれていたのかもしれない――。

アンドリュー王子はダイアナにこう言いました。

「君がお城の暮らしに自分を合わせることはないよ。二人で森に家を建てよう」

「え、お城の暮らしを捨てるの？　あんなにきらきらした暮らしを捨ててしまうの？」

「なに言ってるんだ。お城のパーティーより森での夜露のダンスの方がずっときらきらしてまぶしいだろう？」

心臓がどくんと音を立て、思わず本から顔を上げる。

この台詞《せりふ》をつい最近、この部屋で聞いた。クリームを塗ったり眉毛を整えたり、忙しそうなティアラに、精一杯何気なさを装《よそお》って声をかける。

「ねえ、ティアラ、私がいない時にこの本読んだ？」

ティアラはつけ睫《まつげ》に糊《のり》を塗りながら、こう答えた。

「あ？　本？　うちが字ぃ読むと眠くなるの、あんたが一番よく知ってんじゃん」

「お城のパーティーより森での夜露のダンスの方がずっときらきらしてまぶしい――この間、ティアラは私にそう言ったよね。これ『秘密の森のダイアナ』の台詞だよ」

「はあ？　うち、そんなこと言ってないよ？　聞き間違いじゃね？」

鼻で笑うティアラだが、あきらかに瞬《まばた》きの量が増えている。つけ睫がなかなか装着できないのが、何よりの証拠だ。ダイアナは注意深く観察する。おかしい、おかしい――。この女の人は一体誰なんだろう。もしかして、本当はすごく賢いんじゃないだろうか。ティアラが自分の両親や実家の話をしたことは、これまで一度もない。

ティアラには娘の自分に教えたくない過去がある。一目会いたくてたまらないお父さんの重要な手がかりもそこに隠されている気がした。すべてはあの場所に行けばわかるのではないか——。卒業アルバムの最後には、卒業生全員の住所が載っていた。高柳先生の手前、メモを取ることは憚《はばか》られたので、彼と一緒に図書館を出て彩子ちゃんたちと合流した後で「忘れ物がある」とうそをついて引き返した。司書さんが席を外しているすきに、司書室に飛び込みアルバムを探し出した。手の平にマジックで走り書きしたそれを、帰宅するなりノートに書き写した。

あの住所を学校の図書室にある地図で調べたら、海の近くだった——。目を閉じると、砂浜に佇《たたず》むもう一人の自分が胸に浮かんだ。

今回の生理はとくに長い。

もう九日も続いているなんて、体のどこかがおかしいのではないだろうか。ひと月の三分の一は生理と付き合っている計算になる。いつの間にか一月も下旬だ。もはや、どこにも合格しなくていいから、早いところ受験が終わればいい、と彩子は半ば投げやりな気持ちで計算ドリルから目を上げた。リビングの窓越しに、灰色の空からちらほらと粉雪が舞い散るのを楽しんでいたら、向かいに座るママが手をパンと打った。

「彩子ちゃん、もう木命の山の上まで一週間もないのよ。ぼうっとしないで、この間つまずいた数式のおさらいしましょう。まさかすべり止めで落ちるなんてねえ……」

彩子のせいではない。あの時は生理二日目で、少しでも気を抜くと瞼《まぶた》がくっつきそうだったのだ。もう一週間経《た》つのに、足の間に縮こまったナプキンが挟まっているのがなんともしゃくだった。

「……うるさいなあ」

目の前に広げたドリルを乱暴に閉じる。ママの顔が引きつったのがわかった。

「いいよ。どこも受からなかったら、ダイアナと一緒にナンチュウに行けばいいだけの話だもん」

「なんてことというの！」

「ママ、もう嫌。彩ちゃん、疲れた。受験勉強したくない」

「彩ちゃんはやめなさいって、言ってるでしょ」

ママの声は思いのほか大きく、ママ自身驚いているようだった。

このところ、ママは皺《しわ》が目立つようになった。彩子と違ってテストを受けるわけでもないのに、いつも疲れてピリピリした様子のママを見ると、無性に腹立たしい。

「ちょっと、落ち着いて。ママの話を聞いて。ね、彩子ちゃん？」

必死の面持ちで、こちらの頬を両手で挟む。

「大人になって社会に出たとき、彩子にはできるだけたくさんの選択肢を手にして居て欲しいの。山の上女学園の方針や教育はとてもあなたに合っていると思うわ。山の上で学んだことは、必ずあなたが世の中を渡って行く時の、武器になる。今が一番辛《つら》い時期なのはわかるけれど、あともうちょっとの辛抱よ。頑張りましょう」

「あ、ママ、それって差別じゃない？　学歴がない人は何も選べなくていいってこと？　ダイアナみたいなおうちをバカにしてるの？」

山の上女学園の文化祭に連れて行ったことは、ダイアナにとってなんのプラスにも働かなかったようだ。むしろ、帰り際《ぎわ》のダイアナは浮かない顔をしていた。あの後ティアラさんを説得した様子もなさそうだ。第一志望の学校に親友が興味を持てなかったとなると、彩子のやる気まで薄れてしまう。受かったら離れてしまうのだ。それならば――。

「彩子、それなら、自分で考えなさい。どうしたいのかよく考えて。あなたが自分で出した結論に、ママは従うわ」

突き放すような言い方に、彩子はカッとなる。責め立てるだけ責め立てて最後は丸投げなんて。正直なところ、乱暴な男子がうようよしているナンチュウには行きたくない。でも、これ以上一ミリたりとも頑張れない。学歴至上主義のママに従うのはうんざりだ。自分がどうしたいのかわからないのは、初めての経験だった。ママに背を向け、居間を飛び出す。玄関のコート掛けからオーバーコートを引っつかむとローファーを履き、そのまま表に飛び出した。背後でママが呼ぶ声がする。

ダイアナに会いたい――。もう久しく顔を見ていないのだ。受験期間に入ってから学校には行かせてもらえてない。奥歯が痛むような冷気の中を駆け抜け、一目散にダイアナのアパートを目指した。今日は土曜日だから、きっと家にいるはず。インターホンを押すと、向こうからドアが開いた。

「あ、彩子ちゃん？　久しぶりー。今、ダイアナ出かけててさ」

ティアラさんの金髪と青い瞳《ひとみ》が、勉強疲れで腫《は》れぼったくなった目にまぶしかった。

「ダイアナ、どこに行ってるんですか？」

「さあ、もうすぐバレンタインだし、デートじゃね。なーんてね！」

けけけ、と笑うと、彼女は彩子を暖かい部屋へと招き入れた。

「今日、店が休みで一日ごろごろしてたんだ。ちょうど暇だし上がってってよ」

矢島家に来るのは本当に久しぶりだった。原色の賑やかなインテリアが懐《なつ》かしい。

ティアラさんはあぐらをかいて座り、面白そうにこちらを見ている。突然、彼女は身を乗り出した。

「あ、もしかして、今生理だったりする？　膝くずしなよ」

「……どうして？」

もしかして、また血のシミがどこかに付いていたのかと思い、青ざめたが、ティアラさんはいたってほがらかだ。

「ほら、うちの店は女ばっかだからさ、生理の娘って雰囲気でわかるんだ。生理中って男の相手するのもストレスだし、つい接客雑になりがちだから、ちゃんと申告して助け合うようにしてるんだよね。本命校の受験日までには終わるといいねえ。生理中にすわりっぱってマジきつくねえ？」

彩子は半ば、感動していた。いいなあ、ダイアナは——。なんて察しが早く、理解があって温かいママなんだろう。

「あ、ミロ飲む？」

こちらの返事を待たずに、ティアラさんは台所に立つ。電子レンジで温めた牛乳入りのマグに緑の瓶に入った粉末を振り入れると、ドンと音を立てて折りたたみテーブルに載せた。どろりと茶色いそれは甘くこくがあって、とても美味《おい》しい。やはりこの家で出されるものは全部、彩子の好みに合っている。

気付けば、受験の不満やら学校での屈辱的な経験などを、洗いざらいぶちまけていた。

「女の人ってすごく損……。生理さえなければすべり止めも受かっていたかもしれない。学校で男子に体をからかわれることもなかったのに……」

「あー、言うね。彩子ちゃんみたいに可愛くて大人しそうな子は、この先、女だからって理由で嫌な目に何度もあうよ。もし、山の上に受かったとしたら、電車通学でしょ？　うかうかしてたら痴漢の餌食《えじき》だね」

ずばりとした口調に、彩子は思わず背筋を伸ばしてベッドに腰掛けた。恐らくティアラさんなら真実を教えてくれるだろう、という予感から一言も聞き漏らすまいと身を乗り出してしまう。

「うちもそうだったから、わかるんだ。小学六年生の時に、学校の帰り道に変な男にいやらしいいたずらされたの。一度じゃなくて何度も何度も。誰にも言えなくて、あんときはすごく悩んで、しんどかった。学校にも行けなくなったくらいだよ」

「大人に相談すればよかったのに……」

幼いティアラさんの味わった恐怖や悲しみを思うと、胸が詰まって、なんだか泣いてしまいそうだ。

「そん時は思いつかなかったよ。うちの親や兄姉《きょうだい》は、何かあるとすぐ、うちが悪いって押さえつけるような人達だったから。学校の先生や友達にも言いづらいしね。辛くて口惜《くや》しくて、ご飯も食べられなかったよ。でも、あたし、バカじゃないからね。自分の頭で考えたんだ。それで、サーファーやってた中坊のダチに手伝ってもらってキンパにしたんだ。そしたら、ぴたっと痴漢に遭わなくなった」

キンパ……、ああ、金髪か、と彩子はややあって理解する。

「職場にもそういう娘けっこういるよ。いじめられたり変な男に目ェつけられやすくて、ギャル始めたって子。あ、痴漢やセクハラ野郎って、派手な女が苦手なんだよ」

今すごく大事なことを聞いたのかもしれない。メモをとりたい衝動に駆られた。

「彩子ちゃんをからかった莫迦《ばか》男子、どんな家で育ったのかわかるよ。きっと父親が母親を見下してるんだろうね。それを子供がなんとなく感じ取って真似るっつう、悪循環なんだよな。奥さん大事にしない男は、キャバでもえげつない態度取るよ」

山崎君の心で何が起きてるかなんて考えたこともなかった。そう、少なくとも、彩子のパパのような良い人たちに育てられていないことは確かだ。

「ダイアナさ、あの子、子供んときのあたしにそっくりだからさ、キンパにしないとマジやべえと思ったんだ。うち、片親だし、仕事で夜は一人にさせちゃってるしさ。

変態に目ェつけられたら、一巻の終わりだかんねー」

彩子は目を見開く。ティアラさんがダイアナの髪を染めたのは、なめられないためだったのか。間違っている気もするけれど、もしかして、ママが彩子に学歴をもたせたい、と願うのと、同じ発想なのではないだろうか。世の中を渡っていく武器のようなものを、娘に授けたい、という点で共通している。確かにダイアナは、無口で引っ込み思案なくせに、男の子に対してひるむということがない。さらに、男の子もダイアナをどこか遠巻きにし、恐れているところがある。この母娘には毅然《きぜん》としたオーラとある種の勇ましさがあるのは確かだ。

「優しくて上品なのは彩子ちゃんのいいとこだけどさ、男になめられるスキをあたえちゃだめってことだよ。いざとなったら、ガチで闘う気迫で生きなきゃ」

「できるかな……」

「あたりまえだよ。女ってもともと男よりずっと強いんだよ。なんのために生理あるかわかる？　母親になる力があるってこと！　もし、母親になんなくても、女ってだけで最強だから。男なんかよりずっとずっと痛みに強いんだからね。自信もちなって。第一志望もさ、気合いで乗り切りなよ。あんたなら大丈夫」

ふいに胸のつかえが取れ、呼吸が楽になった気がした。目の前が冴《さ》え冴《ざ》えとし、心なしか生理痛が治まったように感じる。

「もちろん、ダイアナも付いてるしさ。最悪、うちが助太刀してやるよ。なんなら面接で言ったれ！『落としたらタダじゃおかねえ！あたしには歌舞伎町〈ヘラクレス〉NO.1のティアラがバックについてんのよ』って」

彩子は思わず吹き出した。ティアラさんのようなママを持てば、異性の視線や世の中のルールから解き放たれ、強くのびのびと生きられるだろう。こちらの視線がよっぽど熱っぽかったと見え、照れくさそうに笑った。

もっとゆっくりしていけばいいのに、という誘いを断って、彩子はアパートを後にした。心配しているママのもとに早く戻って勉強しよう、と素直に思えた。わずか小一時間の間に、雪の粒はぽってりと重みを増し、アスファルトは粉砂糖を薄くはたいたようにお化粧していた。曲がり角に差しかかって、彩子は危うくつんのめりそうになる。

なんとダイアナと武田君が寄りそって歩いている。向こうもまさか彩子に会うと思っていなかったらしく、ぎょっとした顔で足を止めていた。

「どうしたの。二人でどこ行ってたの？」

まさか、まさか。頭がガンガンと鳴っていた。ティアラさんの言うように、本当にデートだったのだろうか。そうか、そうなのだ。その証拠に、ダイアナは顔を赤らめ、しどろもどろになっている。

「あの、えっと……、それはまだ言えない」

「私に言えないってそれ、どういうことよ」

「今はまだその時期じゃないから。でも、あとちょっとしたら言う」

それきり口ごもるダイアナに我慢がならず、思わず肩をつかんで揺さぶった。武田君が怒りを滲《にじ》ませた声で割って入った。

「お前さあ、少しはこいつの気持ちも考えろよ。友達なんだろ」

あんたに何がわかるのよ――。彩子はあらん限りの怒りを込めて武田君を睨《にら》む。足下から崩れ落ちてしまいそうだ。さっきまでの前向きな気持ちが一瞬で吹き飛んでしまう。むらむらと怒りがこみ上げてきた。親友が受験で大変な時に、なんといい気な――。ああ、そうか、ダイアナは男の子と遊ぶ方が好きだったんだ。武田君のこの熱い視線に守られることを選んだのだ。中学に行ったら、すぐに柄の悪い男の子たちにちやほやされ、媚《こ》びるようになり、あっという間に不良に染まるのだろう。そう思うと、困ったようにうつむくダイアナが、たちまち不潔に思えてくる。

「ダイアナなんか大っ嫌い！　もう絶交だよ！」

傷付いた顔を見ないように、すぐに背を向けて、走り出した。

なにがなんでも——。山の上に合格しよう。

そうでないと、あの子たちと同じ場所で、同じ青春を送らなくてはならない。ミロで温まったはずの指先がもうかじかんでいた。

吐く息が綿菓子のように、夕方から夜に変わる藍色《あいいろ》の空気の中に浮かび上がる。手提げの中のカチューシャは、風邪で身動きの取れないダイアナに代わり、ティアラが渋谷１０９で選んできてくれたものだ。キラキラ光るラインストーンがびっしりと並んでいる。
——彩子ちゃんはコンサバお嬢だから、こういうの持ってないじゃん。絶対に喜ぶって！
ダイアナは一直線に彩子ちゃんの家を目指した。この五日間の充電期間に、気力は体中に満ち満ちていた。こんなに勇敢な自分に初めて出会う。彩子ちゃんが山の上女学園に合格したと、彩子ちゃんのお母さんから電話があったのは昨日の夜だ。これから彼女の家で始まる、同じ塾の女の子を集めた合格祝いのパーティーにこっそりと招待してくれたのだ。何かつかえが取れたような、若々しい声だった。このあいだ彩子ちゃんを怒らせてしまったことを話すと、彩子ちゃんのお母さんは優しく慰めてくれた。

――あの日は彩子もちょっとナーバスだったのよ。私が怒りすぎたせい。ごめんなさいね。ダイアナちゃんが祝ってくれたら喜ぶし、きっと仲直りできるわ。

もう彩子ちゃんの心をかき乱す心配はないのだ。あの雪の日、武田君と一緒にティアラの実家を見に行っていたことを正直に打ち明けよう。本当はもっと早く行こうと思っていた。二ヵ月近く悩み続け、ようやく決心がついたのは、彩子ちゃんがいよいよ受験で大詰めで、一人で過ごすようになり、考え込む時間が増えたことも大きく影響している。

ティアラの実家――。

江ノ電の七里ヶ浜駅から、海に背を向け徒歩五分。平屋ながらかなり大きな木造住宅だった。黒々と濡《ぬ》れたような木の色が歴史を感じさせた。垣根に挟まれた門の上には「矢島学習塾」とあった。この家に住む誰かは先生なのだろうか。こんなにちゃんとした場所で、どうしてティアラのようなちゃらんぽらんが育ったのか、理解に苦しむ。

——なあ、どうするんだ。入るのか。入らないのか。

武田君はもどかしそうに何度も言ったけれど、一歩も前に踏み出せないまま数時間が過ぎた。怖かったのだ。あの家に足を踏み入れることで、ティアラとの関係、いや人生が決定的に変わってしまう予感がした。結局、そのまま武田君と引き返し、家路につく途中で彩子ちゃんに見つかったというわけだ。何故、武田君を誘ったのか、理由は自分でもよくわからない。一人は怖かった。三年生の頃、武田君には父親探しに付き合ってもらったことがあるから話が早いと思ったし、彼以外に頼めるような友達もいなかった、ただそれだけの理由だ。彼女が誤解しているようなことは何もない。

雪の日に長時間屋外に佇んでいたためか、彩子ちゃんにきつい言葉を浴びせられたせいかわからないが、あの日ダイアナは帰宅するなり三十八度の熱を出した。体温計を見ると、ティアラはげっと叫んだ。

——あんたが風邪引くのなんて保育園以来じゃん。おし、決めた。治るまで仕事は休む。

風邪の間、誰かがずっと傍にいて気に掛けてくれるというのは、ダイアナにとって久しぶりの経験だった。ティアラは、まるで別人のように穏やかで、美味しくて栄養があるものをたっぷり用意してくれた。冷凍の鍋焼《なべ》きうどんに卵をおとしたもの、ポカリスエット、みかんゼリー。全部コンビニで買ったものだとわかっていても、ティアラがひとさじひとさじ口に運んでくれたそれらは、やわらかで幸せな味だった。

熱は二日で下がったのに、ずるずると五日も学校を休み続けてしまった。指先からとろけていくような安堵《あんど》感《かん》に、今日こそは起きようと思っても体が全然動かなかった。「お母さん」に甘える幸せを知ってしまったからだと思う。

彩子ちゃんの家のドアベルを鳴らし、玄関で待つ。すべては誤解。これでなにもかも元通り。ダイアナは心の中でおまじないのように唱えた。ところが、顔を出したのはみかげちゃんだった。よそゆきのワンピース姿の彼女は冷たい顔つきで通せんぼするように立ちはだかる。彩子ちゃんのお母さんが、みかげちゃんも山の上女学園に補欠で合格したと言ってたっけ。

「帰ってよ。彩子ちゃん、あんたの顔は見たくないって。友達の受験が終わったのに、連絡をよこさないなんてどうかしてるって」

ダイアナはむっとする。こっちは風邪で寝込んでいたのだ。確かにすぐ連絡しなかったのは悪かったけれど、彩子ちゃんと違って自分は大人に守られる経験をほとんどしてないのだ。風邪の時くらい、ティアラに甘えてのんびり休んで何がいけないというのだろう。でも、そんなことくらいで嫌いになんかなれない。

「とにかく、お祝いを渡したいの。会わせてよ」

「ダメよ。他の学校の子たちがあなたを見たらなんて言うと思う？　ダイアナなんて変な名前でおまけに金髪頭で、そんな変なかっこうで」

悔しさと悲しさで、涙がこぼれそうになるのを必死で堪える。こんな意地悪なんかに絶対に負けない。彩子ちゃんとは誰よりも固い絆《きずな》で結ばれているのだ。けれどみかげちゃんはなおも攻撃の手を緩めない。

「山の上女学園に通うような子とあんたとじゃ、そもそも初めから全部違うのよ。ねえ、これからずっと彩子ちゃんと仲良くしていけると思うの？　本気でそう思ってるの？」

口惜しいけれど、それは常に畏《おそ》れていたことだった。その憎しみのこもった目つきに、今まで、みかげちゃんをいかにないがしろにしてきたか、ダイアナはやっと気付いた。誰かと仲良くすることは、誰かを激しく傷つけることなのだ。

「彩子ちゃんに聞いたよ。あんたはナンチュウで武田君とせいぜい仲良くしてればいいじゃない」

居間の方から女の人の声が聞こえてくる。

「みかげちゃん、どうしたの？　誰かお客さま？」

あれはきっと、彩子ちゃんのお母さんだったと思う。逃げるようにしてドアを押す。頬が切れて血が滲むような北風に逆らって、夢中で走った。涙が溢れた。きっと彩子ちゃんは追いかけてきてくれるだろう、と何度も後ろを振り返ったけれど、そこには誰もいなかった。


卒業式の日までは、ひたすら重くるしい時間がのろのろと過ぎて行った。

彩子ちゃんはまるでこちらが日に入らないかのように振る舞った。ダイアナは話しかけよう、誤解を解こう、と思ったけれど、直前で気持ちが挫《くじ》けたり、みかげちゃんに阻止されたりして、結局一度も声を掛けることはできなかった。そもそも、ケンカをするのはこれが初めてで、仲直りのやり方なんてさっぱりわからなかったのだ。

卒業式の日、学年代表として答辞を読み上げる彩子ちゃんの姿を、ダイアナはただのクラスメイトの一人として見上げていた。黒くてつやつやした髪を肩に流し、一言一言を抱きしめるように言葉を紡《つむ》ぐ彩子ちゃんは聡明そのもので、別世界の人に見えた。出会ったあの日のように、あの子になりたい、と飢えるような気持ちで思った。あの子の人生と自分のそれを取り替えられたら、どんなにいいだろうと想像したら体が震えた。彩子ちゃんを取り巻く穏やかな空気や環境を目《ま》の当たりにしたばっかりに、自分はおそらくそれを求めてこの先も背のびをするであろう予感に、ふと目眩《めまい》を感じた。それは幸せなことなのだろうか、それとも――。

隣の列に目を向けたら、山崎君が今にも泣きそうな、見たことのない顔で彩子を見上げていた。

ダイアナも彩子もあの時はまさか、次に言葉を交わすのが十年後だなんて思ってもみなかった。

第3章

月光石のペンダント

「1　奇妙な名である」

――これは、絶対にあてはまる。

「2　むずかしくて正確に読まれない」

まさか「大穴」と書いて「ダイアナ」と読ませるなんて、普通の感覚の持ち主では思いつかないだろうから、これもあてはまるかも――。

「5　外国人とまぎらわしい」

まさに。これは、まさにだ。紙がやぶれそうなほど、強く○をつけた。

家庭裁判所のホームページからダウンロードした「名の変更許可申立書」の「申立ての理由」の欄に記された項目に次々に○をつけながら、矢島ダイアナは十五年間の人生を振り返っていた。幼い頃から名乗るだけで嘲笑《ちょうしょう》され、奇異な目で見られ、気付くといつも仲間はずれにされていた。屈辱的なあだ名をつけられたことやいじめに遭ったことも一度や二度ではない。

フライドポテトのむっとするような油のにおいをこれ以上身体《からだ》に入れまいと、鼻から大きく息を吐く。昼下がりのマクドナルドの喧噪《けんそう》がほんの少し遠のいた。駅前のこの店はいつも、同じ中学の生徒で賑《にぎ》わっている。第二の我が家のように馴染《なじ》んでいる区立図書館の学習室が埋まっていなければ、決して足を運ばなかった。居心地は決してよくないけれど、百円で長時間居座れる場所なんて、ここしかない。アパートでは、明け方に帰ってきた母親のティアラが化粧も落とさずに、酒のにおいをぷんぷんさせながら鼾《いびき》をかいて寝ているだろう。目を覚まして、何を書いているのかと訊《き》かれでもしたら大変だ。打ち明けるのは、すべての手続きが無事に済んでからにするつもりだ。

「あいつらめっちゃサルで、障害者トイレとかプリ機でやりまくってるらしいよ」

「うっわ。かっけー。マジビッチじゃね？」

隣のグループが相当騒がしい。土曜日だというのに、同じ学校の制服を着て、店中に響き渡る大声ではしゃぐ男女らがなんとも疎《うと》ましかった。見知った顔もいくつかある。中学生であることが、仲間でつるんでいることが、そんなに自慢？　どの子も活字を読む習慣がなくて、噂話《うわさばなし》と恋愛で頭がいっぱいの幼稚な連中ばっかり――。ダイアナは眉間《みけん》に皺《しわ》を寄せ、こめかみを押す。周りに腹を立ててばかりで時々疲れてしまうけれど、美意識だけは失いたくない。この劣悪な環境から自分を守れなくなる。

中学に入れば、少しは周りも大人びて、デリカシーのある態度になるかと思ったが、とんだ勘違いだった。ダイアナの通うナンチュウこと南台中学は荒れていることで有名で、いわゆるヤンキーがとても多い。できるだけ目立つまいと大人しく縮こまっていても、この名のせいで入学した日から不良っぽい女の子たちに目をつけられた。母の手によるブリーチをようやく拒否できるようになったものの、元々の髪色がかなり茶色がかっているから、廊下ですれ違いざまに睨《にら》まれたり、けんかを売られることは日常茶飯事だった。ダイアナはじっと押し黙り、相手が根負けして去って行くのをひたすら待つことにしている。かろうじて暴力をふるわれてはいないのも、ある間違った噂のお蔭《かげ》だと知っているので、手放しでは喜べない。

気を取り直そう。次々とこぼれそうな愚痴を断ち切り、ダイアナは目の前の用紙に集中する。重要な「名の変更を必要とする具体的な事情」だ。名前を変えられるかどうかはこの欄にかかっている。一生を左右する大仕事に、下書きとわかっていてもシャープペンシルを持つ手が震える。

この作業だけは、あとから美しい思い出になるような素敵な場所で取り組みたかったけれど……。ダイアナは軽く瞼《まぶた》を閉じる。想像力さえ味方につければ、雑音をシャットアウトし、好きな環境に身を置くことができる。最近いちばんのお気に入りの森《もり》茉莉《まり》のエッセイ『私の美の世界』が教えてくれたことだ。父親の森鷗外《おうがい》を「パッパ」と呼んで生涯の恋人と慕い、晩年を過ごした下北沢のボロアパートをも優れた感性で美の世界に作り替えてしまう永遠の少女。そう、ここはバラ園に臨む、マホガニーの家具で統一されたやや薄暗い書斎ということにしよう。水を打ったように静かで、紙がしっとりと時間を吸い込んでくれる——。

そのイメージは、かつて一度だけ足を踏み入れた「山の上女学園」の図書館そのものであることに気付き、ダイアナは慌《あわ》てて目を開いてぱちぱちと頰を叩《たた》く。

山の上女学園。思い浮かべるだけで、心が乱れてしまう。短い時間に色んなことが起こりすぎた場所。今は目の前のことだけ考えなきゃ。ダイアナは再び背筋を伸ばし、シャープペンシルを握りしめた。

「中立人は十五歳の女性です。戸籍上は大穴となっていますが、物心がついたころから、名前のことでからかわれ、幾度となく不愉快な思いをしてきました。この経験が、人格形成に大きな影響を及ぼしたため、極度の人見知りとなり、友人を作ることもできず、常に浮いた存在となりました。中学生になった今も、本音で打ち解けられる親しい友人は一人もいません。また中立人は父親の顔を見たことがなく、母親以外には身寄りがありません。母親は十六歳で中立人を出産、現在は水商売で生計を立てています。進学、就職において、ただでさえ大きなハンデを背負って生きています。社会生活上、これ以上の支障をきたさないために、本件の申し立てをしました」

うわあ、なんて可哀想《かわいそう》な女の了。書いているうちに自分があまりにも不憫《ふびん》に思えて、ほんのちょっぴりくすぐったい。いや、甘さをふくんだ感傷なんかに飲み込まれまい、となんとか気分を奮い立たせる。いよいよ新しい名前の記入欄。ダイアナはすっかり氷がとけて薄くなったコーラをひとくちすすり、シャープペンシルを握り直す。用紙がしわにならないように、左手で押さえながら括弧内に一字一字くっきりと記入した。

「中立人の名（大穴）を（文子）と変更することの許可を求める」

文の子と書いて「あやこ」。ダイアナはその二文字をうっとりと眺める。やはり、字面《じづら》もいいし上品で、知性が香り立つようだ。ひかえめでありながら、凜《りん》とした雰囲気もある。幸田文が好きなせいもあるが、「本」や「言葉」にまつわる名前にしたくてこの名を考えたのだ。

自分で自分に名前をつける。こんな経験、ほとんどの人間がしないまま人生を終えるだろう。考えに考え抜いたおかげで、今後どう生きていきたいかという将来の目標とも真っ向から向き合うことが出来た。そう、名前とは、人生の道しるべになるのだ。

改めて、母親のティアラがいかに何も考えていないかがよくわかり、げんなりしてしまう。「世界一ラッキーな子にしたい」から競馬の「大穴」と書いて「ダイアナ」と読ませる。一体どこをどう間違ったら、そんな突拍子もない発想が湧《わ》くのだろう。十六歳の母親とはいえ、冷静に考えれば大事な娘がいじめられるとか、悪目立ちするとか、想像できないはずがないのに。母はダイアナよりはるかに知的レベルの高い環境で生まれ育っている。そう、ティアラは最高の教育を両親に与えられておきながら、それを投げ出したのだ。過去に一度だけ足を踏み入れた山の上女学園の図書館で、少女時代の母の写真を見せてもらって以来、ダイアナはかたときもそのことを忘れたことはない。あの夢のような学校に通う機会を与えてくれた裕福な家庭を捨ててまで、母は一体何をやりたかったというのだろう。どうせくだらない遊びやちゃらちゃらした男にうつつを抜かしたに決まっている。一時の快楽に流され、すべての可能性を失ったティアラは莫迦《ばか》だ。どう考えても、もっといい人生を選べたはずなのに。今年で三十一歳になったティアラは、新宿歌舞伎町《かぶきちょう》のキャバクラ〈ヘラクレス〉の雇われママをつとめている。毎晩、明け方近くまで働き、休日は死んだように眠っている。二〇〇四年の「歌舞伎町浄化作戦」と呼ばれる摘発以降、客足も減り、経営が大変らしい。キャバ嬢時代と違い、男と遊び回ることも少なくなった。どんなに明るく振る舞おうと、ふとした瞬間、厳しい顔で物思いにふけることが多くなった。

母を愛していないわけではないし、感謝もしている。ただ、あまりにも嗜《し》好《こう》や趣味、生き方が違い過ぎるのだ。あんな風には決してなりたくない。ティアラの庇《ひ》護《ご》下にいるかぎり、自分の本物の人生は決して始まらない。

できるだけ早く、家を出るつもりだ。高校を卒業したら、すぐに就職したい。全国展開している大型書店で働き、接客や販売のノウハウを学ぶのだ。お金をたくさん貯《た》めて、いつか本屋さんを開く。小さくたっていい。綺《き》麗《れい》な色で塗られた看板、ガラス張りの明るい店内。読書に興味がない人でも思わず足を踏み入れたくなるような、派手ではないけれど活気のある店構え。壁一面をぐるりと取り囲む本棚には、ジャンルを決めずにぎっしりと本を詰め込む。初めは、自分の好きなものを中心に並べて開店する。ダイアナのセレクトに共感し、一人また一人とお客さんがやってくる。彼らと毎日、愛読書の話をする。お客さんとのやりとりの中から、意見を取り入れ、ラインナップを広げていこう。変化し続ける生きた本屋さん。それがダイアナの理想だった。できれば、本屋さんの二階に住みたい。最低限の生活用品とベッドとアップルのコンピューター。静かな自分だけの城で、たくさんの本を身体の下に感じながら、誰にも邪魔されずに読書や空想にふけるのだ。「文子」という名がその夢を叶《かな》えてくれる気がする。

あやこ――。

かつての親友と、同じ読み方の名前を自分につける日が来るなんて。小学校の卒業を目前に突然絶交を言い渡されてから三年。この先も口をきくことはないだろうし、二つの人生が交わることもないだろう。山の上女学園の制服に身を包んだ彩子を、近所で時たま見かける。その度に、慌てて道を引き返すか、見ないふりをするかで避け続けてきた。彼女に対するわだかまりはとうに消えているが、気まずくて話し掛けることができない。万が一、勇気を振り絞って声を掛けたとしても、一体何を話せばいいのかわからない。あの雪の日の誤解を解いたところで、今更何になるのだろう。向こうはとうにダイアナのことなど忘れているに決まっているのに。

でも、接点がなくなったわけだから、同じ名前でも不都合はないだろう。八歳の頃から「あやこ」と発音したときの、香り高いボンボンを口で転がすような甘美な感覚が大好きだった。新学期、クラスのみんながダイアナを笑うなか、彼女だけは「ダイアナは『赤毛のアン』に出てくる親友の名前」と主張し、かばってくれたのを昨日のことのように思い出す。彩子と一緒の時だけはよく笑えたし、なんでも話せた。彼女の家庭に漂う文化的な空気も大好きだった。もし、まだ彩子と親しくしていたら、自分はこんなに憂鬱《ゆううつ》な日々を送ってはいなかっただろう。本を貸し合ったり、彼女の家でケーキを焼いたり、お小遣いをためて服を買いに出かけたり、映画を見に行ったかもしれない。なんの予定もない週末を、一人で過ごすことなどなかったはずだ。

その時、用紙の上に影が落ちた。

「何やってんだよー。矢島じゃん」

嫌な予感に顔を上げると、武田君が大きな身体を屈《かが》めて、人なつこそうな笑顔でこちらを覗《のぞ》き込んでいる。どうやら、とりわけ騒がしいテーブルの一員だったらしい。離れた席から、五、六人の同級生が急に声を潜め、こちらをちらちら窺《うかが》っている。武田君は仲間たちの視線などいっこうに気にしていないようだ。がっしりした顎《あご》に、精悍《せいかん》な目鼻立ち。分厚いけれど引き締まった身体が放つエネルギーに圧倒され、目を合わせられない。

「てか、マックでぼっちとかありえねえだろ。俺ら、このあとカラオケいくんだけど、いかね？」

「いかない……」

短く答えて、用紙に目を落とす。小学校の頃から悪ガキだった武田君は、中学に入るとまたたく間にヤンキー文化になじんだ。昔はどちらかというと不器用でぶっきらぼうだったのに、先輩たちとの上下関係にもまれるうち、コミュニケーション能力を身につけたらしい。髪を金色に染め、制服をだらしなく着崩し、悪そうな連中とつるんでいるくせに、不思議と粗暴な印象はなく、野球部やサッカー部の試合には誘われるままに助っ人として参加しているし、先生とさえよくしゃべる。おうちのお肉屋さんの店番を引き受けているのも何度か見ている。小学生の頃は一緒に遊んだこともあったけれど、彼の人と壁を作らない明るさと単純さが、今のダイアナには腹立たしい。

「愛想ねーな。何書いてるんだよ。見せろよ」

武田君が手を伸ばしたので、咄嗟《とっさ》に用紙を覆《おお》い隠そうとして、ダイアナの肘《ひじ》が紙コップにぶつかった。コーラが倒れ、褐色の波がまたたくまに広がっていく。思わず叫び出しそうになり、両手で口を押さえた。

「あっ、わりい」

気を張って用紙の空白を埋めていた時間が一瞬で台無しになり、ダイアナは、バツが悪そうに突っ立っている武田君を睨み付ける。

「なにやってんの、タケちゃん。早くぅ」

武田君の居たテーブルから甘えた声をあげたのは、同じクラスの西村真梨杏《まりあん》だった。

最近、武田君とつきあい始めたともっぱらの噂である。明るい茶色の髪を丁寧に巻き、つけまつげとカラーコンタクトでもともとぱっちりした目を一層大きくしていた。ティアラにも通じるギャルっぽい雰囲気だけれど、母がドーベルマンなら真梨杏は室内犬だろう。不良っぽさを気取っていても、生きるための闘いを必要としないタイプに見える。彼女の名も「大穴」に負けず劣らずのセンスだが、真梨杏はいたく気に入っているようだ。いや、名前だけではなく、真梨杏は自分のすべてが好きで好きで仕方ないように見える。

「ねえ、タケちゃんってばあ。ねえったらあ」

可愛《かわい》らしい声音だけれど、苛立《いらだ》ちを隠せていない。ダイアナを見る目が、鋭くとがっている。人気者の武田君が屈託なく話しかけてくるたび、こうした女子の視線を強く感じる。くだらない諍《いさか》いに巻き込まれるのはごめんだ。ダイアナは濡《ぬ》れた用紙を丸めて紙コップと一緒にゴミ箱に放り込み、一目散に階段を駆け下りた。武田君の声が追ってくるのを無視して、店の外へと飛び出す。湿気をふくんだ風が頬をなで、雨が降る直前の甘くほこりっぽい匂《にお》いを感じた。ダイアナは足を速めて、商店街を突き進む。洗濯物を取り込み、ティアラが起きる前にもう一度、用紙をダウンロードしなければ。

書店の前でダイアナはぴたりと立ち止まった。店先の新刊台に、あのタイトルを見付けたのだ。『秘密の森のダイアナ』のムックではないか。ヒロイン・ダイアナの横顔が表紙になっている。ネットで噂になっているのは知っていたが、本当に出版されたのか。児童書の名作『秘密の森のダイアナ』は最終巻が出版されて十六年以上たつ今も、根強い人気を誇っている。幼い頃から、一番の愛読書だった。同じ名前を持つヒロインの少女に数え切れないほど何度も励まされてきた。

吸い寄せられるように店に足を踏み入れ、ムックをぱらぱらとめくってみる。二千円もするから、すぐには買えないけれど、必ず手に入れたい。

このムックではさまざまな作家や文化人が『秘密の森のダイアナ』の魅力や思い出にまつわるエッセイを寄稿している。横に添えられたPOPには「十六年ぶりの書き下ろし短編〜母親になったダイアナと娘リリーの物語〜」とある。はっとりけいいちがまた筆をとったのか——。あのダイアナがお母さんになるなんて！　手にじわりと汗が滲《にじ》むのを感じる。書店員の視線が気になったが、ページをめくる手が止まらない。

物語の終わりから十年——。王妃になったダイアナだが、夫のアンドリューが戦争に行ってしまい、国を一人で守らねばならなくなり奮闘する。愛する一人娘リリーには自分が手にすることが出来なかった、最高の環境や衣食住、教育を与えようとするダイアナだが、リリーはそれを鬱陶《うっとう》しく思っているようだ。

「こんな世界、本物じゃないわ。お母様は森で動物たちと自由に暮らしていたのに、私は毎日毎日窮屈な靴とドレスでお勉強ばかりじゃないの」

変わらないダイアナの活躍を期待していたので、なんだかちょっと調子が狂ってしまう。リリーってわがままで嫌な子だな、とダイアナは苦々しく思った。恵まれた環境や良識ある母親にちっとも感謝しない彼女の姿は、母ティアラに重なる。母親に託された王家に伝わる月光石のペンダントも、

「なんて暗い色。これじゃあ、ただの石ころじゃないの」

と杜撰《ずさん》に扱う始末だ。ダイアナと大喧嘩《おおげんか》し、森へと家出するリリー。世間知らずのリリーが、ぬかるみにはまったりハチに追い回されたりと酷《ひど》い目に遭う描写に、ざまあみろ、とダイアナはようやく溜飲《りゅういん》を下げる。この子が森での暮らしを通して成長し、母親の偉大さに気付くという展開なのであれば、ファンとしても納得できる。

「お前、昔っからほんと本好きだよな。変わらないなー」

気付くと武田君が笑みを浮かべながら隣に佇《たたず》んでいた。ダイアナはぎょっとしてムックをもとの位置に戻すと、店を飛び出した。

「待てよ」

めげずに追いかけてくるのも、わずらわしい。武田君の家であるお肉屋さんの前を通り過ぎる時、店先に立っていたお父さんが冷やかすように口笛を吹いた。仕方なくぺこりと頭を下げる。武田君は得意げに片手を上げた。

「いいの？　あの子たち置いてきても」

「へーき、へーき。別に用事なんかねえよ。単に暇であそこに溜《た》まってるだけだから。あのさー、お前、もしかして誕生日？　六月十六日って今日だよな？」

こちらの困惑を見て取ったのか、武田君はやけに早口になった。

「いや、ここに書いてあっから」

彼が突き出した、コーラに染まったくしゃくしゃの「名の変更許可申立書」には、ダイアナの生年月日が大きくにじんでいる。ひったくると手がべたべたになった。

「あんたに関係ないでしょっ」

武田君は大げさに身を震わせた。

「うっわ。こっえーー。確かにその目つき見たら、誰でもびびるよ。そりゃ、お前のこと、ケンカがはんぱなく強いとか、実は裏番長だとか、みんな信じちゃうよな」

心底うんざりして、ダイアナはため息をつく。自分の望みは一人静かに過ごすことだけなのに。群れずに読書をしているというだけで、根も葉もない噂が立てられる。幼い頃から、黙っているだけで「怖い」とか「怒っている」と誤解されてきた。それに傷ついたこともあったが、今では周囲の知性レベルと精神年齢の低さに、ほとほと嫌気が差している。

「お前、少しは愛想よく出来ないわけ？　おっかねえ顔で、ぜんぜんしゃべんねえじゃん。そんなんだから、誤解されんだぞ」

「余計なお世話よ」

「冷たいな。昔は一緒にオヤジさん探ししたのにさあ。なあ、あれまたやろうぜ。俺、今なら、けっこう役に立つと思うよ。ていうか、これ、なんなんだ？　名前変えるための書類なのか？　へー、こんな紙一枚で名前って変えられるんだな～」

「これを戸籍謄本《とうほん》やなんかと一緒に家庭裁判所に送って認められたら、の話だけど」

「俺らみたいなガキが書いたものでも信じてもらえんだ？」

「十五歳になれば、代理人の必要はないの」

武田君はいちいち感心したように、大げさにうなずいている。はからずも、彼に詳しく話してしまい、ダイアナは自分に苛立った。

「そうか、お前、十五歳になるのをずっと待ってたってわけか。よっぽどその名前が嫌なんだな〜。てか、姐《ねえ》さん、知ってんの？」

武田君はティアラのことを「姐さん」と呼んで慕っている。去年、深夜のファミレスで母娘《おやこ》でご飯を食べている時に、中学の先輩たちと一緒の武田君にばったり出くわした。その時、ティアラが気前よく一同におごったことから、すっかり懐《なつ》いてしまったのだ。ティアラは武田君と連絡先を交換し、ダイアナと二人で外食する時など、まるで舎弟を扱うように何度も呼び出している。

——あの子可愛いじゃん。大型犬みたいで。あんたのこと好きなんじゃん？

そんなに気に入ったなら、ティアラが付き合えばいいのに——。どんなに悪ぶろうと、武田君は商店街で三代続くお肉屋さんの一人息子なのだ。下の名前は良大《りょうだい》という。彼の周囲から慕われる人格を形成したであろう、いい名前だ。安定した家庭のおぼっちゃんが、悪ぶっているだけ。ティアラやダイアナに付きまとうのも、アウトローな世界への子供じみた憧《あこが》れからだ。あれこれと心配してくれるのは有り難いが、時々我慢ならないほど憎くなる。もしかすると、自分は武田君のすべてに嫉妬《しっと》しているのかもしれない。

「ティアラには言ってない。絶対に言わないでよ。名前を変える手続きが全部済んでから、報告するの」

　突然、武田君が足を止めた。

「はあ？　それ人としてどうなわけ？　親がつけてくれた大事な名前じゃん。そりゃ大穴はどうかと思うけど、勝手に変えるとか、いくらなんでも薄情っつーか、冷たくね？」

「小学生の頃、名前でさんざんからかったくせに！　うっとうしいのよ！」

　ぴしゃりと言い放った後で、ダイアナはかすかに後悔した。武田君がほんの一瞬、はっきりと傷ついた表情を浮かべたのだ。

「お前がぼっちなのってさあ、名前のせいだけじゃないんじゃね？」

　珍しく突き放したような言い方に、ダイアナはぎくりとして唾《つば》を飲み込んだ。こんな風に欠点を指摘されたり、心に切り込んでくるような発言には慣れていない。

　なんだか――。さっき読んだばかりの物語のリリーになったような気がする。母親の愛に気付かず、反抗してばかりのわがまま娘。母に授けられたものも大事にしない。いや、しかし、自分はあんな娘よりはるかに苦労してきたのだから、同じなわけはない、とダイアナはなんとか自分に言い聞かせる。

武田君はうつむき、肩を強張《こわば》らせている。謝るべきかもしれないが、反発も感じていた。口から言葉が出てこない。その時、通りの向こうから、彩子がやってくるのが目に入った。友達らしき二人の女の子と一緒で、いずれも山の上女学園の制服に身を包んでいる。ダイアナは驚きながらもじっと見入ってしまう。

彩子は見る度に美しくなっていく。古風なブラウスとモスグリーンのベストにプリーツスカートの制服は、白い肌とつやつやした黒髪、すらりとした長身を最大限に引き立てていた。もともと年に不釣り合いなほどの上品さが魅力だったが、ようやく成長が追いついた印象だ。こうして歩いているだけで振り返る人が何人もいる。彼女の姿は見る者に、小説や映画の中の女の子にしか作り出せないような美しい世界を差し出してくれるのだ。つぶらな瞳《ひとみ》とふっくらした桜色の唇は甘くたおやかなのに、格好のいい顎やぴんと伸びた背筋には芯《しん》の強さと知性が感じられ、草原にすっくと咲くあやめのようだ。大切に育てられた女の子とはこういう子のことをいうのだろう。ダイアナは同い年であることを忘れ、親の目線で考えてしまう。まるでさりげない中に技巧をこらした芸術品を見るような厳かな気持ちにさせられ、どうしても見とれてしまう。

彩子がさりげなく目を逸《そ》らしたのがわかった。それだけではない。両隣の女の子たちがこちらを見てくすくす笑っているのがわかる。首筋が熱くなり、何も考えられなくなった。

同じ女の子なのに、ああ、どうしてこうも違うのだろう。何度も何度も繰り返した問いに、ダイアナは身体から力が抜けていく。どうして、自分はあの中にいないのだろう。夢中で武田君を押しのけるとダイアナは回れ右をし、走ってその場を立ち去った。同じ中学の連中と、自分は違うと思っていた。クラスメイトなんて見下していた。でも、彩子ちゃんから見れば、ナンチュウの生徒なんてみな同じに違いないのだ。

こんな環境から早く逃げ出したい。そのためには一刻も早く名前を変えねばならない。雨が降り出す直前のどんよりした空が今にも落ちてきそうだった。

自分が置かれた環境はもしかして、すごく特殊なのではないか。

神崎彩子は時々そんな風に感じることがある。例えば、目の前の棚に飾られた、あのボトルシップ。小さな舟は海風を受けているかのように勇ましく帆をはためかせているけれど、実際はあの瓶の中を出て大海に漕《こ》ぎ出すことはない。ボトルシップは創立者の菅原真智子《すがわらまちこ》先生が英国の姉妹校から持ち帰ったものであると、金色のプレートに説明されている。彩子は『風と共に去りぬ』の三巻にすみれの押し花の栞《しおり》を挟んでそっと閉じた。南北戦争や人殺しを経験したいわけではないけれど、この穏やかで平坦《へいたん》な毎日があと三年以上も続くと思うと、思いきってなんでもいいからひっかき傷をつくりたくなってしまう。大人になって振り返った時、胸がひりひりしたり、切なくなったりするような思い出が一つもないなんて、それはやはり悲しいことのように思えた。

人の気配に顔を上げると、文芸部顧問の高柳修太郎先生が、銀縁眼鏡の奥の思慮深そうな目を細めて、こちらを覗き込んでいた。白髪まじりの髪がさらさらと柔らかそうだ。

「神崎さんは、情熱的な女性の生涯を描いた作品が好きなようですね。今日の文芸部はどうでしたか？」

「あ、高柳先生……。うーん、なかなか原稿が集まらなくて、今月は部誌が出せるかどうか……。あと、みんなあんまり本を読まないので、部長としてはちょっと悩みます。これ、部室の鍵《かぎ》です」

鍵を差し出した時、指先が触れ合った。土曜日の昼下がりの図書館は、飴色《あめいろ》の光に満たされていて、他に人の姿はない。彩子はまるで先生と二人きりで瓶の中に閉じ込められたような気がして、胸がどきどきした。

四十代半ばの高柳先生はひょろりとした体型と物静かな物腰のせいで、生徒にちょっとなめられがちだけど人気はある。どことなく、彩子の家で飼っているシェットランドシープドッグのダンに似た優しい目をしているため、異性が苦手な彩子でもすぐに親しむことができた。恋と呼んでいいのかわからないけれど、高柳先生とおしゃべりするとほんのりと心が騒ぎ出す感じが好きだ。もちろん奥さんもお子さんもいると知っているから、夢中になるつもりは毛頭ない。でも、もし今立ち上がってキスしたとしたらどうなるのだろう。停学になったりするのだろうか――。いけないことを考えるだけで、身体の芯がざわざわと熱くなり、ああ、自分は女の子なんだ、と思い出すことができるのが嬉《られ》しかった。

「自分が出来ないようなドラマチックな経験をしているヒロインって憧れるんです。私なんて視野もせまいし、世間知らずだし」

「それならば、なおのこと、夏休みはヨークシャーのセント・ヘレナ校に行くべきではないですか？　神崎さんは学校の代表に適任だと僕は思いますよ」

返事に困って彩子はうつむく。多くの教師から、夏休み中の交換留学の誘いを受けていた。英文学は大好きだから行きたくないわけではないし、選ばれたことは光栄だけれど、踏ん切りがつかなかった。十五歳にもなって、家族と一ヵ月以上離れて暮らすのが怖いから、なんてとても言えない。引率に高柳先生が付いて来てくれるのは魅力的だけれど、果たして自分に学校の代表が務まるのかという不安もある。

「まあ、夏はゆっくり将来を考えるいい機会ですからね、無理強いはしませんよ。神崎さんも是非、有意義に使ってください。定員がありますから、なるべく早めに検討してみて下さい」

高柳先生は部室の鍵を手に、図書館を後にした。

山の上女学園では大学への進路計画表を中等部三年の二学期に提出することになっていた。それによって高校で選択する授業も変わってくるので、真面目《まじめ》に取り組まねばならない課題だった。彩子はすでに悩み始めている。広い世界を見てみたいけれど、やはり足がすくむのだ。公立の小学校で過ごした日々を思い出す。楽しいことも多かったが、高学年になってからのいくつかの記憶はいまだに彩子の心に暗い影を落としている。男の人の視線にさらされる戦場のような環境がこの世界のスタンダードなのだろうか。そう思うと、共学に進むのが怖い。やはり、付属の女子大、もしくは外部の女子大に進むべきだろうか。図書館の入り口で、親友の富田春香《とみたはるか》と米盛恵美《よねもりえみ》がこちらに向かって手を振っている。彩子は本を鞄《かばん》に仕舞うと、二人のもとへと駆け寄った。春香がからかうように彩子の顔を覗き込んでくる。小さな白い顔の両側でおさげが揺れた。

「ねーねー、彩子。ヤナちゃんと何話してたの」

「うーん。夏のホームステイの話。ヨークシャーのセント・ヘレナ校への短期留学」

「さっすが、彩子。成績優秀者だけに声がかかるあれだよね。行ってきたら？　イギリスなんていいなあ。ハリー・ポッターの国じゃん。映画しか観《み》たことないけど」

魔法使いや妖精《ようせい》が出てくるアニメや映画が大好きな恵美がうっとりしている。彩子はやれやれとため息をついた。

「あなたたちも文芸部なんだから、たまには小説も読んでよ。オースティンの話もしたいんだから」

「えー、だって私が文芸部入ったのなんて、彩子目当てだもん。他の子もそうでしょ」

「難しかったり堅苦しいのは苦手。なんかこう、さくさく読める話はないの？」

彩子は仕方なく二人を連れて本棚へと向かう。文芸部の部長になってからというもの、先生方の苦労がわかるようになった。こんなに素晴らしい図書館があっても利用率は年々減っているらしい。ゲームやネット、漫画やライトノベルの中毒性のある楽しさにどう対抗するべきか。彩子はいつも頭を悩ませている。

「そうねえ。この『秘密の森のダイアナ』は？　うちの父が昔、担当したの」

現代文学の棚に、幼い頃からの愛読書を見付け、彩子は嬉しくなって引き抜く。

「児童書なんだけど、大人が読んでも引き込まれるわ。ダイアナっていう森に住む女の子が、知恵と優しさで人生を切り開いていくって物語。最近、ムックが出たのよ。著者は休筆していたんだけど、十六年ぶりに筆をとったことで話題なんだ。この短編、すごくいいの。ダイアナファンの有名人もたくさん寄稿してるの」

「へえー。面白そうだね」

春香も恵美も手にとってパラパラめくってみるものの、すぐに興味なさそうに棚に戻してしまったのを見て、彩子はがっかりした。

はっとりけいいちの新作短編に心をつかまれただけに、上手《うま》くプレゼンできないのが口惜《くや》しかった。仲間にも読んでもらい、感想を言い合いたかったのに。

ふいにある女の子の顔が浮かぶ。あの子が今ここに居たら、どんな話が出来たかな
――。

「お城の平和な暮らししか知らない私は、果たして生きていると言えるのかしら。みんなが私をちやほやするけれど、それに値する女の子だとはとても思えないの。それに、本当の人生ってもっと手応《てごた》えがあるものなんじゃないかしら。森の暗闇《くらやみ》の怖さもハチに刺される痛みも、私はこの心とからだで知りたいの。もっともっと大人になりたいのよ」

ダイアナの娘・リリーの抱える鬱屈《の》や苛立ちは、今の自分の気持ちをそのまま言い当てられたかのようで何度も息を呑んだものだ。リリーは森へと家出し、かつての母と同じような自給自足の生活を試みる。たくさんの失敗を乗り越えて彼女は人生の痛みや苦しみを学び、再びお城の生活へと戻っていく。彩子としてはもう少し森での暮らしを読んでいたかった気もするが、今ある環境を受け入れ、新たな一歩を踏み出すリリーがダイアナに負けないくらい大好きになっていた。

三人は図書館を後にし、昇降口を出た。今日はこれから彩子の家に集まって宿題をすることになっている。

「彩子ママのご飯のこと考えただけで、お腹《なか》が減って倒れそう……。今日のメニューなんだろう」

身もだえせんばかりの恵美に笑っていたが、正門をくぐるなり一同は顔を見合わせた。傍に停まっている車から、耳をつんざくような大音量で音楽が流れてくる。ちょうど、隣のクラスの沢渡《さわたり》みかげがその助手席に乗り込むところだった。運転席の男は太っているうえ無精髭《ぶしょうひげ》に坊主頭《ぼうずあたま》。十代や二十代にはとても見えない。

視線に気付いたのか、みかげはこちらを一瞥《いちべつ》した。カラーコンタクトの入ったその瞳は白目がほとんどなく宇宙人のようだ。しばらく見ない内に随分化粧が濃くなっている。どちらかと言えば地味で野暮ったい山の上女学園の制服もみかげの手にかかれば、スカート丈はお尻《しり》が見えそうなくらい短く、ベストはぶかぶかでブラウスの襟元は大きく開かれる。彩子は慌てて目を逸らす。みかげがこちらを莫迦にしたような笑みを浮かべて助手席に消えると、排気ガスとともに車は去って行く。駅に向かう道すがら、春香も恵美もしきりにみかげの悪口を言っていた。

「ガンガンうるさいね。ご近所迷惑とか考えないのかな。あんな子、早く退学になればいいのに」

「隣のクラスの沢渡さんでしょ。普段はろくに学校に来ない癖に、たまに登校するとああやってこれ見よがしに男を呼びつけて消えるのって、うっとうしいよね。ネットで知り合ったって聞いたよ。気持ちわるーい」

二人とも露骨に顔をしかめている。彩子は思わずうつむいた。とても言えない。みかげと同じ小学校だったうえ、親同士が今も友達付き合いをしているだなんて。同じ塾に通い、ともにこの学校を目指し、合格した時は抱き合って喜んだ。気が合うわけではなかったけれど、みかげはいつも自分を慕ってくれた。なんでも彩子の真似《まね》をして、妹のように後を付いてくるのを疎ましく思ったこともある。しかし、二年生のある時期を境に彼女との付き合いは途絶えた。みかげの成績は急激な下降線を辿《たど》り、それに反比例して外見はどんどん派手になっていった。最近ではほとんど学校にも来ない。校則の厳しいこの学園で、彼女のような問題児は異端だった。彩子は話を変えようと、明るい声で切り出した。

「進路の用紙どうする？　今から大学のことなんて、私わからないなあ」

「え、そう？　私は絶対に外を受けるつもり。共学に行くんだ。それでぜーったいに彼氏つくって、青春を取り戻すの！」

三人は世田谷《せたがや》線に乗り込み、彩子の住む町で降りた。住宅地に入ってすぐ、どきりとして足を止めそうになった。

同じ小学校だった武田君と、かつての大親友、矢島ダイアナが並んで、道の向こうからやってくる。ダイアナの髪はもはや金髪ではなく、少し茶色がかっている程度だが、今度は武田君が金髪に染めていた。なにやら怖い顔つきでぶっきらぼうに言葉をやりとりしながら並んで歩いてくる二人は、うんと世慣れていて大人みたいに見えた。二人の髪はさらさらと混じり合い、なんだか切ないくらいに光り輝いている。

ダイアナはまた一段と美しくなっていた。裾《すそ》のほつれたデニムのショートパンツに肩からずり落ちそうな大きなTシャツというラフな出《い》で立ちながら、しなやかな身体つきのせいで、まるでハリウッドセレブの普段着のように決まっている。顎がとがり、目が息を呑むほど大きい。もちろん、春香も恵美も可愛いし清らかな雰囲気をまとっているけれど、ダイアナの美しさは次元が違った。下手に声をかけたら鋭い目で一瞥《いちべつ》されそうな、ある種の非情さがあった。きっとダイアナから見たら、女同士できゃあきゃあ騒いでいる彩子たちなど、世間知らずの子供でしかないのだろう。不機嫌そうで、世の中全部を憎んでいるような表情を浮かべている。

卒業間際《まぎわ》、絶交を言い渡したことは、時が経《た》つにつれ、はっきりとした後悔へと変わっていった。おそらくダイアナには何か理由があったのに、受験のストレスから耳を貸さなかった自分はあまりに幼かった。でも、今は彼女の静かな迫力に気圧《けお》されて、とても話し掛けられない。もう読書に興味はないのだろうか。そう思うと少し寂しかった。あの頃は子供で、ダイアナの愛する本の世界すべてを理解することはできなかったけれど、今なら彼女にとって手応えのある話し相手になれるはずだ。

ああ、気付くのが遅すぎた。

当然、武田君とキスくらいはしているんだろうな、と彩子は想像する。いやいや、もっと先のことまで――。雑誌を開けば、十五歳くらいで恋人がいるのは、世の中では普通のことらしい。ダイアナは突然踵《きびす》を返すと、来た道を引き返していく。

武田君は途方にくれたように佇んでいたが、こちらに気付くと、おう、という風に手をあげる。彩子は慌ててぺこりと頭を下げた。彼が行ってしまうのを待って、春香と恵美が一斉にしゃべり出す。

「えー、あの人たち、彩子の知り合いなの?」

「う……ん……。小学校の同級生」

「へええ。なんかドラマみたいだったね。ヤンキーカップルって感じ。女の子の方、めちゃくちゃ美人だったよね。ああいう子がスカウトされて、芸能人になるのかな。それとも十七歳くらいで子供産んじゃうのかな」

同じ不良タイプでもみかげのような子は同性に軽蔑《けいべつ》されてしまうのに、ダイアナの媚《こ》びない魅力には二人とも素直に感動している様子だ。嬉しい反面、なんだかいたたまれない気もする。

「住んでる世界が違うって感じ！　彩子、すごい人たちと知り合いなんだね。いいなあ、共学にいってたなんて」

「あーあ、私たちなんて物心ついた頃から、男といえば先生かパパとしか話したことないのに」

　春香も恵美も初等部から山の上に通っているため、男の子がいる生活というものをまったく知らない。考えることは三人とも、同じのようだ。それはそのまま、彩子自身の限界を告げているようだった。なんとも疎ましく恥ずかしい。大好きな仲間をそんな風に感じる自分が、何よりも嫌だった。

　もう一時間近く、神崎家のまわりをうろうろしている。話し掛けるタイミングがまるで見つからない。あじさいにすずらん。初夏の花々は眩《まぶ》しすぎて、ダイアナをいっそう気後れさせた。日は陰り始めている。もう時間はない。もうすぐ彩子ちゃんの帰ってくる頃だから、早く声を掛けねば。彼女の帰宅時間は商店街を行く人の流れを完

全に把握している武田君のお父さんに教えてもらった。

草むしりを終えた彩子ちゃんのお母さんがふいに目を上げた。ダイアナの視線に気付いたのか、サンバイザー越しの笑顔が垣根を跳び越え、こちらを捕らえた。

「ダイアナちゃん!?　久しぶりねえ。大きくなって、誰だかわからなかったわ」

三年ぶりに会う元親友のお母さんは、五十歳過ぎとは思えないほどの若々しい微笑を浮かべた。化粧気はなく何気ない服装なのに、本当に洗練されて清らかな印象を受ける。そこにわだかまりや蔑《さげす》みの色がないことにダイアナは心の底からほっとした。

「ごめんなさいね。庭仕事の最中だから、こんな格好で」

「あの……。私、その」

ダイアナはしばらく言葉を探し、垣根を挟んで彩子ちゃんのお母さんと向き合う。覚悟を決め、真っ正面から彼女を見据えた。

「証明書を書いていただけませんか？」

「証明？　え、なんの？」

かすかに怪訝《けげん》そうな顔つきに、身が縮みそうになる。でも、ちゃんと伝えなければ、勇気を振り絞ってここまで来た意味がない。

「あ、あの、名前を変えたいんです。ダイアナっていう名前のせいで、私がどれほど辛《つら》い目にあったか証明してくれる第三者がどうしても必要なんです。社会的に認められている人……。家庭裁判所から追加資料の提出を求められていて……。お願いです。彩子ちゃんのお母さんしか頼れる人がいなくて……」

彩子ちゃんのお母さんはしばらくの間、ダイアナを見つめていた。変な子だと思われてもいい。ダイアナは祈るように思う。せめて、同情が欲しい。彩子ちゃんなら一生味わうことのないような屈辱と悲しみにまみれたダイアナの人生を見て、不憫に思って欲しい。

他人の好意をさんざんはねつけてきたけれど、彩子ちゃんのお母さんの前では、みじめな自分をさらして甘えることに躊躇《ちゅうちょ》はなかった。

「落ち着いて。ねえ、お茶でも飲んでいかない？」

まるで今の質問が聞こえなかったかのように、彩子ちゃんのお母さんはにっこり笑う。

ダイアナは怪訝に思いながらも、誘われるまま三年ぶりに神崎家へと足を踏み入れた。

あの頃と何も変わっていない——。ダイアナは本棚にぐるりと取り囲まれた居間を見回して泣きたくなった。この匂い。この日差しの角度。この落ち着いた配色。ここで過ごした時間が今の自分にどれほど影響を与えたことだろう。夢中になって本の背表紙を目で追う。書店で目にした『秘密の森のダイアナ』のムックを見付けて、ダイアナは思わず歓声をあげた。

「あら、そのムック、主人が編集したのよ。ダイアナちゃん『秘密の森のダイアナ』が好きだったわよね。よければもらってくれないかしら」

「いいんですか？　へえ、彩子ちゃんのお父さんが……」

思いがけない申し出に、明るい光が心に差した。先ほどまでの追い詰められた気分が薄れていくようだ。

「だけど、ちょっと派手な企画で、あの人の仕事っぽくないでしょう？　出版界も大変よ。なかなか本が売れない時代だから、こんな風に人の目をひく演出をしないと、手にとってすらもらえないことが多くなってきたみたいなの」

彩子ちゃんのお父さんがそんな苦労をしていると思うと切なかった。大好きな人だ。あの人に理解を示してもらうだけで、生きていることに自信が湧いた。いつか本を売るプロになって、彩子ちゃんのお父さんの作った本をたくさんの人に勧めたい。

「もうそろそろ定年になるの。あの人にとって『秘密の森のダイアナ』は特別な本よ。作家さんが途中で書けなくなってしまったことで、あの人は今も自分を責めてるみたい。でもね、この本が評判なおかげで『秘密の森のダイアナ』がまたじわじわと売れてきているのよ」

「そうなんだ……。発売してもう何年も経つのに、これだけたくさんの人の胸に留まっているのってすごいことですよね」

今欲しい本は、ここの本棚に大抵揃《そろ》っていた。いちいち声をあげて喜ぶダイアナの反応を、彩子ちゃんのお母さんは面白そうに見守ってくれる。

「ダイアナちゃんの読書好きは変わってないのね。彩子も本の虫よ。でも、日本の小説はあんまり読まないわね。主人ががっかりしてる。外国の、劇的な人生を送る女性の話が好きみたい。『嵐《あらし》が丘』『ジェーン・エア』『風と共に去りぬ』『ボヴァリー夫人』。あ、最近ではジェーン・オースティンがお気に入りみたい。文芸部の部長をしてるの。そうそう、この夏は『秘密の花園』の舞台のヨークシャーに短期留学するのよ」

「へえ、文芸部。いいな。うちの中学にはそんなのないから……」

彩子ちゃんらしいラインナップ——。ダイアナはゆっくりと微笑が広がっていくのを止められなかった。おしとやかなお嬢様に見えて、実は芯が強くて、情熱を秘めているところが彩子ちゃんのなによりの魅力だった。彼女と向き合い、お互いの好きな本について語り合えたら、どれほど楽しいだろう。彩子ちゃんのお母さんは、ゆっくりと切り出した。

「こんなこと、親がしゃしゃり出るものじゃないかもしれないけど、あの子に言ってきかせましょうか。きっと彩子だってあなたのこと……」

「いえ、いいんです。別に彩子ちゃんが悪いわけではないし、いざ向かいあっても、いまさら何から話せばいいかわからないし……」

何より、お互いの住む世界がもう決定的に違ってしまった。どんなに言葉を尽くしても埋まらない距離が今の二人の間には横たわっている。

そう、とうなずくと、彩子ちゃんのお母さんはそれきり何も言わず、台所へと姿を消した。戻ってきた彼女が、アイスティーと一緒に出してくれたガラス皿を見て、ダイアナはたちまち瞳を輝かせる。

「桃のコンポートよ。桃を洋酒の入ったシロップで煮て、良く冷やしてあるの。お口に合うかしら」

「知ってる！　森茉莉さんの本で読んだ！」

我慢できずにそう叫ぶと、彩子ちゃんのお母さんは悪戯《いたずら》っぽい笑顔を浮かべた。

「そうそう。鷗外はドイツ帰りの医師だったから茉莉さんに生のくだものをたべさせてくれなかったのよね」

かつてないほど心が浮き立ち、ダイアナは恍惚《こうこつ》となる。こんな会話に心の底から飢えていた。この時間が永遠に続けばいいと、涙が滲むほど強く願う。

「今、好きな作家は幸田文に森茉莉か……。ダイアナちゃんは、どうやらお父さんとの絆《きずな》が強い女性作家が好きみたいね」

どきりとして、まじまじと彩子ちゃんのお母さんの顔を覗き込む。確かにそうだった。

幸田露伴に森鷗外――。幸田文も森茉莉もそれぞれの父親の影響が強すぎるせいか、結婚がままならなかったり、生きづらそうに見える部分も多々ある。それでも、心の中に常に絶対的な存在があることが羨《うらや》ましい。何があっても守り、導いてくれる。人生の先輩であり、恋人でもある。その濃密な関係に憧れていた。

「そうかもしれません。仲がいいお父さんと娘が、すごくうらやましい……」

「ティアラさんのことをそんなによく知っているわけじゃないけど、あなたのお母さんは賢くて心の温かい人だと思うわ」

突然、真剣な顔で彩子ちゃんのお母さんは言った。

「あなたのその名前、決していい加減な気持ちでつけられたわけじゃないと思うの。

きっと今はまだその理由を話す時期じゃないのよ。だから名を変えることに私は協力できない」

そんなことあるわけがない――。こちらの心を読み取ったように、彩子ちゃんのお母さんはかつてないほど強い口調で言い放つ。

「娘に名前をつけるとき、どんな親だって真剣なのよ。私があの子に彩子と名付けたのはね、あの子にはたくさんの世界を知って欲しかったから。偏見がなくて、視野が広くて、温かいハートをもっていて、そこにいるだけで周囲を彩《いろど》るような、そして世界には色々なカラーがあっていいことを認められるような、そんな女の子に」

そんな素敵な理由があったんだ。ダイアナがうっとりと聞き惚《ほ》れていると、彩子ちゃんのお母さんはふいに言葉を切った。

「私はね、そんな風に生きられなかったの。プライドが高くてそのくせ恐がりで、自分と違う個性を認めることができなかった。他人を見下さずには生きて来られなかったの。だから、本物の友達なんていたことがなかった」

それきり彼女はうつむいた。窓から差す夕日が、彩子ちゃんのお母さんの横顔を照らし出す。もしかして、この完璧《かんぺき》な女性にも、ダイアナや彩子ちゃんのように、ボタンの掛け違いで友達とぎくしゃくしてしまったことがあるのだろうか。ダイアナはここに来た理由も忘れ、夢中で身を乗り出していた。

「彩子ちゃんのお母さん、あの。彩子ちゃんのお母さんの下の名前、教えてもらえませんか」

彼女は驚いたように目を見ひらいた。思いを表現するのはあまり上手くない。でも今、ダイアナは懸命に言葉を探すしかないと思った。そのためにたくさん本を読んできたのかもしれない。

「興味があるんです。名前ってその人の一生を左右するものだと思うから。彩子ちゃんのお母さんがどんな思いを受けて生まれたのか、私、知りたい」

ややあって、彩子ちゃんのお母さんの目がかすかに赤くなった気がした。

「私の名前は貴子《たかこ》っていうの。貴族の貴に、子供の子……。ありがとうね。誰かのお母さんになるとね、自分に下の名前があることを忘れちゃうのよ、時々」

「今日から貴子さんって呼んでいいですか」

笑う時に目がなくなるところが、彩子ちゃんによく似ていると思った。

夏が本格的に始まる直前の季節の夕方が、彩子はほんの少し怖い。生ぬるい風が頬をなで、青臭いかおりのする夕闇に包まれていると、見知らぬどこかに押し流されるような気分になる。誘惑とはこんな風に、どこからともなく忍び寄って、身体《からだ》をからめとるものなのかもしれない。

世田谷線から田園都市線に乗り換えたところで、ようやく砂色に染めた髪を振ってみかげちゃんがこちらを向いた。

「ああ？　てか、どこまで付いてくんの？」

心底鬱陶しそうな表情には、味噌《みそ》っ歯を見せてにこにこ笑っていた幼なじみの面影はどこにもない。

「だって、その、先生にあんなこと言うから、心配で……」

車内の視線を気にして、彩子は声を潜める。こんな風にみかげちゃんと言葉を交わすのは何ヵ月ぶりだろう。

数十分前の職員室での光景を彩子は思い出す。部室の鍵を高柳先生に返しに行くと、学年主任の遠藤洋子《えんどうようこ》先生に向かって、金切り声を張り上げるみかげちゃんの姿が目に飛びこんできた。どうやら髪の色を注意されたらしい。

――うざいんだよ！　もう、こんな学校やめてやっから！

誰もが恐れる、年配の遠藤先生にあんな暴言を吐くなんて――。なんて礼儀知らずなんだろう、とあきれる反面、ドラマのような光景にわくわくしてもいた。やはり、自分は刺激に飢えているのだと改めて感じる。気付けば、職員室を飛び出た彼女を追いかけ、一緒に学校の門をくぐっていた。

「あなたのママ、最近、よくうちに来るのよ。いつもみかげちゃんのこと、心配してる」

彼女の母親にお目付役を託されたわけではない。でも、こう説明すれば、衝動に突き動かされ、みかげちゃんにくっついてきた行動の言い訳ができる気がした。現に昨夜《ゆうべ》、みかげちゃんのお母さんは彩子の母にすがりつかんばかりにして泣いていた。

――あの子がわからないわ。あんなに苦労して、山の上女学園に入れたのに、やめたいなんて言い出すのよ。宇宙人みたいな格好して――。ああ、彩子ちゃんはこんなにいい子なのに、どうしてあの子だけ……。

最近、みかげちゃんのお母さんは随分老《ふ》けた。頬がこけ、顔色が悪く、彩子の母より十歳も年下だなんて信じられない。大切な家族にあんなに心配をかけているなんて、と思うと、やはりみかげちゃんを改心させねば、という気持ちが強くなる。

「ねえ、てか、なんでそんなおせっかいやくの？」

「友達じゃない」

「友達ねー。ふーん。そういうこと言ってて恥ずかしくねえの？　彩子ちゃん、一度でも私のこと友達だなんて思ったことねえじゃん」

　ぎくりとして、言葉が出て来ない。みかげちゃんは薄く笑って携帯電話を取り出すと、素早く目を落とした。田園都市線は渋谷駅に到着し、乗客に押し出されるようにして二人はホームへと出た。複雑な渋谷駅の構造をみかげちゃんは完璧に理解しているようだ。迷いのない足取りで改札をくぐり地下通路を歩くと、駅に直結した１０９へと足を踏み入れる。音楽のあまりのうるささに、彩子は思わず顔をしかめた。けばけばしいお化粧の店員や客、華やかなドレス姿のマネキンに気後れしうつむいてしまう。すっぴんに制服姿の自分がとてつもなく野暮ったく思えた。みかげちゃんはエスカレーターに乗り、お化粧室に飛び込んだ。いつまで経っても彼女がトイレの個室から出て来ないので不安になっていたら、チューブトップにショートパンツという裸みたいな出《い》で立ちで姿を現した。

「あんな制服じゃダサくて友達に会えねえっしょ」

　そう言いながら、みかげちゃんはお化粧室の鏡に向かって、髪をほどき、唇にグロスを施し、つけまつげとカラーコンタクトを装着する。目をうんと見開いたり、金魚のように唇をとがらせたりした。またたく間に「宇宙人」に変身した幼なじみは、彩子には目もくれずお化粧室を後にした。

１０９の前に立ち、仲間の到着を待つみかげちゃんに向かって、彩子は言葉を選んで懸命に説得を試みる。彼女はまるで聞こえないかのようにあさっての方向を向いていた。

「あのさあ、みかげちゃん、恋とか遊びとかバイトなんて、大学に入ってからいくらでもできるじゃない。女ばっかの環境がつまらないって思う気持ちもわかるけど、一生じゃないんだよ。あとから考えたら、山の上での時間ってすごく貴重でありがたいものじゃないのかな」

彩子はみかげちゃんに向かってではなく、自分に言い聞かせていることに気付いていた。黙って雑踏を見つめていたみかげちゃんが突然、冷静な目をこちらに向け、ぽつりと言った。

「今度ママに言っといて。みかげは彩子ちゃんじゃないんだよって」

予想もしなかった言葉に彩子は面食らう。

「何言ってるの。そんなことくらいわかってるわよ。みかげちゃんはみかげちゃんでしょ」

「ううん。ママはずっと思ってるよ。みかげが何故《なぜ》、彩子ちゃんのようになれないのかって。小さい頃から頑張って期待に応えようと思ってたけど、もう解放して欲しいんだ。このままじゃみかげは壊れる」

長い付き合いの中で見たこともないほど、みかげちゃんは落ち着き払った様子で続けた。

「どうしてあんたたちは、山の上女学園でうまくやれない人間は、負け組だって決めつけんだよ。あんな小さな世界の優劣で、なんでその人の人生が決まるんだよ。ものすごく狭い世界だよ。彩子ちゃん頭いいんだから、わかるでしょ？」

「え……」

「みかげはもう、彩子ちゃんになろうと努力するつもりはないから」

アイラインで乱暴に囲まれた目の奥に、すべてを見透かすような聡明《そうめい》な光が見える。彩子は背筋が冷たくなるのを感じていた。みかげちゃんは彩子が知っているより、はるかに多くのものを自分一人の力で見聞きしてきたのかもしれない。上から目線で物を言ったことが無性に恥ずかしかった。やはり自分は瓶の中の舟、井の中の蛙《かわず》でしかない。みかげちゃんの顔にぱっと笑顔が浮かんだ。別人のような晴れ晴れした表情で無邪気に手を振っている。

「りゅんりゅん、たあくん、にゃお――。こっちこっち」

彼女の視線の先を目で追うと、いつも車で迎えに来る坊主頭の男のほか、鼻にピアスをあけた少女、明るい色の髪をはりねずみのように逆立てている男らがこちらに向かってくるところだった。その時、信じられないことが起きた。みかげちゃんは急に走り出し坊主頭に飛びついて、唇を激しく吸ったのだ。

生まれて初めて目にする、友達のキスに彩子の心臓は激しく音を立てた。

「私、もう帰るね……」

背中を向ける彩子を気に留める者はいなかったし、みかげちゃんは追って来なかった。

夕暮れ時の渋谷の雑踏を抜け、何度も人にぶつかりながら、彩子は駅を目指した。夏休みはヨークシャーに行ってみようか――。ふいにそう思った。広い世界を見なければ。リリーのように心と身体をつかって、人生というものをつかみたい。もっと大人にならなければ。瓶の中の舟のままでいたくない。それを自分自身に証明するための特別な夏にしようと思った。たった一人の力でお城を出るために。

みかげちゃんが休学届を出したのは、期末試験が始まる少し前のことだった。

生まれて初めてきた歌舞伎町に、ダイアナは倒れそうなほどの目眩《めまい》を感じていた。もう夜十二時を過ぎているというのに、青や赤のネオンのまぶしさですれ違う人の表情がはっきりわかる。だが、昼間の堂々とした陽の光とは違う、どこか妖《あや》しい明るさだった。むっとするような人いきれと排気ガスとすえた食べ物のにおいに頭がくらくらしてくる。〈ヘラクレス〉に到着するまでのあいだ、十人以上の黒服の男たちに声をかけられた。何が目的なのか、断っても断ってもしつこくついてくるので、最後はとうとう走って逃げてきた。

さっき、お風呂《ふろ》に入ってようやく寝ようかというところで、ティアラからのメールに気がついたのがいけなかった。

――マジやばいんだけど。忘れ物しちゃった。今日、お客さんの誕生日で、店の子たちとバースデーカードを書いたんだ。せっかくだしと思って、ラメペンやシールでデコっておいたんだけど、うちテーブルの上に置いて来ちゃった。悪いけど、店に届けてくれる？

まったく、未成年の娘をこんな危険区域に、それも深夜に呼び出すなんて、どうかしている。ダイアナはげんなりしながら、携帯電話の地図を頼りに店を目指した。靖国《やすくに》通りの裏にある〈ヘラクレス〉は、思ったよりずっと大人っぽいシックな外観だった。青白い照明で飾られた階段が、誘うように下へと続いている。母の勤め先に足を運ぶのは初めてだった。どこから入るべきか迷っていたら、店の前に立っていた背中の開いたドレス姿の女がすぐにこちらに気付いた。

「あ、もしかして、ティアラさんの娘さん？　こっちから入って」

彼女に言われるままに、狭い路地を通って裏口にたどり着く。足下をネズミとゴキブリが駆け抜けていき、ダイアナは小さく悲鳴を上げた。短い廊下を渡ると更衣室らしき部屋に通された。誰もいないのに、化粧品のむんむんするような匂《にお》いが充満していて、むせかえりそうになる。すぐにティアラは息を切らしながらばたばたとやってきて、ひったくるようにバースデーカードを受け取った。

「悪いっ、サンキュッ。夜一時には店閉めるから、それまでこのメイクルームで待っててて。あと一時間！」

「えー、いい。帰るよ。もう眠いし。まだ終電あるし」

初めて目にするドレス姿のティアラは胸の谷間やなめらかな背中がむき出しになっ

ていて、どうにも目のやり場に困る。ひいき目ではなく改めて美人だと思った。

「そんなさみしいこと言うなっ。〈つるとんたん〉っていうメッチャうまいうどん屋でおごるから、寝るか本読むかして待っててよ」

それだけ言い捨てると、ティアラは形のよい小さなお尻を左右に振って、ドアの向こうへと姿を消した。

まったく勝手なんだから――。一人残され、ダイアナはため息をつく。幸いリュックサックの中には、彩子ちゃんの家でもらった『秘密の森のダイアナ』のムックが入っている。いよいよ新作短編小説もクライマックスなのだ。低いソファに身を沈め、ダイアナは本を開く。


リリーは熊《くま》のチャックに、ダイアナお母様にたくされた月光石のペンダントを見せました。

「ねえ、このペンダントとあなたのはちみつを交換してくれない。私はお腹がぺこぺこなの。それにこのペンダントのせいで、王家の人間だとバレてしまっては面倒なのよ」

「それはお城に伝わる大切なペンダントじゃないか。受け取るわけにはいかないよ」

　と、チャックは静かに首を振ります。リリーはうんざりしました。誰も彼もがダイアナお母様の味方。こんなペンダント、一度も欲しいなんて言っていないのに。ただの石ころに運命がしばりつけられているみたいで、リリーは面白くありません。

「こんなのただの石ころじゃない。お母様に押しつけられただけ。どうせなら、もっとキラキラしたアクセサリーがよかったわ。私、こんなの欲しくない！　もういい、湖に捨てるわ！」

　落ち着かない気がして、ダイアナはページから目を上げる。今まで感情移入できなかったリリーをふと身近に感じたのだ。もしかすると、自分もまた、母に反抗するただの世間知らずのわがまま娘なのだろうか。いやそんなはずはない――。喧嘩腰《けんかごし》のリリーをチャックは優しく諭している。

「ペンダントが光らないのは、君がまだ自分の人生を生きていないからだよ。君が変われば、ペンダントも光るようになる。お母さんが君にそのペンダントを託した理由もわかるようになる――」

ふと視線のようなものを感じて、ダイアナは振り返った。

ずらりと並んだロッカーの一つに、「TIARA」とラインストーンで彩られたプレートが貼《は》られている。それはまるでダイアナを試すかのように挑戦的に輝いていた。自分の知らない母のすべてが、この細長い箱の中に詰まっている気がした。ごくり、と唾《つば》を飲む。ひとの持ち物を勝手に見るのがどれほど卑《いや》しいことか、よくわかっている。でも、自分には知る権利くらいあるのではないか。ダイアナは立ち上がるとふらふらとロッカーに吸い寄せられる。扉をあけると、ティアラが愛用している香水の甘い香りがした。ハンガーに吊《つる》した派手な私服とヘアスプレーや化粧ポーチが放り込んであるほかは特に変わったものはない。がっかりしたようなほっとしたような気分で扉を閉めようとした瞬間、分厚い手帳が立てかけてあるのに気付いた。思わず手に取るなり、間から一枚の封筒がすとんと落ちた。

恐る恐る中を開けると、小さく折りたたまれた黄ばんだ手紙と一枚の写真がでてきた。

有香子へ

会えなくて本当にごめん。さぞ、毎日心細い思いをさせていると思う。でも、ご両親の怒りももっともだ。大切に育てた十六歳の娘が、子どもができた、結婚したい人がいるなんて言うんだから。

仕事がうまくいって、君を食べさせることが出来るようになったら、必ず、迎えに行く。それまで待っててくれ。

僕達の娘の名前は「ダイアナ」にしよう。

蛍

お父さんがティアラに宛《あ》てた手紙――。体中の血が巡りだし、目の前に立ちふさがっていた壁が取り払われた気がした。最近、父との再会をどこかであきらめていたのだ。自分は大きくなりすぎたし、思い通りにいかないことがただでさえ多すぎる。でも、信じてさえいれば、思いがけない形で道しるべはやってくるのだ。

ティアラの話によれば、確かお父さんはダイアナが生まれてすぐに出て行ってしまったそうだが、この文面を読む限り、そんな薄情な人には思えない。文章だけで彼が好きになった。蛍。お父さんの名前は「蛍」というのか。少し変わっているが、素敵な名前だ——。

ダイアナは震える手で、写真を見つめた。思ったより、ずっと若い男の人だった。ひょろりとした身体つきにチェックのシャツ、寝癖が目立つ髪。青白く頼りなさそうに見えるが、とても優しい垂れ目をしている。撮影場所はどこかの校舎だろうか。煉《れん》瓦《が》塀の建物を背景にしている。このまま持って帰ってしまいたかったが、ティアラに気付かれてはまずい、と思い直し、手紙と写真を携帯電話で撮影するに止《とど》めた。

ドアノブが回る音に続き、ヒールの音がした。ダイアナは飛び上がりそうになる。慌《あわ》てて封筒を手帳に挟むとロッカーにしまい、ソファに飛び込む。本を胸に抱いて、横たわってかたく目をつぶった。

「ごめんね〜、あれ、うちの子は？」

酒やけしたハスキーボイスはティアラの声だ。先ほどのドレスの女の声も続く。

「あ、寝てますね。ふふ、大人っぽく見えてもまだ子供ですよ。ダイアナちゃんてティアラさんそっくりじゃないですか。超美人っすよ。ねえねえ、高校出たらうちの店、入りませんかね」

「うーん。うちの子はさ、あんまし、そういうタイプじゃないんだ」

ふと、ティアラの甘いにおいと長い爪《つめ》を髪の先端に感じた。気付かれないように一層かたく目をつぶり、息を押し殺した。

「母親のあたしが言うのもなんだけど、父親に似たのかな。あたし外へ外へって出てくタイプだけど、この子は内に内にって入ってくタイプかな。頭もいいし、繊細だし、読書家でさ」

ダイアナは息を殺す。こんな風にティアラに理解されているなんて、想像もしたことがなかった。貴子さんの言葉がふと胸に蘇《よみがえ》る。

「ティアラさん、マジで旦那《だんな》さんのこと愛してますよね。結局、この十六年、独身貫いてるじゃないですか。お客さん言ってますよ、ティアラさんは歌舞伎町で一番敷居の高い女だって。プロポーズも断りまくってて、もったいない」

プロポーズを断る？　敷居が高い？　ティアラが？　ダイアナは信じられない思いで、全神経を耳に集中する。だが、ティアラは何も答えず、いきなり身体が激しく揺さぶられた。

「起きろよお〜〜。つか、腹へったっしょ？〈つるとんたん〉いくべ。明太子《めんたいこ》クリームうどん、マジうまいから、あんたも頼みなよ。マジおすすめ。ここからすぐだから」

いつものティアラのがらがら声に思わず耳をふさぐ。

引っ張られるようにして店を後にし、区役所通りを歩いて〈つるとんたん〉を目指した。何やら怪しげな地下の店では、仕事終わりとおぼしきホストやホステス風の男女が大きな丼《どんぶり》に頭を突っ込むようにして、うどんをすすっている。ダイアナはメニューを見て、極力シンプルなものを指さした。

「わたし、普通のきつねうどんでいい」

「はあ？〈つるとんたん〉に来てクリーム系いかないとか、マジありえないし。なんか、あんたの方がババアみたいじゃーん。ウケる」

やがて洗面器のような丼が、二人分運ばれてきた。向かいでうどんをすするティアラは丼のせいで小さく見えて、いつになく儚《はかな》げに感じられた。ティアラにも子供の頃があったんだと当たり前のことにやっと気付く。自分と同い年の頃のティアラはどんな思いで毎日を過ごしていたのだろうか。

ティアラはやけに陽気に言った。

「ね、夏休みどっか行かね？　海外でもいいよ」

「え……。じゃあ……、ヨークシャー」

驚いて思わずそう漏らしたら、たちまちティアラが顔をしかめ、手を左右に振った。

「ヨークシャー？　ないないない。あんなとこ、暗いし、陰気だし、原っぱばっかでなんも面白くないって。どーせなら、韓国にしようよお。エステ行ってさあ、ヨモギ蒸し……」

口にした後で、ティアラはしまった、と思ったらしい。せわしない手つきでマルボロライトを取り出し、長い爪をかちかちいわせながら、ラインストーンで覆われたライターで火を点《つ》ける。

――ティアラも彩子ちゃんと同じで、交換留学に選ばれたんだ。

ダイアナは口惜しい反面、誇らしいような気もした。わざと不思議そうな顔で訊《き》いてみる。

「ティアラ、ヨークシャーに行ったことなんてあるの？」

「ん？　え、ないよ。ないない。なんだっけ、ほら、あれでみた。スーパーひとし」

「『世界ふしぎ発見！』？」

「そーそー。あれで見て、なんか原っぱばっかだなあって思ったんだ」

本人はうまく誤魔化したつもりなのか、美味《おい》しそうにクリームうどんをすすっている。ティアラにはまだまだダイアナの知らない顔がたくさんあるのだろう。

ちょっとトイレ、と断り、ダイアナはリュックサックを手に席を立つ。

化粧室でざぶざぶと顔を洗い、ハンドタオルで顔を拭《ぬぐ》ったら、なんだかすっきりした。家庭裁判所から来た追加書類提出の紙を取り出し、細かく破りゴミ箱に放り込んだ。鏡を覗《のぞ》き込み、静かな気持ちで心に決める。

月光石のペンダントがリリーの成長につれて輝き出すように、自分の心がけ次第で人生を変えることができるのであれば――。

もうちょっとだけ、この名前で生きていこう。ティアラが愛した私のお父さんを見付けるその日まで。

日本から持ってきた宿題の読書感想文から視線を上げると、マホガニーの飾り棚にボトルシップを見付けた。山の上女学園に置かれているのとよく似ている。彩子は色々なことが一度に腑《ふ》に落ちる気がした。

――結局、海を越えて異国にやってきても、私は瓶の中の舟でしかないみたい。ヨークシャーまできても、やっていることは山の上女学園と変わらない。あと三日で八月も終わりだ。

カーネギー家にお世話になるのも明日で最後だった。今夜は一ヵ月半お世話になったお礼に、彩子が夕食を作る予定だ。セント・ヘレナ校の高等部に通う二歳年上のアリスやまだ小学生の弟のスティーブともすっかり親しくなっただけにお別れが切なかった。出発前に母にならった海老《えび》と錦糸《きんし》卵をのせたちらし寿司《ずし》とすまし汁を振る舞おうと思っている。お寿司は比較的、英国でもポピュラーと聞いているし、インゲンやきぬさやなどを散らして彩りに気を配れば、ライスサラダ感覚で食べられるだろう。なによりも彩子自身、和食が恋しくて仕方なかった。

図書館の窓の向こうには、ムーアと呼ばれる荒れ地が延々と広がっている。『秘密の花園』の主人公メアリーが初めて見たときに海と勘違いしたのも納得の広大さだ。

この一ヵ月半は確かに楽しかった。英語も上達したし、国籍を超えて仲間も出来た。だけど、姉妹校だから当たり前かもしれないが、校舎も校風も授業内容も、それどころか生徒の雰囲気まで山の上とよく似ている気がする。こうして、ボトルシップまで同じ場所に置かれているなんて。どこまでいっても、結局、先生や親の大きな手の中から逃れることはできないのか。みかげちゃんに投げつけられた言葉が今も胸にくすぶっている。

「どうでしたか、セント・ヘレナ校の夏は。こちらでも神崎さんはみんなの人気者でしたね」

いつの間にか、高柳先生がやってきて、向かいの席に腰を下ろした。彩子は素直な気持ちで先生を見上げた。

「すごく貴重な経験ができたし、やっぱり来てよかったと思います。でも、私、どこまで行っても山の上女学園の生徒でしかないんですよね」

いっそ今、無理矢理にでも高柳先生にキスできたらな、と思う。彼に恋しているわけではないけれど、それくらい手応えのある夏の思い出を作りたかった。少しして、高柳先生はこうつぶやいた。

「神崎さんと話していると、かつての教え子を思い出すんですよ」

彼はふと思いを馳《は》せるように、ムーアに目をやった。

「彼女もよく、自分は狭い世界で生きているんじゃないかって悩んでいた。外の世界はもっと刺激と悲しみに溢《あふ》れていて、それを知らないで生きている自分は、果たして人間と言えるのか、とかね。それを作文にして、文部省主催のコンクールで大きな賞をとったんです。驚いたことに、彼女はまだその時、初等部の生徒でした」

「へえ。随分大人びた子だったんですね」

「思い出すな。彼女も成績優秀者として、ヨークシャーのサマースクールに参加したんです。あなたと同じ理由でね。広い世界を見てみたいって。でも、日本の学校とあまり変わらない、原っぱばっかりって、がっかりしていたっけ」

なにからなにまで自分と同じで彩子は驚き、ほんのりと胸が温まる。この恐れと不安はおそらく、女ばかりの環境で守られて育った子の普遍的な悩みなのだろう。大先輩であるその人といつか話してみたいと思った。山の上女学園を卒業した彼女はどんな人生を送っているのだろうか。広い世界を見ているのだろうか。自分の手で何かをつかみとったのだろうか。

「その人……、今はどうしてるんですか？」

「途中で学校を辞めてしまったから、よくはわからないんです。どうやら、お母さんになったらしい。数年前、彼女にそっくりな子が一人で山の上女学園の文化祭に来ていたんです。働きながら一人でその子を育てているらしいですね」

シングルマザーだなんて、なんてたくましい。世の中に迎合せず、自分の意志を貫いた結果なんだろう。彩子は早くも、まだ見たことのない彼女を尊敬し始めていた。

「そうだ。写真がありますね。交換留学生の歴代の写真はみんなここに飾ってあります。あ、今話していた子の写真もあるはずです」

高柳先生はおもむろに立ち上がった。彼に誘われ、戸棚に飾られたいくつかのフレームを覗き込む。かすかに色あせた横長の集合写真の中、英国人の女の子たちに交じって何人かの黒髪の少女がこちらを見ている。そのうちの一人に彩子の目は釘付《くぎづ》けになる。日付を見ると、今から二十年近く前だった。

「先生、この子って……」

彩子が指さした少女を見て、高柳先生は懐《なつ》かしそうに頷《うなず》いた。

「そうそう、この子ですよ。矢島有香子といいます。この時は小学六年生。教師になって初めての担任だったからよく覚えています。自慢の生徒でした」

はにかんだように微笑《ほほえ》む小柄な黒髪の少女。それはまさしく、小学校時代の同級生・矢島ダイアナの母ティアラであった。

日本から一万キロ以上も離れたこの地で、かつての大親友にうり二つの少女は、懐かしい笑顔を彩子に向けていた。

第4章

森を出る

南米文学の棚のさらに先。図書館の一番奥まった場所にある部室のドアを開けると、日差しで焼けた紙とほこりのにおいがした。久しぶりに嗅《か》ぐ、文芸部のにおいだ。細長い小部屋をほぼ占領するテーブルを取り囲んでいた八名の後輩が、いっせいに振り返った。

「きゃっ、彩子先輩だ！　お久しぶりです」

「来てくれたんですね！　すみません、受験勉強の最中なのに！」

口々に叫びながら、彩子のそばへと駆け寄り、ふわふわと頼りない手つきで腕や肩に触れる。一歳しか違わない高校二年生らのみずみずしさに、彩子は目を細めた。まだ人生になんのリミットも感じていないような柔らかな表情、桃のような頬やおでこの産毛《うぶげ》が、張り詰めた教室の空気に慣れた身にはまぶしかった。受験勉強もいよいよ本番。のんびりと笑いさざめいて過ごした女子校での暮らしはそろそろ終わりを迎えようとしている。

山の上女学園の生徒は、彩子の姿を見付けるとここぞとばかりに甘え、もたれかかってくる。部員だけではない。クラスメイトも同じだ。この六年間、彩子は常に皆の母親役をつとめてきた。それればかりではなく、気付けば男役も担《にな》っている。下級生からラブレターを受け取ったことも幾度となくあった。キャラクター便箋《びんせん》にしたためれた拙《つたな》い文章からは、バニラの蒸れた香りがむんむんと立ち昇ってくるようだった。

ひととおり愚痴や近況を聞いてやると、なおも構ってもらいたそうな後輩たちをやんわりと振り切って、彩子は図書館を後にした。自分の退部後、部員の覇気がなくなったことを実感している。ほとんどが彩子の人気に釣られて入部しただけであって、読書家というわけではないのだろう。

大学に入れば、同志に出会えるのだろうか。長い廊下には九月の夕日が差し込み、とろんとした桃色で満たしている。校庭のヒマラヤ杉がグラウンドに複雑な形の影を伸ばしていた。何かが起こりそうで何も起こらない、いつもの放課後だった。

この景色ともあと半年足らずでお別れなんて、なんだか信じられない。職員室の戸を開け、窓際《まどぎわ》に座っている高柳先生を見付けると、彩子は軽く会釈《えしゃく》をして入室した。学級日誌から顔を上げた高柳先生は最近、皺《しわ》が目立つようになった。山吹色のカーディガンと白髪が、粉雪の舞う草原のようなコントラストをつくっていた。中等部の頃、先生にほのかな恋心を抱いた理由が、今ならよくわかる。周囲に男性と呼べるのは彼だけだった。来年の今頃は大好きな先生を思い出さなくなることを予感すると、かすかに切なくなる。

「文芸部なんですけど、文化祭の準備、うまくすすんでいないみたいなんです。ちょっとだけ、気に掛けていただけますでしょうか？」

「すみません。僕もつい、神崎さんがまとめていた頃の文芸部になれっこで、顧問でありながら指導をおろそかにしていました。気をつけるようにします」

ちょっとした報告のつもりだったのに先生はやけに恐縮していて、彩子はおかしくなった。ふいに周囲を気にしてか、先生は声のトーンを落とす。

「それより……、神崎さん、推薦の受付締切は十月一日ですよ。その時までに砂川《すながわ》女学院大学の件、よく考えておいてくださいね」

広尾にある名門、砂川女学院大学は、今年から指定校推薦入学制度を山の上と結ぶことになった。願ってもない話なのに、どうしてこんなに迷っているのだろう。

「学校としては、砂川女学院大学に神崎さんのような生徒を最初に推薦できたら、今後の信頼につながります。でも、強制するつもりはありません。あなたの学力だったら、希望通りの大学を受験して合格することも可能だと思いますよ」

控えめに見えて、誰よりも生徒をよく見ている先生の目を誤魔化すことはできない。彩子は素直に打ち明けてみることにした。

「……迷ってるんです。砂川女学院は憧《あこが》れの大学です。フランス文学科が有名ですし。この夏は、一応予備校にも通っていましたけど、推薦を念頭に置いて動いていたのは事実です。でも砂女は……、プロテスタント系で初等部からあって、女ばかりの環境ですよね。あと四年も、同じような場所で過ごすことにためらいはあります。だけど、いざ受験のことを考えると、小学校の頃を思い出しちゃって。私、小心者なんですよね。それにあがり性で……」

自分で言って恥ずかしくなり、彩子は小さく笑う。高柳先生はゆっくりと首を横に振った。中学受験を前にした時の、毎日の泣きたいような不安とプレッシャーが蘇《よみがえ》る。のんびり過ごしてきた自分に、もう一度あれを乗り越える気力があるのか自信がなかった。

「神崎さんは誰よりも努力家で勇気がありますよ。まだ時間はあります。あなたは正しい判断ができる人だと思っていますよ。焦《あせ》らずにじっくり自分に向き合ってくださいね」

職員室を出て、学校を後にした。駅に向かって歩きながら、先生の言葉を反芻《はんすう》する。一生を左右する大きな判断が、自分の手に委《ゆだ》ねられている。わけもわからないまま、母に抱えられて押し込んでもらったような、中学受験とは大きく違う。今なら、推薦を選ぼうと受験を選ぼうと、両親は応援してくれるだろう。生まれて初めて、自分は人生の舵《かじ》を取ったといえるのかもしれない。世田谷《せたがや》線が滑り込んできて、彩子は足を速めた。

運転席の真後ろの座席に腰を沈めると、鞄《かばん》から『悲しみよ こんにちは』の文庫本を取り出す。ビュッフェの表紙を見るだけで、ほんのちょっぴり大人になった気がするのが好きだ。フランス文学科をこころざすきっかけをくれたといっていい一冊は、進路に悩むと、自然と開いている。

パパの恋人・アンヌに憎しみと憧れの入り混じった視線を向ける、十七歳のヒロイン、セシルは彩子にとってアイドルだった。修道院の女子校に十年通っていたところに親近感を覚えている。学校を卒業した頃はお下げ髪の冴《さ》えない少女だったのに、プレイボーイのパパに本やレコードを買うことを学び、アンヌからレディの手ほどきを受けて蠱惑《こわく》的なパリジェンヌへと変身したのだ。ラクロの『危険な関係』にもセシルという修道院上がりの女の子が登場したっけ。彼女も無垢《むく》なお嬢様から、社交界のあぶない恋愛ゲームに巻き込まれ、バッドガールへと変貌《へんぼう》する。母が学生の頃から大切にしているという松任谷《まつとうや》由実のレコード「時のないホテル」に収められている「セシルの週末」もまた、そんなイメージにふさわしい不良少女の歌だった。「セシル」は彩子にとって特別な名前だ。大人と少女のわずかな境目にぴたりと収まる魅力的な三文字。舌の上にのせると、メレンゲのようにさっと解け、洋酒の苦みをたなびかせる。世田谷線はやがて、彩子の住む街にたどり着いた。すみれの押し花の栞《しおり》をはさんで鞄に本を仕舞うと、彩子はホームに降り出た。

夕暮れの商店街を歩き出す。洋風和風のお総菜の入り混じったにおいが流れてきて、夕食の買い物をする主婦らで賑《にぎ》わっていた。

親を困らせたり、誰かを傷つけたりしたいわけではない。でも、大人が眉《まゆ》をひそめるような悪いことをほんの少しだけこの体に取り込みたい。ホットミルクに一滴だけラム酒をたらすとたまらなく美味《おい》しくなるように、毒とされるエッセンスを「いい子」の人生に溶け込ませて魅力ある女になりたい。漠然としたイメージだが、夜遊びやお酒、恋愛がそれを教えてくれる気がする。不純極まりないけれど、そのチャンスは、おそらくどの大学を選ぶかにかかっているのかもしれない。社会に出たら、彩子はおそらく企業に就職し、無遅刻無欠勤で真面目《まじめ》に働くだろう。自分の母にならって、結婚しても仕事を続け、家庭生活と両立しようと努力するはずだ。となれば、来年から始まるたった四年が「セシル」になり得る唯一《ゆいいつ》の季節。

砂川女学院大学に進んだら、それが叶《かな》わないのは明白だった。初代の推薦入学者になるからには、山の上の評判をしょって立つことになる。たくさんの後輩のために、これまで以上に真面目な学生として振る舞わねばならない。もちろん、女子大はコンパが多い。恋人を作ったり、冒険出来るチャンスがないわけではないだろう。でも、「お嬢様女子大生」というイメージを押しつけられ、ちやほやされたりするのは嫌だった。自然な形で男の子と知り合い、交流したい。

お肉屋さんの前を通る時、店番をしている小学校時代の同級生、武田君と目が合った。おう、という風に彼は白い歯を見せ、コロッケを挟んだ菜箸《さいばし》を軽く上げる。彩子はぺこりと頭を下げた。こんな風に会えば会釈を交わす程度の関係だが、エネルギーをぷんぷんとまき散らしているような彼とつながっている事実は、彩子をほんのり勇気付けている。金髪でみるからに悪そうな風貌の彼だが、高校に通う傍ら、家の仕事をまめに手伝っている様子だ。話し掛けるほどの勇気はないものの、彩子は好感を抱いていた。

でも、武田君のようなさっぱりした人ばかりとも限らないのだ。のびのびした校風の共学の私大に行きたい気持ちは強いが、男の子と日常的に接している自分なんて想像もつかない。小学生の頃のように嫌らしくねばっこい視線にさらされることを考えたら、身がすくむ。矛盾した感情がせめぎ合い、彩子はふと息苦しさを感じて視線を泳がせた。その時、喫茶店のガラス窓越しに見慣れた横顔が飛び込んできた。

――パパ？

窓側のソファ席で、父が誰かと話している。昨年定年を迎えた父は嘱託社員として週三回出版社に通っている他は、美術館に行ったり書き物をしたりと自由に過ごしていた。この時間に近所に居てもなんの不思議もない。手を振ろうとして、彩子は動きを止めた。向かいに座るのは、小学校時代の友人、矢島ダイアナの母、ティアラさんではないか。二つの珈琲《コーヒー》カップの上で、白髪と金髪が夕日を浴びてとけあって見える。ティアラさんが何か言うと、父は面白そうにくすくす笑う。久しぶりに見るティアラさんは相変わらず若々しく美しく、どう見ても二十代にしか見えない。金色のロングヘアをゆるやかにひとまとめにし、ぴったりしたセットアップを通して胸のふくらみや腰のくびれがはっきりと見てとれた。

彩子は目を逸《そ》らし、一目散にその場を立ち去った。

そのまま店に飛び込んでもいいのに、何故《なぜ》かそうしてはいけない気がした。二人の仲を疑っているわけではない。やましい間柄なら、あんなに人目のつく場所にいないということもわかる。偶然街で会ってお茶でも、という流れはたやすく想像できる。でも、父があんなリラックスした表情を家族以外の誰かに向ける様子を初めて見た。どちらかといえば無口で友人も少ない内気な人だ。セシルだったらパパの女友達なんて笑って受け流せるだろうに、つくづく自分は子供だな、と思うと悲しくなる。

「ただいま」

家のドアを開けると、母自慢のビーフシチューの香りが漂っていた。台所から、おかえりなさい、と母が顔を覗《のぞ》かせる。白髪はすっきりとしたショートカットで、皺の目立つ顔はすっぴんに近い。自然でありながら洗練された身だしなみは大好きだけれど、ティアラさんの若さと毒のようなあでやかさには到底太刀打ちできないだろうと思う。母を女として見ている自分にざくりとし、彩子はうつむいてローファーを脱いだ。

「ねえ、そこでパパに会わなかった？　ブラウンマッシュルームを忘れて買い物を頼んだんだけど、まだ帰ってこないのよねえ」

「知らない……。ご飯まで勉強するね」

母の視線を振り切るように、二階の自室へと駆け上がる。制服を脱いで部屋着に着替えてもざわついた気持ちは治まらない。少しでもペースを取り戻そうと、机に向かいノートパソコンを立ち上げる。ブックマーク一覧からこのところ気に入っている掲示板をクリックした。

「【はっとり】『秘密の森のダイアナ』を語るスレ part12【けいいち】」

『秘密の森のダイアナ』は子供の頃からの愛読書にして、父の編集者人生を代表する仕事の一つだ。未《いま》だにたくさんの人から愛されていると思うと、自然と口元がほころぶ。こういう掲示板に出入りするものではない、とメディアリテラシーの授業で習ったけれど、好きな作品について意見を交わせる大事な場所だった。うきうきと新着の書き込みを辿《たど》っていくと、とげとげしい言葉が飛び込んできて、嫌なにおいを彩子の胸に放った。

〈今さらこんなゴミ作品、語る価値あんの？　日本人が主人公に『ダイアナ』なんて名前をつけるとかイタすぎ。こういう作品が多いから、DQN《ドキュン》ネームを子供につけるバカ親が後を絶たないんだよな〜。だいたい、ダイアナって可愛《かわい》げないし、平気で一人で暮らしちゃうし、守られることを拒否してるじゃん。児童文学なのに子供の教育によくないと思う。ワンシリーズだけで消えたくせに、最近になっていきなり短編出して読者の関心をつなぐとか、どんだけかまってちゃんなんだよ、はっとりって〉

背中がさっと冷え、首筋の血管がぴくぴくと浮き立つ。彩子は自分でも驚くような早さで、怒りにまかせてキーに指を叩《たた》きつけていた。

〈外国人の名を主人公につけた文学がイタいとか、宮沢賢治作品についてもそういう風に言えるんですか？　『長くつ下のピッピ』もヒロインは保護や教育を拒否してますけど、リンドグレーンも名作として認めがたい、ということでしょうか。『秘密の森のダイアナ』はあくまで文学であって、道徳の教科書ではないはずです。反論があるならうかがいたいです〉

それに、私は「ダイアナ」という日本人の女の子が友達に居ましたが、と打ちかけて、彩子は慌《あわ》ててカットした。かつての親友の名がネットでさらし者になるのは嫌だった。中学卒業後、隣町の都立高校に進んだらしいダイアナとは近所ですれ違うこともなくなった。時折、彼女を思い出しては、懐《なつ》かしい気持ちにとらわれている。その時、新しい書き込みがぴょこんと飛び出した。

〈また面倒臭いのが湧《わ》いてきたな～。『秘密の森のダイアナ』を児童文学とかエンタメとか枠にはめて語ること自体が無意味だって何回言ったらわかんの？　けっとりけいいちの最新作は根強いファンのラブコールからかつての担当編集者が動いて彼に依頼したことも知らないんでしょ？　意識高いアピールは、よそのスレでどーぞ〉

この言葉の選び方は、あの人だ。胸にぽっと灯《とも》りが点る。タイムスタンプは十八時五分。まったく同じ時間の書き込みだったので、なおさらわくわくしてしまう。これと同じ快感をかつてどこかで経験している。そう、小学校低学年の頃、よくダイアナと一緒になって、乱暴な男子をやっつけた。あの頃は異性なんてちっとも恐《こわ》くなく、むしろ面白がって挑んでいた。

ＡＹＡはこの掲示板の古株で、ご意見番のような存在だ。すべての書き込みに目を通したわけではないので名の由来はわからないが、いつの間にかそう呼ばれるようになったらしい。名乗らずとも文体だけで、住人たちは彼女であると察している。自分と似た名であることがますます彼女を身近に感じさせてくれる。息を詰めて待ったが、アンチへの反論はその後書き込まれることはなかった。ほっとして胸をなで下ろしていると、ＡＹＡが初めて話し掛けてきた。

〈なんか変なのが湧いてきたね〜。あなたの書き込み、すごく納得しちゃった〉

先ほどとは打って変わって、ぐっと柔らかい言葉遣いだ。カリスマとやりとりしている事実に、彩子はすっかり有頂天になってしまう。大勢の住人たちが二人の会話を見守っているに違いない。突然、まばゆいステージに引き上げられた気分だ。

〈小さい頃からの愛読書だけど、高校生になってから読んでも全然面白いから、子供

の教育向け前提で語られると、ついカッとなっちゃって〉

〈わかるわかる。大人が読んでも面白いのは、自立がテーマだからだよね。ダイアナの面白さはそれにつきる。私、三巻のこの台詞《せりふ》読むといつも元気が出る。ダイアナが初めて森を出るところで【私はどこにだって行くし、どこにいたって生きていけるわ。見たいものはすべてこの目でみないと気がすまない。心配してくれるのは有り難いけど、誰の指図も受けません。お金も後ろ盾もないわ。でも、この手とはしっこい目と頭と頑丈な足があるんだもの。貧しさや波乱は少しも怖くないの。本当に怖いのは、狭い世界で満足して、自分で自分の目隠しをしてしまうことよ】〉

あまりにも早い書き込みから、AYAがこのフレーズを丸暗記していることを悟り、嬉《うれ》しくなって、即座にキーを打つ。

〈そうそう、『赤毛のアン』とかってシリーズ後半になると、ぐだぐだだもんね。ダイアナの面白さは恋愛しても結婚しても子供を生んでも、失速しないところ〉

〈少女小説って結婚するといきなりつまんなくなる。あれ、どうにかなんないのかな？　あのせいで私、結婚願望なくなったもんwww。ねえねえ、あの三年前のムック、最高だったよね〉

私の父の仕事だよ！　と今すぐ打ち明けたい思いに駆られる。そうしたら、ここの住人たちにどれほど尊敬されることだろう。そう考えて、先ほどティアラさんと二人きりで居た父の姿を思い浮かべ、慌てて誇らしい思いを打ち消す。疑惑は疑惑だ。

〈はっとりさん、新作、もう書かないのかな〜。ここの掲示板読んでたらいいのにね。私たちの声が届けばいいのにってつくづく思うよ〉

　帰宅した父が呼びに来たのも気付かないほど、彩子はＡＹＡとのやりとりに夢中になっていた。

　ぴったりしたスカートに肩の出るベージュのニット、折れそうなミュール、つばの広い帽子、という恰好《かっこう》のティアラを見上げ、ダイアナは大げさなため息をついた。普段の元ヤン丸出しのセットアップに比べればまあまあ上品な出《い》で立ちではあるが、悪い意味で十八歳の娘がいるように見えない。こちらの視線に目ざとく気付いて、ティアラは怪訝《けげん》な表情を浮かべる。
「なんか変？　コンサバお姉スタイルでなんにもおかしくないっしょ」
「でも、娘の進路相談に着ていく服じゃないでしょ。なんか合コン用って感じ」

二人は並んで商店街を歩き、バス停を目指している。ダイアナの通う都立高校はこの街から十キロほど離れたところにある。こうしてティアラと一緒に向かうのもこれが最後かもしれない。もう高校三年。受験シーズン到来を前に、今日は最後の親子面談となる。

「もっと長く着られる服を買えばいいのに。ティアラ見てると、何かあるたびにすぐ流行《はや》りの服買うじゃない。だから、働いても働いてもお金貯《た》まらないんだよ。もう三十四歳なんだし一応店ではママなんだから、シンプルで仕立てのいい黒いスーツとか一着あってもいいんじゃないの？」

「はあ〜。そんなババアみたいなかっこ出来るかっつの。去年の服なんかゴミじゃん」

うんざりして、ダイアナは肩を落とす。ティアラのその場しのぎの生き方は、大好きな作家・向田邦子《むこうだくにこ》さんとは対極に位置するものだ。彼女のエッセイ集『夜中の薔薇《ばら》』は今日も鞄の中に入っている。向田邦子さんはダイアナにとってアイドルだった。小説やエッセイはもちろん、図書館の視聴覚コーナーでむさぼるように見た向田ドラマも好きだが、なによりそのライフスタイルにはため息が出そうになる。気に入った手袋が見つからなければ、ひと冬、素手で通す。外国製の黒い水着にひとめぼれしたら、ボーナスをはたいて手に入れる。吟味した家具や食器を集め、愛猫《あいびょう》と青山のマンションに二人暮らし。独身を通し、いつでも旅に出られる自由を守る。彼女の妥協しない考え方や物の選び方は、ダイアナの理想にかなっていた。変わり者と呼ばれようとも、自分の意志やセンスを貫く生き方に憧れる。向田邦子さんはあの涼しげな瞳《ひとみ》で「あなたは、これでいいんだよ」と語りかけてくれる気がする。

「姐《ねえ》さん、矢島！　なにやってんすか」

肉屋の前を通りかかったら、武田君に声をかけられた。面倒になってそっぽを向くが、ティアラは嬉しそうに店先に足を向ける。南台中から三流の都立高に進んだ彼とはもうなんの関わりもないのに、こうしてことあるごとに声を掛け、お節介を焼いてくるのだからたまらない。中学までの記憶は出来るだけなかったことにしたいのに。

「あー、タケちゃん、久しぶり。今日、この子の学校にいくの」

「マジ？　あ、矢島、金パでついに呼び出しか？　お前んとこ、校則厳しいからなあ」

武田君はそう言って笑い、ダイアナの肩でさらさらと揺れる自分と同じ色の髪を好ましそうに見つめる。仲間意識がうっとうしくて、ダイアナはそっけなく吐き捨てた。

「違うわよ。今何月だと思ってるの。進路相談よ」

高校一年の終わりに自分で染めた金髪は、学校で幾度となくとがめられ、呼び出しを受け続けているが、卒業まで貫くつもりだ。小学校の頃はあれほどティアフにブリーチされるのが嫌だったのに、まさか自ら進んで染める日が来るなんて思わなかった。あんなことさえなければ——。

ティアラは満足げにダイアナの髪をくしゃくしゃにする。

「こいつ、意外と気骨あるんで親として驚いてるよ。今日は先生に髪のこと突っ込まれんのか不安なんだけど。ま、うちもこんな頭だから、一緒んなって怒るわけにもいかないだろうしさ。うちら、すごいね、トリオで金パじゃん」

武田君とティアラは楽しげにギャァギャァと笑い、ダイアナは目を逸らす。向田邦子の存在さえ知らないような、こんな脳天気な連中と一緒にされるのはごめんだった。

「ほら、もってけよ。揚げたて！　一個やっから」

武田君に無理矢理押しつけられた油染《あぶらじ》みのある紙袋はほんのりと温かい。親子面談前にこんなものを持たされても困る。早く食べてしまわねば、と仕方なくコロッケを取り出し、さくりと歯を立てた。じゃがいもはほくほくと甘く、衣は香ばしい。食べる気はなくても、バス停に着くまでに平らげてしまった。すぐにやってきたバスに乗り込み、一番後ろの席に並んで腰を下ろすと、ティアラは帽子のつばをこちらのおでこにぐいと押しつけてきた。

「あんたさ、大学行かなくて本当にいいの？　もったいなくね？　頭いいのに。金の心配なんてしなくていいよ。中学ン時はぶっちゃけ金も厳しかったけど、今はある程度なら貯まってるんだからね！」

「いいの。卒業したら、すぐ働く」

　窓の外を、チェーンの大型書店「隣々堂」が横切った。かつて学校帰りに毎日のように通い詰めていた本屋さんからダイアナは慌てて目を逸らす。

「もったいねー！　大学なんてメチャメチャ楽しいに決まってんのにさ！　毎日飲み会、合コン、サークルで、いくら時間あってもたりないって、ヘルプの女子大生キャバ嬢がいってたよ〜」

　ティアラは手を叩き、自分の言葉に笑っている。乗客の何名かが迷惑そうに振り返り、ダイアナは恥ずかしくてたまらない。精一杯の非難を込めた目で声を潜める。

「なによ、自分は中学しか卒業してないくせに。私の教育なんて昔っから、なんの興味もないくせに。最後の最後で口出しするの、やめてよね」

「こうぇー。そりゃ、受験なんてチンプンカンプンだけどさ、もうあんたも大人なんだし、自分で決めた道ならいくらでも応援するよって言ってんの。まあ、いいよ。今日はそういうことをみんなで考えるために、先生が時間つくってくれたんだからさっ」

バスはダイアナの通う高校の正門前に停まった。下車し、正面の門をくぐる。塗り替えたばかりのクリーム色の校舎を見上げるなり、ティアラがぴたりと立ち止まった。

「ごめん、ダイアナ。ちょい待ち。息吸わせて」

そう言って笑い、胸を押さえ大きく深呼吸した。ティアラが緊張しているのが伝わってくる。彼女に続いて校庭を横切りながら、ダイアナは意地悪な喜びがじわじわと湧くのを止められない。いい気味だ――。どうせ自分同様、学校という場所にいい思い出がないに決まっている。どれほど自信満々に生きようとも、ティアラはまっとうな道を外れた人生の落伍者《らくごしゃ》なのだ。昇降口でティアラは来客用スリッパ、ダイアナは上履きに履き替える。廊下を歩き階段を昇る二人に、生徒らの不躾《ぶしつけ》な視線がいくつも刺さる。好奇と軽蔑《けいべつ》のこもった目が自分の母親に向けられているのがわかった。ダイアナが怒りを込めてきっとにらみ返すと、たちまち生徒らはおびえたように逃げていく。

こんな場所でも入学当時はなんとか受け容《い》れられようと必死だった。あの頃の自分を思い出すと、惨《みじ》めさがこみ上げてくる。三年二組のドアを開けると、すぐに岩井先生が振り向いた。ダイアナにとって好きでも嫌いでもない、ことなかれ主義の三十代の小男だ。机の半分が後方に寄せてあり、がらんと空いた空間には二つの机と三つの椅子《いす》が並んでいる。

「お忙しいところ、ありがとうございます。担任の岩井です」

岩井先生は向かいの椅子をダイアナたちにすすめると、早くもおでこに滲《にじ》んだ汗をタオルハンカチで押さえながら、いきなり切り出した。

「まず、お嬢さんの不登校の件ですが……」

ティアラは、はあ、と間抜けな声を上げ、それっきり口をぽかんと開けている。

「お嬢さんは、三年になってから学校にほとんど来ていません。試験はきちんと受けるし、課題も出すので卒業に問題はありませんが……。お母様にお話ししようと何度もご連絡させていただいたのですが、いつもお留守で……」

岩井先生の話を聞き流しながら、ダイアナは窓の外へと目をやる。

こんなはずではなかった。入学当時は、中学校時代を取り戻すつもりでできるだけ明るく振るまい、笑顔を絶やさなかったつもりだ。「大穴」と名乗る度に嘲笑《ちょうしょう》される分を取り戻そうと、勉強もスポーツも積極的に取り組んだ。幸い同じ中学の生徒はほとんどおらず、過去を知る者はいない。新しい自分に生まれ変わる初めてのチャンスだった。小学校時代の親友、神崎彩子をイメージして振る舞った。凛《りん》としていて媚《こ》びないのに、女らしくて優しくて品がある——。記憶の中の彼女の言動をなぞるうちに、周囲の反応は明らかに変わった。名前を笑わなくなり、ダイアナを受け容れるようになったのだ。話し掛けてくれる生徒が一人、二人と現れ、昼休みや放課後を一緒に過ごす女の子の仲間が出来た。麗了、静香、明実というクラスでも華やかで目立つ子たちで、お洒落《しゃれ》や恋愛ばかりの会話についていくのがやっとだったけれど、お弁当を賑やかに食べる時間が嬉しかった。それだけではない。驚いたことに、何人かの男の子から告白されるようになった。「可愛い」とか「付き合って欲しい」という、一生聞くことなどないだろうと思っていた言葉をささやかれた。ほんのり嬉しかったが、その中の誰かと付き合おうという気は起きなかった。誰か一人のものになって、せっかく構築した人間関係を失いたくなかった。

おかしい、と最初に感じたのはいつだったろうか。一年生の二学期、登校するとクラスメイトの態度がなんとなくよそよそしかった。麗子たちに話し掛けても無視される。自分に関する悪い噂《うわさ》が駆け巡っていることを知るのに時間はかからなかった。髪色が明るいのは染めているんじゃないか、男子に媚びている、陰でいじめをしているらしい、母親はいかがわしい商売をしている——。すべての引き金は、麗子が好きだった男子がダイアナに好意を寄せたためと知るのはずっと後になってからだ。すべては誤解、いつかは終わるだろう、とじっと耐え続けたある日のことだった。放課後、毎日のように立ち寄っていた隣々堂で、目つきの鋭い女性店員に手をつかまれたのは。

――鞄の中身を見せてごらんなさい。

書店のバックヤードがあんなに暗く、殺伐としているなんて知らなかった。その店員の手で机にぶちまけられた鞄の中身には、手にとった覚えのない会計前の単行本が混じっていた。甘ったるいご都合主義の恋愛を描いた女子高生に人気のケータイ小説。店員の厳しい追及と必死に闘い、無実を主張したが信じてもらえない。数十分が経過し、心が折れかけたその時、顔見知りの太った眼鏡の男性店員が割って入った。

――防犯カメラの画像を確認しました。その子の万引きは濡《ぬ》れ衣《ぎぬ》ですよ。

店員たちと一緒に確認した画像には、文庫本を手にとるダイアナの横を、笑いさざめきながら通り過ぎる麗子、静香、明実の姿が映し出されていた。麗子がすばやくダイアナの鞄に本をすべり込ませる様もはっきりと見て取れた。女性店員の謝罪の言葉は、もう頭に入らなかった。震える手を握りしめ、ダイアナは叫び出すのをなんとかこらえた。

許せない――。品揃《しなぞろ》えもよく、広々とした一番お気に入りの本屋さんだったのに。

お小遣いを貰《もら》う度、悩みに悩んで一冊を選ぶ時間が至福だった。手描きのＰＯＰに惹《ひ》かれ、新しい作家を何人も知った。でも、もう二度と行けない。心の中でぷつりと何かが切れた。いい子ぶるのはもうやめよう、人に合わせるのはもうたくさん。心のよりどころとなる場所で大恥をかかされてまで、どうして自分を殺す必要があるのだろう。その日、ダイアナは薬局でカラーリング剤を買い、自宅の風呂場《ふろば》で髪を金色に染めた。それまで校則に違反したことなどなかった。生まれつき茶色がかっている上に脱色を繰り返されたのが原因なのに、髪色が明るすぎると嫌味を言われ続け、うんざりしていた。クラスメイトの悪意を白分から飛び越えてしまいたかった。

翌日、登校するなり、麗子たちが固まっている席に突進し、麗子の髪をつかんで、あらん限りの険しい顔と低い声で問い詰めた。ぎらぎら光る目と金髪がよほど恐ろしかったのか、麗子はすぐに気弱そうな表情を作り、涙を落とした。

――ご、ごめんなさい。ほんの冗談のつもりだったの。許して……。

泣けば許されると思って――。ダイアナは麗子の向こうずねを蹴《け》り飛ばし、力一杯頭突きをくらわせた。もちろんそれだけでは収まらず、怯《おび》える三人を隣々堂に引きずっていき、謝らせた。以来、いじめや陰口はなくなったが、ダイアナに話し掛けてくる生徒は一人もいなくなった。二年生の一年間はほぼ一人きりで過ごし、三年になると地元の図書館に入り浸ることが増えた。昼夜逆転の生活を送るティアラの目を誤魔化すのは簡単だった。

長い沈黙の後、ティアラがこちらの肩を強くつかんで、真っ直《まっす》ぐに見据えた。

「あんた学校にいかないで、何やってるの？」

「別に……」

「うちの娘ならハンパなことはしてほしくないね」

いつになく真面目な顔のティアラに、ダイアナはたじろぐ。てっきり、やれやれと笑って許してくれるとばかり思っていた。

「高校が嫌ならなんで行きたくないか、ちゃんと保護者である私に説明するべきなんじゃないの？　学校が嫌だったら、中退して働くなり、転校するなり、打つ手はあるじゃん。そういう『逃げ』って私は一番嫌いだね。甘ったれてるよ」

逃げ、という単語に、耳までかっと熱くなる。どんなことがあっても、自分の力で解決してきたつもりなのに。誰にも頼らず、自分を貫いてきたつもりなのに。気付けば、力いっぱい叫んでいた。

「十六で子供産んだ、あんたに言われたくねえよ！」

ティアラの顔がさっと強張《こわば》ったのがわかった。先生は青ざめている。

自分のものとは思えない汚い言葉を、ダイアナはたちまち後悔した。その分、もう後に引けなくなる。中学時代あれほど嫌ったクラスメイトのがさつな言葉遣いそのものではないか。この体にはやはりティアラの血が流れている。このままいけば、確実にティアラのような人生を辿《たど》ることになる。街をほっつき回り、何も身につかず、出来る仕事といったら水商売くらい。ティアラの大きな目がたちまちつり上がった。

「てめ、ふざけんな！　親に向かってあんたとか、なめんのもいい加減にしろよ！」

ティアラと真っ正面から闘うのは、これが初めてだ。彼女の生き方を責めたところで仕方ないとあきらめているところもあったし、どれほどつっかかろうが、笑ってへらへらと受け流されるのが常だった。押し込めてきた怒りが一度に噴き出す。

「てめえのせいで、あたしの人生がどんだけめちゃくちゃになったか考えたことあんのかよ！　変な名前つけやがって！　この名前のせいで、どんだけ笑われてるか、あんた、考えたことあんのかよ！」

ティアラの胸ぐらをつかみ、拳《こぶし》でめちゃくちゃに叩いた。やっぱり、こんなおかしな名前、十五歳のあの日、変えてしまえばよかったのだ。ティアラの日に浮かんだ悲しみに、決してひるむまいとする。自分は間違っていない。そういえば、向田邦子さんも、親から授けられたものによって女性の人生が左右されることを、作品内で指摘していたような気がする。

「矢島、落ち着け。お母さんもむきにならないで……。とにかく落ち着きましょう……」

先生が額から汗をだらだら出しながら止めに入るのを、ティアラは右手でごく簡単に押しやった。

「先生、すみません。けじめは親である私が付けないといけないんで。こんな大人をなめくさった態度、今、たたき直さないと将来、恥かくのはこいつなんで」

「恥かいてんのに気付かないのは、あんたの方じゃねえの？」

鼻で笑った次の瞬間、ティアラに頬をひっぱたかれ、ダイアナは床に崩れ落ちる。

床板の間に、ぎっしり詰まったほこりを見つめる。こんな時なのに、とがった定規の先でぐいぐいとえぐり出したい思いに駆られた。小学校の掃除の時間、彩子と意味もなくほこりをほじくり出して、くすくす面白がっていたことを何故か思い出す。

これは自分ではない。冷たい床に倒れ、ほこりにまみれ、憎しみを込めた目で母親を見上げる高校生は、自分ではない。あんなにいい本をたくさん読んできたのに、何一つ血肉にすることができなかったなんて認めたくない。まだ十八歳だけれど、ダイアナはすでに自分が人生に失敗したのだと実感する。物語の世界の女の子たちに勇気と知恵をもらって生きてきたはずなのに、今、ここにしゃがみ込んでいるのは、文化から一番遠いところにいる獣じみた小娘だった。自分を曲げず、誤魔化さず、まっすぐに生きてきたつもりだったのに、どこで、どう間違ってしまったのだろう――。

忘れていた。向田邦子と自分の最大の違い。彼女には深い絆《きずな》で結ばれた父親がいつもそばにいて、口やかましくも温かく見守ってくれていたことを。

教室のドアからは騒ぎを聞きつけた生徒らが顔を覗かせ、こちらを指差して笑っている。鼻から血がぽたぽたと落ち、床に汚いしみを作った。

正門まで延びる二百メートル近い大通りは、色づく前のイチョウ並木に囲まれている。創立者の銅像越しに、時計台の針が四時を指していた。なんて広いんだろう。これではキャンパスというより、一つの街のようだ。アメリカのアイビーリーグってこんな感じなのかもしれない。
憧れの壮生《そうせい》大学は、噂通りのクラシックな建築と目を見張るような学生の数だった。高い天井の階段教室を後にし、中庭に出た彩子は思わずほっと息をつく。授業の間中、

とがめられたらどうしよう、とひやひやしていたが、学生が多いため誰も彩子のことなど気にしていなかった。ラクロを扱った授業は、映像を使ったり、教授の話がどんどん脱線したりとても面白いものだったけれど、ペットボトルを机に置いたり、居眠りしたり携帯を見ている学生たちがたくさん目についた。教授はそれを注意するでも不機嫌になるでもなく授業を進めている。せっかく入学できて高い学費を払っているのに、もったいない、と彩子は思ってしまう。その時、ぽんと肩を叩かれた。

「君、ここの大学の子じゃないでしょ」

彩子はぎくりとして、体を縮こまらせる。背の高い男が白い歯をこぼしてこちらを覗き込んでいた。色白の顔は少々不健康そうだが、目鼻立ちは整っていた。年齢に対して目の周りには皺が多く、それが優しげにも艶《つや》っぽいようにも思えた。Vネックのニットから見える痩《や》せた首筋には、これまで彩子が一度も見たことのないような複雑な骨組みとのど仏が浮いていた。まるで芸能人のように整えられた髪が風になびく。

「学部の女の子の顔はだいたい頭に入ってるからさ」

「あの……、ええと、来年ここの大学を受験するもので、それで……」

思わず目を伏せ、口ごもっていると、男はくすりと笑った。

「へー、高校生か。わかった、誰にも言わないから、かわりにお茶付き合ってよ」

それだけ言うと男がさっさと歩き出してしまったので、彩子は駆け足で追うしかなくなる。向かった先は向かいの校舎一階に位置する広々とした学食だった。壁一面のガラス窓から午後の光が差し込み、ケチャップと醬油《しょうゆ》が煮詰まったようなにおいが漂っている。隣のテーブルの女子大生らの隙《すき》のない服装と化粧に引き換え、プリーツカートに半袖《はんそで》のニットという自分の出で立ちはいかにも子供っぽく思えた。

男は自販機で珈琲を二つ買い、断る暇もなく一つを彩子の前に置き、向かいに座る。男の人にお茶をご馳走《ちそう》してもらってる——。なんだか頭がくらくらした。これは自分の身に起きていることだろうか。

「授業潜るなんてさ。普通、オープンキャンパスとか学祭に来るもんじゃないの」

「普段のキャンパスの様子をどうしても見ておきたくて……」

行き先を誰にも告げずに一人で遠出するのは、人生で初めてだった。別に隠す必要もないのだが、ひっそりとこの大学に来てみたかった。推薦入試か一般受験か、あと三日で選ばねばならない。この際、一人で徹底的に考えて、結論を出したかった。

「もっと面白い授業ならいろいろあるのにさ。あの教授、話長いじゃん。俺、さっき寝てたもの。まあ、サボってげかりで、久しぶりに出たんだけどね。レポートだけだから単位も取りやすいし」

彼に対する、うっすらとした軽蔑が湧いてくる。こんなチャラチャラした学生ばかりかと思うと、やっぱり砂川女学院大に進んだ方がいい気がしてくる。初めて飲む自販機のブラックは苦いばかりで香りがない。

「可愛いよね」

「えっ、私が、ですか？」

「うん、モテるでしょ」

突然のことに面食らう。モテるとか、モテないとかいう概念がそもそも彩子にはよくわからない。でも、幼なじみのみかげのような女の子が異性に人気があるのはなんとなく理解出来る。山の上女学園を中退したみかげは、都立の偏差値の低い学校に編入し、いつ見ても派手な化粧で違う男と歩いている。

「そういうの、よくわからないです。女子校だから。男の人って、小学校以来話したことないし……。先生と親は別だけど」

「男慣れしてないんだ。新鮮だなー。大学入ったら、すぐに彼氏出来ると思うよ」

ふふっと笑って目を細める。彼ははっきりと、彩子を自分より未熟なものとして見下している。いつもなら、たちまち反発を覚えるはずなのに、その視線は不思議とくすぐったくて心地良い。彩子は内心うろたえた。弱いものとして扱われるのは初めてではないだろうか。学校ではしっかりものの優等生、家では自慢の娘として、いつも一目置かれ、頼りにされてきた。ふわふわとした柔らかい部分をずっと解き放てないで生きてきた。

「ええと、そういう男慣れとかじゃなくて、本当に苦手なだけです。私、小学校の頃、男子にいじめられていたし」

「それは、きっと君が可愛くて、からかいたかったんだよ」

あれ、おかしい——。かつて母にそう言われたときは、怒りと苛立《いらだ》ちしか感じなかったのに、今の彩子はすんなりと受け入れている。それどころか、体の内側に経験したことのない、温かいざわめきまで感じている。

「なんで、フランス文学科にしようと思ったの？」

「ええと、サガンが好きで……。あと、フランス文学って修道院育ちの女の子が外の世界に出てくるところから始まる物語が多いですよね？『危険な関係』も『女の一生』も『ボヴァリー夫人』も。ええと、児童文学だとマドレーヌちゃんとか……」

「あ、言われてみれば、全部そうか。セシルもジャンヌもエンマも……。修道院育ちの世間知らずゆえに、痛い目にあってるっていうか」

一見、軽薄そうに見える男がさらりと古典名作のヒロインの名を口にしたので、彩子は目を見張る。これが大学という場所なのだ、と初めて理解した気がした。勉強もするけど、デートもするし、サボる時もあれば、真面目に課題に取り組む日もある。なんと自由で豊かな世界なんだろうか。

「さすがに、マドレーヌちゃんは俺、ちょっとわかんないけど……」

「絵本です。『げんきなマドレーヌ』。ベーメルマンスの有名な絵本。パリが舞台で、シスターと一緒に寄宿舎で暮らす女の子が主人公なんです」

「ふーん。今度読んでみよっかな。君のおすすめ。でもさ、不思議だね。男慣れしてないのに、俺とは普通に話せてる」

彩子はどきどきして、夢中で珈琲を飲み干した。男はじっとこちらの様子を見つめている。連絡先を聞かれたらどうしよう、と警戒したが、彼は珈琲を飲み終え、正門まで彩子を送るとあっさりと去って行った。ほっとしたような寂しいようなどっちつかずの感情は、電車に揺られて帰路につくまでの間、ずっとふわふわと彩子の体にくすぶっていた。

「可愛い」なんて社交辞令で、別に自分のことなんてなんとも思ってなかったのかな――。ああいう人は女の人を見る目も肥えているから、きっと自分なんて子供にしか見えないのだろう。でも、自分を見つめるあの目はたしかに男のそれだった。好きというのとは違うけれど、もう一度彼の視線の前であんな風にどきどきしてみたい、と願い、じんと体が痺《しび》れた。大学でフランス文学を学びたい、という真っ直ぐでシンプルな願いとは違っているけれど、欲望の強さは同じだった。

帰宅すると、彩子は居間で一人で読書する父にそっと話し掛けた。今なら、公平な気持ちで父に向き合える気がしたのだ。あの日からちゃんと父の目を見て話していない。

「ねえ、パパ、あのね……」

父がなんだい、と微笑《ほほえ》み、本を閉じる。母は料理教室の買い出しで外出していた。チャンスは今だ、と意を決して早口で問いかける。

「この間、見ちゃったの。私が小学校の頃親しかった、矢島ダイアナのお母さんのティアラさんとパパがお茶しているところ。商店街の喫茶店で」

父はゆっくりと老眼鏡を外し、目頭を押すと窓の外を見つめた。夕暮れの秋の庭は、母が丹精込めて育てたゼラニウムで彩《いろど》られている。

「そうか。それで最近、パパに冷ややかだったんだな……。もう彩子も大きいし、話してもいいだろう……。ティアラさんとはずっと昔からの知り合いなんだ」

「え、まさか、その……」

　とんでもない想像に彩子の頬は赤くなる。もしかして、父とティアラさんは男女の関係だったのだろうか——。父は即座に否定した。

「いいや、そういう意味じゃない。かつて仕事でお世話になったんだ。彩子の生まれるもっと前。彼女はある銀座の文壇バーのホステスだった」

「文壇バー？　それ、なんなの？」

「作家の接待でパパたち編集者はよくそこを使っているんだ。断じて誓うけど、いやらしい目的じゃないよ。そういう銀座のクラブで作家をもてなすことは、出版界の伝統なんだ。ホステスさんたちは皆、勉強熱心で、本だけでなく文芸誌にまで毎月目を通している。彼女たちの接待や知識に、僕ら編集者はサポートされているんだ」

　彩子はへえ、とうなる。本の周囲には、なんと多くの文化が生まれているんだろう。

「でも、ティアラさんはすぐに店を辞めさせられた。年齢を詐称《さしょう》していたんだ。どうみても二十代だったからパパは驚いたよ、まだ十五歳だってオーナーから聞かされた時は。とても賢い女性でね、文学に関する造詣《ぞうけい》が深かったんだよ。おかげでお酒や接待があまり得意でないパパは随分助けられた。未成年である彼女にお酒を飲ませ、その上仕事まで手伝わせたことに、パパはずっと負い目があった。うちのママもそのことは知っているよ。君が小学生の頃、図書館で初めてあの子を見かけた時、もしやとは思ったんだよ。お母さんにそっくりだったから。ダイアナちゃんをこの家に連れてきた時は驚いたな。まさかこんな近くにあの母娘《おやこ》が住んでいたなんてね」

頭がくらくらしてきて、彩子はソファに身を預ける。ダイアナとの出会いが、父とティアラさんの過去につながっていたなんて、考えたこともなかった。

「あの日、商店街の喫茶店で、ダイアナちゃんの進路のことで相談を受けていた。ティアラさんは自分が途中で放棄した勉強をあの子には続けて欲しいと考えている。そして、出来ることなら、大学に進ませたいと考えているらしい」

セント・ヘレナ校で見たティアラさんのあどけない写真、そして文壇バーで働いていた過去。そこを結ぶものとはなんだろう。大学に入学したら、なんとかしてもう一度ダイアナと交流をもとう。気まずいなんて言っている場合ではない。そして、今度こそ力を合わせて彼女の父を探してみせる。小学校時代にかわした約束を守るのだ。その時こそ、自分は大人になれるのではないか、森の外に出られるのではないか――。セシルのような小悪魔にはなれなくても、自分の力で道を切り開いていける女性に。

江ノ電から見える海は、暗い色をしていた。砂浜との境界線が分からない。シーズンオフのせいか、サーファーの姿がちらほら見えるだけで閑散とした印象だ。夕闇《ゆうやみ》がもうすぐそこまで迫っていた。

七里ヶ浜でダイアナは下車した。ここに降り立った十二歳の冬からもう六年近くが経《た》っている。電車を降りるなり、潮の香りが強くまとわりつき、途端に髪が重くなったように感じる。びくっと体の芯《しん》が震えるような肌寒さに、秋の深まりを感じる。山に向かって住宅地を突き進み、大きな木造住宅の前でダイアナは立ち止まる。よく手入れされた庭には小さな池があり、鯉《こい》が泳いでいた。垣根に挟まれた門の上の「矢島学習塾」という看板もあの頃と少しも変わっていない。あらかじめ電話で連絡し、到着時刻と用件は伝えてあった。

呼び鈴を鳴らしてしばらくすると、引き戸が開き、ひっつめ髪の女の人が姿を現した。困惑した顔が次第に近づいてくる。祖母の姿をダイアナはまじまじと見つめる。本に出てくる「おばあちゃん」とは、白髪に老眼鏡、ふんわりしたショールを肩に纏《まと》っているものと決まっているが、この人は小柄ながら引き締まった体型で、髪の毛も黒々としている。おばさんと呼んだ方がずっとふさわしい。ティアラが今年三十四歳なので、五十代でもおかしくないのだから当然かもしれない。紺色のニットとくるぶしの見えるパンツはどことなく少年っぽい。縁なし眼鏡の奥の目はいかにも鋭く、どこをどう見てもティアラには全く似ていないが、母親以外の血縁者に出会えた喜びと緊張に足が震えた。

「あの、はじめまして……。ダイアナです」

祖母はこちらまで来ると、ダイアナの髪にそっと手を伸ばした。ほうじ茶と薄荷の匂《にお》いがする。どことなく、彩子ちゃんのお母さんと共通する雰囲気を持つ人だと思った。ダイアナは上手《うま》く付き合えるような淡い予感を抱く。

「ダイアナ……？　どんな字を書くの？」

「大きい穴、です。競馬の大穴。世界で一番ラッキーな女の子になりますようにという願いを込めて名付けたそうです」

祖母は、ああ、とうめき、ぐったりとうなだれた。なんだか、申し訳なくなって、ダイアナは口ごもる。多少は予想していたこととはいえ、ここまで自分の存在がショックを与えるとは思わなかったのだ。この場を立ち去ろうか、と考えたその時、やっと祖母が口を開いた。

「ちゃんと食べさせてもらってるの。こんなに痩せて。……とにかく、暗いんだから中にお入りなさい」

祖母は腰を伸ばし、門の中へとダイアナを促した。ほっとして後に続く。家に入ると、香ばしい木と煮干しの匂いがした。初めて嗅《か》ぐのに、なんだか懐かしい。すべすべとした木の廊下を渡り、畳の広がる部屋に案内された。ぐるりと本棚に囲まれ、窓からは海が見える。部屋の片隅にはブチ猫が丸くなっていて、細い目でこちらを睨《にら》んでいた。仏壇に飾られた写真は祖父のものだろう。ティアラは父親の死を知っているのだろうか。それにしても、まるで向田ドラマのセットみたい——。家具も食器も驚くほど古い。よく使い込まれた風合いがある。すぐに捨てたり、簡単に買い替えたりしないのだろう。落ち着いて生活している人につきものの、ある種の勇敢さ。それこそがダイアナの欲するものだった。この女性はきっとどんな感情も誤魔化さず、折り合いがつかなくても目を逸らしたりしないのだろう。出されたほうじ茶は熱く香ばしく、ダイアナはほのかに感動を覚え、なんとかこの場に受け容れられたい思いが強くなる。金髪の自分はいかにも場違いで、焦《あせ》りを感じた。「サザエさん」に出てくるような卓袱台《ちゃぶだい》を挟んで、祖母と向き合う。彼女はダイアナの金髪を見つめながら、独り言のようにつぶやいた。

「あの子の兄姉《きょうだい》はみんなちゃんと育ったのにねえ。中学に入るなり、あの子はもう家に寄りつかなくなったの。海のそばに家なんて建ててるんじゃなかったわ……。海辺にはたくさん不良がいたからね。遊び相手には困らなかったのよ」

苦々しそうに語る祖母に言うべきか迷ったが、思い切って質問してみる。

「あの、その……、私のお父さんのこと、何かご存じですか？」

「知らないわ。十六の時に、あの子のお腹《なか》が大きくなったの。どうしても産みたい、反対するなら家を出るって言い張って。父親の素性は頑として言わなかったの。家を出てからは私やお父さんにも、一切連絡をよこさなくなって……」

祖母は当時を思い出してか、暗い顔になった。予想していたとはいえ、失望は隠せない。が、落ち込んでいる場合ではない。雰囲気を変えねば、とダイアナは部屋を見回す。

「この家、本がたくさんあるんですね」

「あなた、本を読むの？」

少しほっとしたように、祖母は息を漏らす。思いきって、ここは積極的に振る舞おう、とダイアナは奮起する。『アルプスの少女ハイジ』は無邪気で元気な性格だったから、頑《かたく》なおじいさんの心をつかんだのだ。ことさらに弾んだ声でうなずく。

「将来は、本屋さんになりたいんです」

「まあ……。有香子も、昔はよく読んだんだけどあるときからぱったり……」

上手く伝えられなくてもいいから、なんとか分かって貰おうと、言葉を探す。

「私、母がよくわからないんです。進路のことで、大喧嘩《おおげんか》して家を飛び出しました。ゆうべは漫画喫茶に宿泊しました。私、高校に友達もいないし、訪ねていける場所なんてないんです。そしたら、ふっとここの家のこと、思い出して……。母以外の血縁者に会ってみたくなったんです。そうじゃないと、この世界に母と自分しかいないみたいに感じちゃう。何も決められないし、どこにも行けない気がしちゃって……。知らないうちに母みたいになっちゃうんじゃないかって……」

祖母は黙って、話を聞いてくれた。誰かの前でたくさんしゃべることなどないから緊張するけれど、かなり心が軽くなっている。勢いに任せ、ずっと胸にしまっていた疑問をぶつけてみることにする。

「母は昔は山の上女学園に通ってたんでしょ。こんないいおうちでちゃんとした教育を受けていたのに、全部を捨てて一人で私を産んで……。どうしてそうしなきゃ、いけなかったんでしょうか」

「そうね。私にもよく分からない」

祖母はぽつりとつぶやいた。

「あの子がなんでああなったのか。教育にはお金を惜しまなかったの。欲しいものは全部与えてやったが多すぎたのか。私たちが何を間違えたのか。何が足りなくて、何が多すぎたのか。でも、あの子はいつも家の外を見てた。海の方ばっかり見てた……。そうだ。つもり。でも、あの子はいつも家の外を見てた。海の方ばっかり見てた……。そうだ。あの子が使っていた部屋、見てみる？」

ダイアナが恐る恐る頷《うなず》くと、祖母は腰を上げ、廊下に向かった。突き当たりの小さなドアを開ける。祖母の後に続きながら、後戻りしたい気分にも駆られていた。これ以上進んだら、もう何からも逃げられなくなる予感がした。祖母は部屋の灯りを点《つ》けた。

女の子の部屋としては簡素な印象を受ける。小さな部屋にはベッドと勉強机、天井まで届く本棚があった。そこに並ぶ本を見て、ダイアナは自然と頬がほころぶ。『大きな森の小さな家』『怪人二十面相』『ナルニア国物語』『メアリー・ポピンズ』シリーズはすべて揃っていた。アガサ・クリスティー、氷室冴子《ひむろさえこ》、三島由紀夫、太宰治《だざいおさむ》、デュマ……。ダイアナも好きな作家がずらりと並ぶ。十五歳とあって、蔵書にも大人と子供が入り交じっているような印象を受けた。そんな中でひときわ目に付いたのは、向田邦子『父の詫《わ》び状』だった。

　波の音が突然、くっきりと耳に届いた。

　ティアラも自分と同じ年頃には、向田邦子さんに憧《あこが》れて自分だけのお城を持ちたい、スタイルを貫きたいと胸を熱くしたのだろうか。

　読書好きの少女が、この部屋を捨て、家族と別れ、一人で生きる決意をするまでに一体どんな葛藤《かっとう》があったのだろう。自分との違いとは何なのか？　共通点はあるのか？　ティアラの内側に何が起きているか、ダイアナはこれまで真剣に考えたことがなかった。

　窓から見える灰色の海をしばらく見つめた。海の傍に居るとふとした瞬間、寂しくなる。母もまた、自分のように「ここではないどこか」を必死に夢見たことがあったのだろうか。恵まれた家に生まれたからといって、自分に与えられた環境に満足できるわけではないのかもしれない。

　彩子ちゃんはどうなんだろう、と急に思った。あの子もあの素敵な家が嫌になったりするのだろうか。

　マナーモードにしてあったポケットの携帯電話の着信に気付く。ティアラからだった。恐る恐る取り出し、耳に当てる。氷河が溶けていくように、ダイアナの中でゆっくりと何かが大きく崩れ落ち、体のふちから泡を立ててあふれ出した。

インターホンが鳴り、彩子は「壮生大学　文学部」の赤本から顔を上げ、カーディガンを羽織ると玄関へと急いだ。

十月最初の土曜日の夕方だった。両親は歌舞伎《かぶき》に出かけていて、彩子は居間で母手製の黒糖とおからのマフィンをつまみながら勉強していたところだった。砂川女学院大学の推薦を蹴《け》って、一般受験を選ぶと学校に報告してから数日が過ぎた。気持ちはすっかり切り替わっていた。母に頼んで予備校の申し込みをし、来週からは家庭教師も来ることになっている。

ドアを開き、彩子は目を見開く。立っているのは、なんとティアラさんと武田君ではないか。ティアラさんは見たこともないほど青ざめた顔つきで、一息に言った。

「ダイアナが家出したの……。昨日から帰ってこないのよ。彩子ちゃんなら何か知っているかと思って」

「え、そんな……。だって、私たち、ずっと、もう……」

困惑して、彩子はしどろもどろになった。そもそも、こうしてティアラさんとしゃべるのも小学生以来なのだ。彼女は小さくうなずいた。

「知ってるよ。でも、うちには彩子ちゃんとダイアナはどこかでずっと通じ合ってる気がするんだ。似てるっつうか、双子っつうか、ソウルメイトっつうか……。彩子ちゃんが思いつくことならなんでもいい。手がかりになる気がする」

武田君は今にもつかみかからんばかりだ。

「マジで頼む。あいつ、友達もいないだろうし、行く場所なんてきっとないはずなんだよ。神崎の勘だけが頼りなんだ」

武田君はダイアナのことを今も好きなんだな、と彩子は実感する。二人の必死の表情に、なんとかせねば、とせわしなく記憶を辿《たど》った。しかし、思い出の中のダイアナは子供のままだ。大人びていたけれど、弱虫で内にこもるところがあった。親に行き先を告げずに家を飛び出るような無鉄砲な真似《まね》をする子ではなかった。この六年の間に彼女に何があったのだろう。

「ごめんなさい……。本当に思いつかないんです」

彩子がうつむくと、ティアラさんはすばやくメモをこちらの手に滑り込ませてきた。

「ありがと。でも、何か思い出したら、連絡して。これ、うちの携帯」

音を立てて閉まったドアを彩子はしばらくの間見つめていた。のろのろと居間に戻って赤本を開いても、内容が少しも頭に入って来ない。

家出――。彩子の心の中でその言葉がぐるぐると回る。ダイアナの向から先とはどこだろう。友達はいないだろう、と武田君は言っていた。ティアラさん以外に頼れる身内もいないと聞いている。もしかして、行きずりの男に身を任せるのでは……。そこまで考えて彩子は真っ赤になって、本を閉じる。かつての親友の一大事に自分はなんてことを考えているのだろう。

壮生大学であの男の人と話してから、気付くといやらしいことばかり考えている。好きというのとは違うし、彼をもっと知りたいわけでもない。実を言えば、もう顔さえ上手く思い出せない。頭にあるのは、あの日、彼の目に自分はどう映ったかということばかりだ。始終落ち着かず、体の芯がうずうずし、頬がぽっと熱くなってしまうこの思いにどんな名前を付けられるのだろう。あの男の首や指、太い腕がおぼろげに思い出され、その温度やにおいを知らないことが切なかった。彼にからかわれ、髪をくしゃくしゃにされたら、どんな気持ちになるのだろう。彩子はテーブルに置いたノートパソコンを立ち上げ、「【はっとり】『秘密の森のダイアナ』を語るスレ part12【けいいち】」を表示した。

集中力が切れると、ついこのスレッドに逃避してしまう。母は彩子がネットを見ることをあまり快く思っていないが、ＡＹＡに比べれば少しも夢中になってはいないと思う。いつ開いても、ＡＹＡの最新の書き込みが目に飛び込んでくる。昨夜もそうだった。

〈母親と喧嘩して城を出て、森で野宿した時のリリーの気持ちがわかる。横浜の漫画喫茶の個室、孤独すぎてワロタｗｗ。隣の部屋のカップル、いちゃついてるし〉

同じくらいの年だろうに、知識が豊富でちょっぴり自虐《じぎゃく》的、辛辣《しんらつ》な中にもユーモアと温かさのあるＡＹＡと話すのは楽しい。まるで、行けば必ず気の合う仲間に会える場所を手に入れたみたいで、彩子の心にすっと風が吹く。同級生らが東京中に点々と散っているため、互いの家に行く時は親同士が必ず連絡を取り合うのが当たり前だった。ふらりと気が向いた時に立ち寄れて、しゃべりたいだけしゃべればさっと引き返せるネットの付き合いは目が眩《くら》むほど自由に思える。

〈もしかして、ＡＹＡさん？　こんな時間に漫画喫茶？〉

すぐに返信が来た。

〈母親と進路のことでマジ喧嘩して、後先考えず飛び出した。明日、おじいちゃんとおばあちゃんちに行くつもり〉

〈AYAさん、おじいちゃんとおばあちゃんと仲良しなの⁉〉

〈ううん、会ったことない。そもそも、二人とも生きてるのかもよくわからん。明日初めて家に行くの。スタンスとしては『小公子』って感じ。でも、私、ぼっちだし、他に行くとこないしｗｗ。いつもは図書館で時間つぶしてるけど、さすがに泊まれないしｗｗ〉

　AYAとのやりとりを読み返しながら、彩子は思い至る。もしかして——。小さないくつかの違和感が集まって、すっと形を成すような感覚だった。昨夜の会話はまだ続いていた。

〈ねえ、なんでぼっちなの？　AYAさんって面白くてコミュ力あるし、友達多そうじゃん？〉

〈リア充のクラスメイトに万引きの濡れ衣着せられてマジギレしたら、みんなドン引きして、誰もしゃべりかけてくんないの。ひどいんだよ。書店で鞄《かばん》に滑り込まされた本っていうのが、売れセンのケータイ小説。胸焼けするほど甘ーいご都合主義のクソ本ｗｗｗ〉

　この書き込みには皆、興味を持ったと見え、真夜中の電球に虫が集まるように、わっと新着の書き込みがあふれ出した。話の流れはたちまちケータイ小説のバッシングへと変わっていた。

　彩子はパソコンを立ち上げたまま、携帯電話にそろそろと手を伸ばす。もらったばかりのメモの番号を打ち込んだ。

「すみません、ティアラさん、ちょっと気になることがあって。今すぐ戻ってきてもらえますか？」

　インターホンが鳴ったのはすぐだった。彩子は二人を促し、家に上げる。ティアラさんがこの家に来るのは何年ぶりだろう。ぐずぐずしている暇はない。彩子はパソコンを示した。

「この『秘密の森のダイアナ』って、私とダイアナの共通の愛読書でした。今でも好きで、ネットサーフィンするうちに、こんなスレを見付けちゃいました」

　ティアラさんは言葉もなく画面に見入っている。武田君がもどかしそうに顔をしかめているので急いで説明する。

「ここのスレッドはこのＡＹＡっていう子がまとめているんです。たぶん、年は同じくらい。学校では友達がいなくて、この掲示板だけが心のよりどころみたい……」

「それと矢島となんの関係があるんだよ」

　武田君は今にもテーブルを苛々と蹴飛ばしそうな勢いだ。しかし、はっとしたようにティアラさんが顔をパソコンに近づける。彩子は考え考え言葉を繋《つな》ぐ。

「今まで気づかなかったけど、AYAはもしかして、ダイアナなんじゃないのかな……。はっとりけいいちのことを語り合える場所なんて、私だってここしかないわけだし……」

彩子は掲示板をさかのぼり、AYAの書き込みをひとつひとつ示した。それを目で追ううちに、ティアラさんは青ざめた顔になって、パソコンに見入っている。

「AYAは……。ダイアナは、ここでしか、自分の気持ちをはき出せなかったのかも」

「どうして、うちの実家がわかったんだろ？」

ティアラさんがつぶやき、武田君がためらいがちに口を開いた。

「あ、それなんだけど……、俺、小学六年生の頃、あいつと一緒に七里ヶ浜の家に行ったことあって……。ほら、お前に見つかって喧嘩になった日だよ」

彩子はどきりとした。すっかり埋もれていた記憶が浮かび上がる。あの雪の日、武田君とダイアナが一緒にいたのはそういうことだったのか——。事情を知らないとはいえ、怒りにまかせて「大っ嫌い」「絶交」などと酷《ひど》いことを言ってしまった。浅はかで子供だった自分がたまらなく恥ずかしくなる。

「あいつ、そこの住所は、山の上の図書館で調べたとかなんとか言ってた気がするなあ」

「そうか！　うちの学校……、山の上女学園の文化祭に一緒に行った時かも。図書館でダイアナは一人で待ってたの。そこでティアラさんの実家の住所を知ったのかも。そうよ、うちの図書館、OGの連絡先はすべて司書室で保管しているから……。司書の先生が居ないすきを狙《ねら》えば……」

　文化祭の帰り道、心ここにあらずだった姿や、雪の日の気まずそうな顔。不可解だった言動のすべてが蘇《よみがえ》り、ひとつひとつが解き明かされていく。それなのに、彼女の気持ちも知らないで、自分の話ばかりしていたなんて。こちらをはらはらした様子で見ているティアラさんに、彩子は言葉をかけた。

「私がティアラさんがOGだって知ったのはずっと後です。ヨークシャーの姉妹校で写真を見付けて、ダイアナとそっくりだったから驚いたんです。中退したこと、高柳先生から聞きました。ティアラさんはうちの学校が息苦しかったんですか……？」

　武田君は事情が飲み込めないらしく、わけがわからないといった表情をしている。長い沈黙のあと、ようやくティアラさんは顔を上げた。派手な髪色や化粧に不似合いなほど冷静な口調で、彼女は淡々と言った。

「山の上がいけないってわけじゃない。ただ、私には合わなかったんだよ。みんなが正しければ正しいほど、毎日が苦しかった。最高の環境なのに、うまくなじめない自分が嫌だった」

かつてみかげちゃんと交わした会話を彩子は思い出す。与えられた環境に順応できる人間ばかりではない。現にうまくやっているタイプの自分だって、山の上女学園の閉ざされた環境に、ほのかな違和感や息苦しさを常に抱いているのだ。

「ダイアナが彩子ちゃんの住む世界に憧れてるのはわかるよ。それを与えてやれない自分が時々、嫌にもなるよ。どうしてあのまま勉強を続けて、就職して、まともな結婚をしなかったんだろうって。でも……、あの子にはさ、はしっこい目と頑と頑丈な足で、自分を信じて生きていって欲しいんだ。誰かに何かを与えてもらうのを待つんじゃなく、欲しいものは自分で掴《つか》んで欲しいんだ」

ティアラさんはしまった、という顔をしたが、もう遅いと思った。彩子は身を乗り出し、夢中で彼女を問い詰める。

「それ、『秘密の森のダイアナ』のフレーズですよね。ティアラさんは『秘密の森のダイアナ』のファンなんですか。もしかして、ティアラさんって読書家なんじゃないですか。父に聞きました。文壇バーで働いていたこと」

ややあって、彼女は照れたように笑い、ＹＥＳもＮＯも言わなかった。その顔が、セント・ヘレナ校で見たあの写真の少女とまったく変わっていないことに気付く。

「私はね、もう本を読まないって決めたんだ。あんたたちくらいの時にね」

ティアラさんが言っている意味が彩子にはわからない。玄関で二人を見送りながら、慌《あわ》ててこう付け足した。

「ダイアナには掲示板のこと黙っててあげてね。きっと恥ずかしいだろうし」

スニーカーを履いていた武田君がうなずき、ちらりとこちらを見上げた。

「にしても、ＡＹＡなんて、あいつらしいな」

「どうして？」

「あいつ、中学の頃、一度名前を変えようとしたことがあったんだ。裁判所に出す書類、俺ちらっと見ちゃったんだ。あやこ、って名前にしようとしてた。やっぱり、あいつ、お前に憧れてるんだよな」

ダイアナが自分の名を——？　憧れてる——？　とっくに忘れられていると思っていたのに。むしろ、ドラマチックなダイアナの人生に憧れているのは自分の方なのに。彼女の生き様を伝え聞くだけで、まるで本を読んでいるような気持ちになる。彼女の痛みや悲しみを思うと可哀想《かわいそう》にもなるが、同時に自分は一生、傍観者でしかないのだ、と惨《みじ》めな気持ちにもなる。

　門の手前で、ティアラさんが携帯電話を取り出した。かすかに声が聞こえてくる。

「知ってる。わかってる。あんたが今、どこにいるのか。帰ってきてよ」

　泣くのをこらえているような震えた声だった。

「ごめん、あんたの気持ち、わかったふりをしてるだけ。見ないふりをしていたこと、たくさんあった。たたいたりして、悪かった。うちにはあんたしかいないのに」

　彩子はゼラニウムの香りが漂う庭に佇《たたず》み、金色の髪を見つめながら、なんだか息が詰まってしばらくの間動けなくなっていた。

「卒業シーズンにちなんで、今夜は『プロムナイト』です。本日高校を卒業したティアラママの愛娘《まなむすめ》、ダイアナちゃんが彼氏と一緒にご来店で〜す。チークタイムにはご指名の女の子をエスコートしてくださいね」
　黒服の男の薄っぺらい声がマイクを通じて、ミラーボールの光がくるくると回るフロアに響き渡る。客やキャストの視線が一度に自分に突き刺さり、ダイアナは思わず

うつむく。ティアラの熱心な誘いでつい来てしまったけど、初めてのキャバクラは落ち着かない。でも、高校を卒業する今日、働く母の姿を目に焼き付けておきたかった。歓声の中、ステージ上にキャストらが登場し、音楽に合わせてくねくねしたダンスを踊り出す。薄青いライトの中、ドレス姿のティアラを目で追った。男たちの間を回遊魚のようにひらひらと漂いながらも、キャストたちにはこまめに目くばせする。一瞬たりとも立ち止まる、ということがない。おそらく頭の中でこの店全体を俯瞰《ふかん》し、隅々までアンテナを張り巡らしているのだろう。休日、家事もせず死んだように眠るティアラにあきれていたけれど、これほど神経をすり減らす仕事だったとは。

「俺らも踊ろっか」

隣のソファで身を乗り出す制服姿の武田君を、ダイアナは、うざい、と乱暴に押しやる。彼も今日、卒業式を迎えた。一緒に騒ぐ友達も多いだろうに、何故《なぜ》こんな場所に居るのだろう。祖母の家までティアラと一緒に迎えに来た彼の前で、うっかり泣いてしまったあの日から、いっそう馴《な》れ馴《な》れしい。借りを作ったつもりはない。しゃくにさわるものの、前ほど彼がうっとうしくなくなった。

明日からは自分が楽に呼吸出来る場所を、自分の力で探しにいけるのだ。目の前が明るく開けていくようである。クラスメイトは抱き合って泣いていたけれど、ようやく学校から解放されるのだと思うと、ダイアナはキャーッと叫び出したい気分だった。なんと晴れ晴れしたまぶしい日だろう。

　こんな自分は自分じゃないとずっと思っていた。本当の自分は『秘密の森のダイアナ』スレッドの中にいるＡＹＡだけだと思っていた。みんなに知的な人物として一目置かれ、正義感に溢《あふ》れ、リーダーシップを発揮するＡＹＡが本当の姿だと思っていた。あの掲示板でだけ楽に呼吸が出来た。住人の言葉遣いを真似て、自分の意見を書き込んだらたちまち受け入れてもらえたうれしさは忘れがたい。でも、あの場所からも今日で卒業しようと思っている。ダイアナが居心地の良い森から出たように、自分もまた外の世界に出るのだ。流れていく書き込みではなく、ささやかでもいいから、形に残る何かを他人の中に残していきたい。難しいことはない。あのスレッドで振る舞ったように、現実世界で人と接していけばいいだけだ。ネットもリアルも地続きだ。向田邦子さんから得た知識だって実践してみて初めて身につくのかもしれない。最初のお給料が出たら、長く着られる黒いワンピースを買うつもりだ。

「ふーん、黒髪にしたんだ。普通卒業と同時に明るく染めるもんなのにね」

　気付くと、ティアラが隣に座って、ダイアナの髪に触れていた。ここに来る前に自宅で黒く染めた髪はまだ湿っていて、ライトの中しっとりと輝いていた。

「写メ送ったら、おばあちゃんもこの方がいいってさ」

家出したあの日からは、まだ会っていないけれどメールのやりとりは続いている。祖母は携帯電話を使うのがおっくうではないらしく、長文や江の島の写真をよく送ってくる。塾の生徒さんらとのやりとりですっかり慣れたと言っていた。

武田君が席を外したのを見計らって、ダイアナはティアラに向き合った。

「明日からさっそく本屋さんの面接受けるから。勉強は嫌いじゃないけど、私、学校っていう場所が辛《つら》いの。あと、ティアラのお金で生きていくのも辛い。ティアラの人生に引っ張られそうで恐《こわ》い。ティアラがおばあちゃんちから出たがったのと同じだよ。自分の足で立ちたい。いつか自立できたら、大学に行くってこともちゃんと考えられるようになるかも。私ね、本屋さんで働きたい」

ティアラの生き方には、今も賛成できないけれど、彼女のせいにするのはもうやめようと思った。ダイアナは勇気を出してぐっとティアラの腕をつかみ、真剣な目で問う。

「ねえ、ティアラ、私のお父さんは今どこにいるの？　どこで暮らしてるの？」

ティアラは煙草《たばこ》に火を点け、煙を吐き出した。青い光の中、小さな竜のように天井に昇っていくそれをしばらく見つめていた。

「そうだね。あんたも大人だし、そろそろ教えてやってもいいかもね。でも、条件があるよ。あんたが本屋の面接に受かって、自活の道が見えたら」

自活、という言葉にどきりとした。ティアラといよいよ人生が別れるのだ。自分で選択したこととはいえ、いざ母の口から聞くと、うろたえてしまう自分がいた。

ライトで青白くなった母の横顔とあの子供部屋の本棚を重ねてみる。結局のところ、ティアラに守られながら、彼女の生き方をなじる日々は楽だったのだ。ティアラの落ち度をひとつ見付けるたびに、自分がいかに文化的で地に足がついている女の子なのか、実感できた。でも、向田邦子さんの本を読んだだけで、彼女のようになれるわけではない。本が好きなだけで、高尚なつもりになるのは間違いだ。母を見下して得意になってばかりいた。

「そんな顔すんな。えーと、なんだっけ？　『森』を出るんだろ？　自分で自分に目隠しするのが嫌なんだろ？　がんばれよー」

そう言うと、ティアラは笑って、くしゃくしゃとダイアナの髪をかき乱した。やっぱり、この人、『秘密の森のダイアナ』を読んでいるんだ——。でも、そのことを問い質《ただ》すタイミングも、面接が受かってからだと思った。

「わかった。私、がんばるよ」

いつか父の顔を見たら、なにを言おう。イメージがまったくできない。でも、たった一度でいいから、一緒に本屋さんに行きたいと思った。私のために本を選んで、と甘えてみたい。父は自分にどんな本を選んでくれるのだろう。もし、自分が読んだことのない本を教えてもらえたとしたら、ダイアナはそれだけで彼を許してもいい気がしている。

ティアラが客に囃《はや》されてステージに上がり、パラパラ風のダンスを踊り出した。その振り付けが、幼い頃二人で遊んだテレビゲーム「ダンシン☆ステファニー」のそれであることに気付き、ダイアナは吹き出すと同時に、何故かほんの少しだけ涙ぐんでしまった。

第5章

分断された私

一羽の鳩《はと》がぐるぐると喉《のど》を鳴らし、淡いピンク色の胸をのけぞらせた。餌《えさ》を求めて、ちょん、ちょん、とダイアナの足下までジャンプしてきたが、こちらにその気がないのを察すると、たちまちふっくりしたお尻《しり》を向けて去って行った。

喫茶店に入るお金がないので、駅前ロータリーのベンチに腰掛け、家でペットボトルにつめてきた麦茶を一口飲んだ。鞄《かばん》の底でひしゃげているおむすびを取り出し、ラップをはがして一口かじる。塩とゴマ油の味がふんわりと広がった。今頃、ティアラも目を覚まし、同じものを食べているだろう。高校卒業後、ようやく母一人子一人の我が家の台所事情がわかるようになって、ダイアナは節約を心がけている。キャバクラの雇われママの給料は決して高いものではなく、キャスト時代の歩合制とは違って、売り上げの不振はそのまま暮らしに跳ねかえる。三十四歳という年齢は、そろそろ歌《か》舞《ぶ》伎町《きちょう》から足を洗う頃合いに違いなかった。ティアラは見かけによらず律儀《りちぎ》で不器用なのではないか、と最近思うようになっている。六本木や赤坂の有名店から引き抜きの話が来たこともあるらしいし、大手企業の役員からプロポーズされたとも噂《うわさ》で聞いた。でも、ティアラは頑《かたく》なにギャルメイクとヤンキーじみた派手な服装で独り身を貫き、〈ヘラクレス〉を離れようとしない。プライベートでも店の女の子たちの面倒を見て、時にはトラブルに巻き込まれたキャストや常連客にお金を貸したりもしているらしい。そのせいで、働き詰めのわりには裕福な暮らしとは程遠かった。最近ではダイアナがずぼらなティアラに代わって、家計簿を付け始めている。

ダイアナは肩を落として、パンティストッキングに包まれたよそゆきの脚を見下ろす。まるで自分の脚ではないみたい。祖母からの卒業祝いで買ったリクルートスーツは一張羅《いっちょうら》だ。アルバイトの面接に着て行くにはかしこまりすぎていると自分でもよくわかっている。でも、普通の十八歳がお小遣い稼ぎに始める「バイト」とダイアナのそれとは重みが違う。ゆくゆくは社員になる道を見据えた上での第一歩であり、将来を左右するテストでもあるのだ。

出版不況の今、大型書店の正社員は狭き門だ。高卒者などはなから相手にしてもらえない。アルバイトから入って、虎視眈々《こしたんたん》と社員登用のチャンスを狙《ねら》うしか道はない。やる気はあるし、根は真面目《まじめ》だ。覚えも決して悪い方ではないと思う。なにより、読書が好きだし、本屋さんで働くのは子供の頃からの夢だった。しかし、卒業して一ヵ月、首都圏の大型書店とみれば手当たり次第に面接を受け続けているにもかかわらず、一向に結果が出ない。アルバイトの面接でここまでうまくいかないなんて――。ふさぎ込む娘を見かねたらしく、ティアラはこんなことを言った。

――あんた、うちに似てきつい顔じゃん。だから、愛想は良すぎるくらいじゃないと、ガン飛ばしているようにしか見えねえって。うちらみたいなルックスはおしゃべりな三枚目くらいで丁度いいんだよ。接客業なんて結局は愛想とコミュニケーション能力なんだからさあ。

今回ばかりはティアラの言う通りなのだと思う。

幼い頃から、「目つきが悪い」「お高くとまってる」と周囲に疎外《そがい》され続けてきた。それをコンプレックスに思いつつも直そうとしなかったのは、どこかで反発していたからだと思う。感情表現が下手で表情に乏しいのは自分の個性である。悪くとるのは周囲のレベルが低く、幼いからだと見下していた。大人になって、知的で成熟した人間に囲まれれば、まったく違う評価に変わるだろう、と楽観視していた。しかし、いざ社会に足を踏み出してみれば、状況はさらに厳しい。ダイアナの内面にどんな世界が広がっているか興味を持って目を凝らしてくれる人などどこにも居ない。結局のところ、自分は甘えきっていたのだと思う。他者に受け入れてもらうための努力を最初から放棄していた。嫌悪感《けんおかん》をあらわにするだけ、中高の同級生の方がましだったのかもしれない。社会人はもっとスマートかつ冷淡だ。

——へえ、矢島大穴さんとおっしゃるんですか。大きい穴でダイアナですか。

履歴書の名前を見るなり、彼らの顔に同情とも侮蔑《ぶべつ》ともつかない奇妙な笑みが広がる。もうこの段階で、ダイアナの心は折れかかってしまう。質問が一通り終わると、いかにも明日から一緒に頑張りましょうね、と言わんばかりの笑顔を向けるくせに、採用の電話は決してかかってこないのだ。なかでも、昨日はとりわけ悲惨だった。

——矢島さんは川俣高校に通っていたんですか？

駅に隣接したビルの七階、フロア半分を占める大型書店「隣々堂」の面接に臨んだ時だった。高校時代に通い詰めたチェーンなので意気込みを伝えねばと張り切っていただけに、親しげな視線を向けられ面食らった。

——はい。そうですけど……。

訝《いぶか》しく思いながら、店長の顔を束《つか》の間《ま》見つめる。色白でぽっちゃりとした、三十代半ばくらいの男性だった。黒縁眼鏡の奥の瞳は柔和だが、正直どこで会ってもあまり印象に残らないタイプといえた。彼はほんの少し言いにくそうに続けた。

――覚えてませんか？　僕のこと。よく高校の傍の「隣々堂」に来てましたよね。あの店で新人研修を任されたことがあったんです。それで、そのほら、あなたにトラブルがあって……。あれは大変でしたね。

それきり彼は言いよどんだ。じわじわと記憶が蘇《よみがえ》り、顔から血の気が引いていくのがわかった。確かにこの人の接客で何度も本を買ったことがある。そしてあの日、彼の前で取り乱し、大声を上げたことも。

ダイアナは肩を落として、再び鳩を目で追う。あの後、何を話したかさっぱり覚えていない。絶対に落ちたに決まっている。言い訳をしてもどうにもならないが、当時の自分は自分ではなかったのだ。クラスメイトに万引きの濡《ぬ》れ衣《ぎぬ》を着せられ、気が動転していた。少しでも迫力を出そうと髪を金色に染め、あらんかぎりの力で首謀者たちを店まで引きずっていった。髪をつかんで、無理矢理頭を下げさせた。あの店長が慌《あわ》てて止めに入るほど、激しい調子で罵倒《ばとう》もした。いい印象を与えるどころの話ではない。

あの「隣々堂」は大好きな場所だったのに。本を買うお金がなくても、フロアを一周するだけで豊かな気持ちになれた。商品の並べ方に愛があったし、平台や棚をにぎやかに彩《いろど》る手描きPOPのセンスが光っていた。あの店のフェアのおかげで石井桃子『幻の朱《あか》い実』、ポール・オースター『孤独の発明』やアリス・ホフマン『ローカル・ガールズ』に出会えたのだ。もしかして、昨日面接してくれた店長さんの手によるものだったのかもしれない。後悔しても仕方のないことだが、改めて自分の運の悪さを呪《のろ》いたくなる。

ふと思いついて携帯電話を取り出し、自分撮りの設定にすると、微笑を無理に作って、シャッターを押した。画面の中では、顔色が悪く、神経質そうな女がこちらを睨《にら》んでいる。黒髪にしてから、かえって目の鋭さが強調されている気がしてならない。自然な笑顔には程遠かった。ロータリーを足早に行き交う人々は、誰もが目的を抱いて、目指す場所へと進んでいるように見える。学生でも社会人でもない自分は他人には一体どのように映るのだろう。そろそろゴールデンウィーク、四月末とは思えないほど太陽は強く照りつけ、地面の煉瓦《れんが》が熱く焼けているのがわかる。テニスのラケットを抱えたミニスカートの女の子の一群がダイアナの目の前をさっそうと通り過ぎていく。白い太ももがまぶしい。近所の女子大の学生だろうか。

笑いさざめく彼女たちの中に、ふっと小学校時代の同級生、彩子の横顔を見た気がした。ここ半年はこうして町ですれ違うこともなくなったが、商店街の情報通である武田君から、この春に難関大学の学生になったと聞いた。今頃、こんな華やかな集団に属して、キャンパスライフを楽しんでいるのかもしれない。いや、あの子ならもっと……。かっちりしたラルフ・ローレンのシャツやスカートといったベーシックな出《い》で立ちに薄化粧が似合うはずだ。「マンハッタン」に出演していたマリエル・ヘミングウェイみたいな。男女問わず人気のある将来有望な女子学生。論文を教授に褒められ、ゼミ仲間とカフェテラスで文学論を交わす。時には熱っぽい口調で男子学生を打ち負かす。そんな彼女にぴったりくる恋人はやっぱり准《じゅん》教授か大学院生——。そこまで想像して、ダイアナは自分の理想を彼女に投影していることに気付いた。

進学ははなから頭になかったが、今はその豊かな四年間が素直にうらやましいと思った。社会人になるまでに十分な猶予《ゆうよ》があり、あらゆる趣味嗜好《しこう》を持つ同年代の仲間に出会えて、勉強はもちろん読書する時間もたっぷりある。どこかに行きたいな、と珍しくそんなことを思って、空を仰いだ。いやいや、こんな甘い考えでは、ティアラとの約束を果たせない。母とは違う人生を自分の手でつかまねば。ダイアナは前髪をかき上げ、額をむきだしにする。そして、幼い頃、自分たちを捨てた父親の居所を教えてもらうのだ。

携帯電話が鳴っていることに気付いた。知らない番号だが反射的に通話ボタンを押した。

——矢島さん。昨日、面接した「隣々堂」の田所《たどころ》ですけど、今話せますか？

不採用の時に電話などこない。もしかして——。

——採用決定です。これからどうぞよろしくお願いします。ええと、いつから入れますか？

電話を切った後も、しばらくは気持ちがついていかなかった。ダイアナは心を落ち着かせようと何度か深呼吸を繰り返した。よしっ、と声に出して叫んだら、足下の鳩がおびえたように飛び立った。とうとう本屋さんで働ける——。幼い頃からの夢に一歩近づいたのだ。勢いを付けて立ち上がると、駅に向かって一目散に走る。早く、家に帰って報告したかった。今なら、ティアラが起きているだろう。

帰宅し玄関を開けると、ティアラはお昼のメロドラマを見ながら、造顔マッサージに勤《いそ》しんでいた。改めて若い。こちらが大人になるにつれ、ある時から年齢が止まっているようなティアラに近づいていく錯覚を覚える。結果を報告するなり、ティアラはにやっと笑った。

「へえ、受かったんだ。やったじゃーん。おめ！」

「うん、だから、ちゃんと教えて」

ダイアナはスーツ姿のまま床に膝《ひざ》をつき正座した。ティアラはきょとんとして、扇のようなまつげをしばたたかせている。

「教えるって何を？」

「もうっ、しらばっくれて。バイト決まったら、私のお父さんが今どこで何をしているか教えてくれる約束だったじゃない」

「ああ、そうだったね。じゃあ、ちょっと待って」

夢にまで見た瞬間は、ごくあっさりとしたものだった。ティアラはすっと腰を上げると、本棚へと向かい『秘密の森のダイアナ』の一巻を引き抜くと戻ってきた。

「あい。この人」

ティアラはにこにこしている。差し出された本をダイアナはまじまじと見つめた。

「だから、この作者のはっとりけいいちって言う人があんたのパパ」

呆気《あっけ》にとられ、思わずテレビに目をやる。ようやく結ばれたばかりのカップルが、実は生き別れの兄妹《きょうだい》であると判明したところだった。大げさな管楽器バージョンの主題歌が流れヒロインは残酷な運命を呪ってむせび泣いている。くだらなすぎる展開だ。しかし、ティアラが今口にしたことには、到底敵《かな》わないだろう。

「そんなご都合主義、信じるわけないじゃない。バカにしてんの？」

ダイアナはやっとのことで口を開く。ティアラは相変わらず軽い調子で続けている。

「だって、本当なんだもん。はっとりけいいち。本名は服部蛍一《はっとりけいいち》。あだ名は『蛍《ほたる》』で、うちもそう呼んでた」

〈ヘラクレス〉のロッカーで盗み見た手紙の情報と一致している。だが、そんなはずはない。ダイアナはもはや我慢ならないほど苛々《いらいら》してきた。

「私のお父さんが作家？ 嘘《うそ》でしょ。さすらいのギャンブラーっていってたじゃない。家を出て、遠くに行っちゃったって」

「ああ、あれは作り話。そうでもしなきゃ、うちみたいないい女が独り身の理由にならないからねえ。元彼の中でもダントツにダメ男だったヤツの話を代わりにしたんだ」

ティアラはおどけた仕草で豊かな金髪を払いのける。

「もうあんたも十八だし、男と女には仕方ないこともあるってわかるよね？ どっちが悪いわけでもないし、実際、蛍はいい人だったんだから」

軽い調子ではあるが、自分にも言い聞かせるようにゆっくりと話している。ほんの少しだけ、ティアラがまともに感じられてきた。

「出会ったのは銀座の文壇バーだったなあ。あの人はね、担当編集者の彩子ちゃんのお父さんに連れてこられたんだよ。お酒飲めないから、すぐにリバースしちゃって」

「まさか……。ちょっとまってよそんな話って……」

嘘にしては、話がつながり過ぎている。なんだか自分の人生が誰かの手によって構築されたものである気がして、ダイアナは思わず天井を仰いでしまう。

「でしょ。だから、彩子ちゃんとあんたが勝手に知り合った時は驚いたよ。で、蛍はね、ホステスのアルバイトしてたうちを、てっきり二十歳だと思ってたんだって。実際は十五歳。おまけに妊娠。そりゃ、びっくりするよねえ。最初は戸惑ってたけど、もちろんいい父親になろうとして、生まれてくる子は処女作にちなんでダイアナにしようって言ってくれたよ」

「えっ、競馬の大穴じゃなかったの？」

「それもうちの作り話。大穴と書いてダイアナと読ませるのは我ながらいいアイデアだったなあ。物心ついたあんたが読書好きになって、彩子ちゃんに借りたあの本を読んでいるのを見た時は、運命感じたよ〜。ま、内心ひやひやして、できるだけ遠ざけようとはしたけどね。でもね、一九歳で童話作家としてデビューしていきなり大ヒット。おまけに父親になるなんて、とても気持ちがついていかなかったんだろうね。蛍はプレッシャーから仕事でスランプに陥った。苦しそうで、見てらんなかったよ。だから、嘘をついた。妊娠は勘違いだったことにして、うちは身を引いたんだ」

「なにそれ、私、いないことになってるの!? 冗談はやめて!!」

目まぐるしい内容についていけない。そんなつもりはなかったのに目頭がじわっと熱くなった。ティアラは慌てた様子でダイアナの頬に手を伸ばそうとして、マニキュアの瓶を倒してしまう。とろりとしたゴールドの液体がこぼれ、ゆっくりと広がっていく。

「ちょっと! うちは何もふざけてるわけじゃないよ。本当なんだってば。そりゃ、想像妊娠の嘘はひどかったと思うけど、あの時は仕方なかったんだよ。書けなくて苦しんでるあの人を見ていられなくて……。そうだ、嘘だと思うなら、彩子ちゃんのお父さんをここに呼んで証明してみせようか?」

「酷《ひど》いよ。いくらなんでも残酷だよ。そんなでまかせ」

今は何も考えたくない。ティアラの顔を見ないようにして立ち上がった。

「もういいよ。莫迦《ばか》みたい。こんなに必死にバイト探して……。ティアラにとっちゃ、私がお父さんをどう思ってるかなんて、どうでもいいことなんだよね」

ティアラはまだ何か言いたげだったが、ダイアナはくるりと背を向け、自室に閉じこもった。一刻も早くこの家を出よう。お金を貯《た》めて自立するのだ。ティアラの元から離れなければ、きっと何も変わらない。それに、2LDKのこの賃貸アパートは十八歳の娘と母が住むにはもうとっくに狭くなっていたのだ。

学内の購買部で日用品や食材が売られているなんて知らなかった。壮生大学に入学して一ヵ月が過ぎたのに、あまりにも広いキャンパスのどこに何があるか、彩子は半分も把握できていない。少し迷って、パック詰めのベーコンを購入した。レジに持って行くと、先に会計を済ませたクラスメイトの紗耶香《さやか》があきれたような声を上げた。

「闇鍋《やみなべ》だっていったじゃん。そんな普通の食材じゃ、盛りあがらないよお」

見ると、彼女が買ったのは苺だった。闇鍋というものがよくわからなくて、彩子は曖昧《あいまい》に笑う。未《いま》だにサークルを決められない彩子を見かねて、今日は紗耶香が飲み会に誘ってくれたのだ。一浪している彼女はクラスでもかなり目立つ方で、今まで周囲にいなかったタイプだ。すごい美人というわけではないが、動作がしなやかですべてにおいてこなれている。スキニーのカラーパンツに茶色のロングヘア、大ぶりのアクセサリー使いはまるでモデルのようだ。購買部を出ると辺りはすでに薄暗かった。腕時計を見ると六時過ぎ。門限の九時までには帰るようにしたい。夕暮れのキャンパスはまるでうっそうとした森のようだった。濡れた枯葉と土の匂《にお》いを感じながら、薄闇の中を迷いのない足取りで突き進んでいく紗耶香の後を追いかける。楽しい会に向かうはずなのに、ぼんやりした不安に浸されていくのは何故《なぜ》だろう。

「ねえ、その『シュガー』って具体的にはどんな活動してるの？」

「うーん。その場のノリかな？　木村さんっていうリーダーがいて、その人の思いつきでパーティーやったり、イベントやったりするの。すごく面白い人ばっかりなんだよ。絶対楽しいって。練習とかないし、女の子は部費も払わなくていいの」

なんだか自分に合っているようには思えない。正直なところ、ついこの間まで高校生だったとは思えない世慣れた同級生たちに圧倒されている。彩子は飲み会にも参加せず、授業が終わったら図書館に行くか自宅に帰るだけなので、まったく人間関係が広がらない。自分から楽しそうな輪に入っていく勇気もない。親しげに話しかけてくれた紗耶香は貴重な存在だった。高校時代は常に友達や後輩に囲まれていたのに、大学ではおどおどと足踏みしているばかりだ。やはり、慣れない環境にどこか臆病《おくびょう》になっているのかもしれない。思い描いていた、異性と対等に議論する自分にはほど遠い。

「全然ヤバいとこじゃないよ。大学に登録してある正規のサークル団体だからさ。ていうか彩子、もっと遊ばなきゃだめだって。人生を無駄遣いしてるよ。ちやほやされるのなんて一年のうちだけなんだから」

紗耶香はまるで余命半年と宣告されたかのように、生きることに貪欲《どんよく》だ。あらゆるサークルや飲み会に出入りし、見切りをつけるのものすごく早い。そんな彼女がこそ、と見定めたのだから、おそらく良質な集まりなのだろう。彼女が示した二階建ての建物を見上げて、彩子は目を見張る。たかがイベントサークルにモルタル小屋とはいえ戸建てを与えられていることにびっくりしてしまう。

「もとは柔道部の部室だったらしいよ。木村さんの力でシュガーのものにしちゃったみたい。あの人にかかれば出来ないことなんてないの。魔法使いみたいなんだから」

紗耶香はこちらの疑問を察したらしく、自分のことのように誇らしそうに答えた。

「ねえ、木村さんって何者なの？」

返事の代わりに紗耶香は引き戸に手をかけた。どっと歓声があふれ出す。

「おせーよ。サヤ〜」

むっとするような異臭に交じってアルコールと煙草《たばこ》のにおいが押し寄せてきた。カセットコンロでぐつぐつ煮える鍋を取り囲んで床にぺたんと座る十数名の男女が一斉にこちらに顔を向けた。男性の比率が高く、彩子はどうしてもたじろいでしまう。紗耶香に促されて靴を脱ぎ、輪に加わった。体育倉庫のような空間にマットレスが無造作に放り出され、雑誌やパソコンがごちゃごちゃと置かれている。ずっと掃除をしていないからか、柔道部員のものらしい汗の臭《にお》いが染《し》みついている。にぎりつぶした発泡酒やビールの缶がごろごろ転がっていた。あまりの不衛生さに彩子は少し胃が痛くなってくる。

「え、その子が彩子ちゃん？　めっちゃ可愛《かわい》いじゃん！」

中央の古いソファであぐらをかいている男が不躾《ぶしつけ》な視線を投げかけ、にやっと笑った。明るい茶色の髪に無精髭《ぶしょうひげ》、色艶《いろつや》の悪い顔は二十代とは思えない。毛のはえた太い指で彩子を指し示す。

「入部決定!!　サヤさすがだな～。こんな美人を見つけてくるなんて」

「でしょ！　よかったね、彩子。木村さん直々の顔面審査、速攻でパスだなんて」

つまり、自分は値踏みされていたということか。商品に成り下がったみたいで、激しい反発を覚える。一瞬、立ち上がってこの場を去りたくなったが、紗耶香と目が合った。友達に売られたような恨めしさで、思わずにらみ付けたが、彼女はきょとんとしている。この男がどうやら「木村さん」らしかった。男たちの視線が一斉にからみつき、その重みに彩子はうつむく。ここでは木村さんの決定が絶対らしい。

「闇鍋の続きやろうよ。おい、何買ってきたの？」

食べ物を玩具《おもちゃ》にするのは気が引ける。こんなこと、何が楽しいんだろう。鍋でぐつぐつと溶け合っているのはどうやら、うどんとたこ焼きとチョコレートらしい。灯りがぱちりと消えるたびに、具材が増え、誰かが派手な悲鳴をあげる。紗耶香は洗ってもいない苺をどさっと放り込む。紙皿が回ってくると、吐き気がこみ上げてきた。どうしても眉《まゆ》をひそめてしまう。帰りたいが、あんな暗い道を一人で引き返すのも気が進まない。それに紗耶香の顔をつぶして、キャンパスで一人になるのが怖かった。中高時代は人気者だったのに、ここでは地味な学生でしかない。これは本当の自分ではない、という意識は常にある。変わりたい。このままじゃいつまで経《た》っても「セシル」にはなれない。缶ビールを紗耶香の手から受け取った。口をつけるべきか迷っていると、男たちがからかってきた。

「彩子ちゃんはお嬢様だもんなあ。山女出身なんだっけ。酒なんて飲まないかな？」

「いいえ大丈夫です。飲めます平気です」

飲まないわけにはいかなかった。彩子はなんとか自分を奮い立たせる。母は寝る前のココアにラムを落とすし、父が「ママには内緒だよ」といってウイスキーをなめさせてくれたこともある。お酒が好きなわけではないが、今はこの場に馴染《なじ》み受け入れられねば、という気持ちにさせられていた。大丈夫。ここはなんといっても壮生大学なのだ。人生で一番集中して猛勉強したこの半年をふり返る。合格した時、高柳先生は心の底から褒めてくれた。母は涙を流して喜び、普段は物静かな父が頬を紅潮させて抱きしめてくれた。母お手製のローストビーフとちらし寿司《ずし》、ケーキでお祝いをした。ここにいる皆も似たような経験を経て、この場所にたどり着いたはずだ。彩子は意を決すると、水滴のついた缶を一口する。舌の裏まで絡《から》んでくるような苦みとしつこさが広がった。思わず顔をしかめると、待ってましたと言わんばかりに「かっわいい！」と誰かが叫ぶ。好もしげな視線が嫌で、わざと喉を見せてごくごくと飲んだ。誰かが隣にすとんと腰を下ろした。見覚えのある涼やかな目元にいたずらっぽい色が浮かんでいる。彩子は見る見るうちに頬が熱くなるのがわかった。これはアルコールのせいではない。

「君さあ、会ったことあるよね？」

高校三年生の秋、壮生大学の授業にもぐった時に声をかけてきた男の人だった。忘れるはずもない。もう一度出会えることをずっと願っていた。ああ、なんてロマンチックなんだろう。こんな瞬間をずっと待ち望んでいた。

「俺、あの後、すごい後悔したよ。連絡先くらい聞いておけばよかったなーって」

照れくさいのと嬉《うれ》しいのとで、彩子はうつむく。「亮太《りょうた》、相変わらず手が早いなあ」という木村さんの冷やかしの声がファンファーレのように心地良く響いた。榎本亮太《えのもとりょうた》と名乗った彼は煙草をくわえて火をつけた。ライターを持った手をほとんど動かさず、顔だけかすかに傾ける仕草にどきどきした。

「大学、慣れた？」

彩子は曖昧に首を振る。なんのルールもなく、すべてが個人の裁量に任され、時間は無限にある。何かを始めようにも、まずどこから手をつけていいのかわからないのだ。フランス文学科の必修単位は思ったよりも少ない。授業は真面目に受けているし、そのいくつかは彩子に充実と興奮をもたらしているけれど、高校時代と比べるとほとんどやることがない。誰も何も決めてはくれない。自分の戸惑いは贅沢《ぜいたく》なのだろうか。

「あの……。マドレーヌちゃん」

きょとんとしている榎本先輩に、彩子ははにかみながら問う。

「読みました？　ほら、あの時。修道院出身のヒロインの話をして……。『げんきなマドレーヌ』は読んでないって」

「え、ごめん。それ、なんだっけ？」

彼は心底訳がわからないといった様子で、吸い殻を空き缶にねじ込む。なんだか悲しくなって、彩子は夢中でビールを飲み干した。薄々予想はしていたけれど、彩子にとっては忘れられない出会いも、彼にとっては取るに足らない日常の断片なのだ。それっきり榎本先輩は他の部員たちの方を向いてしまい、こちらに興味を失ったようだった。彩子はやけになって、紗耶香にすすめられるまま、紙コップに入ったウーロンハイを飲み干した。男たちの自慢話に仕方なく耳を傾けるうちに、自分が何をしているのかわからなくなってきた。一生懸命学んで来たことが、ここでは何の役にも立たない。人に囲まれているのにたまらなく寂しい。強く焦《こ》がれてきた大学生活はこんなものなのだろうか。自分は何をやっているのだろうか。こんな賑《にぎ》やかな場で虚《むな》しさを感じてしまうなんて、自分は紗耶香のいうように人生を無駄遣いしているのだろうか。

榎本先輩が再び、こちらにやってきた。

「こころうるさいから、上の部屋いかない？　冷たいお茶飲みたいでしょ」

そうささやかれた時は正直ほっとした。彼に差し出された腕につかまって、立ち上がる。身体《からだ》が大きく揺れた。自分はどうやら酔っているらしい。軽い女の子のふりをするのは少し惨《みじ》めだが、同時に高揚感もあった。この場に居る意味のようなものがようやく生まれた。すがる思いで、慌ててつかんだ榎本先輩の肩は温かく、胸がときめいた。狭い階段を昇り彼に続いて二階に行く。机とソファがあり、事務所のような作りになっていた。榎木先輩はこちらの肩を抱くと、ソファに乱暴に座らせる。その芝居じみた動作がおかしくて彩子はけたけた笑ってしまう。

彼はじっと彩子を見つめた。

「好きだよ」

耳元に温かい息が吹きかけられ、全身がカッと熱くなった。何も考えられない。小説か映画でしか起こりえない出来事の真ん中に、今自分は立っている。脳も骨も甘くほとびていくようだ。次の瞬間、スカートの中に何かが割って入ってきた。熱くてねっとりした手。彩子は男性といえば、父の乾いている静かな手のひらしか知らない。

――やめて。

言葉が上手《うま》く出て来ない。視界が反転し、榎本先輩が彩子の上に跨《また》がったのがわかった。ニットをたくし上げられシャツのボタンを外される。ふいに小学校時代の親友、矢島ダイアナの顔が脳裏に蘇った。男子にいやらしいいたずらをされると、真っ先にあの子が飛んできて、自分をかばって闘ってくれた。あの迷いのない怒りに燃えたはしばみ色の瞳《ひとみ》、金色の髪はライオンのようにたなびいていた。落ち度は自分にあるのかも、という彩子の恐れを払拭《ふっしょく》してくれた。でも、今は。誰も助けてくれない。責任はすべて自分にあった。罰があたったのかもしれない。榎本先輩のことを考えて、勉強の間、身体を熱くしたせいだ。彼の内面が好きかどうかも分からないのに、甘い気持ちになってしまったせいだ。

ダイアナのお母さん、ティアラさんがかつてくれた言葉が思い出された。

――優しくて上品なのは彩子ちゃんのいいとこだけどさ、男になめられるスキをあたえちゃだめってことだよ。いざとなったら、ガチで闘う気迫で生きなきゃ。

でも、彩子はとても闘うことが出来そうにない。先ほどとは別人のような榎本先輩にただただ圧倒され、組み敷かれている。この男は一体どこの誰なんだろう。酔いで体が言うことをきかない。

「可愛いなあ。震えてるの……？」

乳房を乱暴に摑《つか》む手を振り払いたいが、力が出ない。ビールの匂いのする唇が彩子から言葉と呼吸を奪った。お願い、お願い、今すぐ私を解放して。ありったけの懇願を込めて、男の目を覗《のぞ》き込む。しかし、その濁った色合いにたちまち吞《の》み込まれた。

男は薄く笑ってさえいる。

「下のやつら、俺たちがこんなことしてるって知ったら、驚くだろうなあ」

男の手が下着にかかる。嘘だ。あり得ない。彼はフランス文学にも精通している人間だ。ラクロもモーパッサンも読んでいる。なにしろ壮生大学の学生なのだ。強姦《ごうかん》なんてあり得ない。そうか、彼にとって、これはごく当たり前の合意のセックスなんだ、と知ったのは、彼がジッパーを下ろした瞬間だった。飛び出した赤黒いものを、彩子は直視出来ず、思わず目をつぶる。ネットで何度か目にしてしまったそれよりも、ずっとグロテスクでぬらついている。昔から異性が恐《こわ》かった。小学生の頃、自分を揶揄《やゆ》したあの目とあの唇。いたずらやからかいなどという生やさしい表現では追いつかない、残虐《ざんぎゃく》な色にとっくに気付いていた。あの悪ふざけの先にあるものはこれだったのか。「好きだから、からかうのよ」「男の子って子供なのよ」と仕方なさそうに笑っていた母は、男の子がこんなふうになるなんて教えてくれなかった。心が冷たく深いところにずぶずぶと沈んでいく。

股間《こかん》に空気が触れた瞬間、信じられないほど不快なねばつきを感じた。足の間が裂けるような激しい痛みに頭が真っ白になる。めりめり、と耳鳴りがした。あっという間に彩子は二つにされた。右と左に分断された自分がいる。頭から乱暴に裂かれ、きっともう自分は死んでいるはずだ。それなのに、真っ二つになった心が今もなおひくひくと機能している。人形になりたい。何も感じないようになりたい。最初の痛みが一向に去らない。息が苦しい。助けて。ねえ、どうして誰も助けてくれないの。ここは大学のはずなのに。あっけらかんとした男の声が降ってきて、ようやく終わったのだと彩子は知る。

「え、まさか初めてだった？　うわー、まじか」

白濁した液体が裸のお腹《なか》にかかっている。それがなんであるか彩子は一瞬、わからなかった。上半身を起こしそっと手をやる。ねばついていて、顔をしかめたくなるような生臭いにおいがした。股間から血が流れ、ソファを汚していた。足の付け根の奥の痛みが次第に彩子を現実に引き戻していく。

「あ、えっと、ごめんね……」

榎本先輩は照れ笑いをにじませて、首筋をぽりぽり掻《か》いている。「ごめんね」という言葉の軽さと、身体の内側に広がる鈍痛がまるでそぐわなくて、彩子はしばらくぼんやりと宙を見つめていた。服を身に着けるとふらふらと立ち上がり、その場を離れた。体が重い。一階に降り、みんなの輪を横切る時、好奇に満ちた目と冷やかしの言葉を投げられたが、もはや気にはならなかった。榎本先輩が追ってくる気配はない。森を抜け正門を出ると、いつもの通学路が現れた。タクシーをつかまえて自宅の住所を告げる。時計を見ると、十一時だった。

涙は出なかった。ただただ、窓の外を流れていく夜景に目をこらしていた。

何も学んで来なかった。そして、何も教えてもらえなかった。高柳先生も父も母も、こんな時どうすればいいかなんて教えてくれなかった。経験したことのない、引きつれるような痛みがずっと続いている。これが自分の初体験なのだろうか。処女を失ったのだろうか。よくわからない。今は一刻も早く一人になって、ベッドに横たわりたかった。深く眠りたい。目が覚めたら、すべてが夢のように感じられるはずだから。

家に着き、呼び鈴を鳴らす。玄関には強張《こわば》った顔の両親が並んでいた。

「彩子、どういうことだ。説明しなさい」

「何度も電話したのよ？」

怒っているというより、父も母も悲しんでいるように見えた。何を訊《き》かれても、さっきまでの自分の身に起きたことを言うわけにはいかないと思った。

「あなた、お酒を飲んでるの？」

母の声が震えている。彩子はこんな時なのに、ふと莫迦莫迦しくなってきた。当たり前じゃない、大学生なのよ。その大学を選ぶことにあなたたちも賛成したじゃない。こんなにも弱々しく年老いた男女に自分はこの年まで庇護《ひご》を求め続けてきたというのか。守ってもらえるわけがない。守りきれるわけがない。今日まで心の底から安心しきって生活してきた理由がわからなくなった。本当に恐いものも汚いものも知らなかった。これ以上ないほど彩子に優しかった世界は今日で終わった。

父がこちらの頬を強く叩《たた》いた。男と寝たのも男に殴られたのも、初めてだった。酔いと痛みでぼんやりした頭で、彩子はようやく認識する。

昨日までの自分には戻れないんだ。永久に。

先輩の書店員が腰痛《ようつう》を嘆くのも納得だった。シュリンクしたばかりの新人作家のサイン本を十冊抱えて立ち上がる時、思わずよいしょと声が出そうになり、ダイアナは顔を赤くした。先輩の山木《やまき》涼子《りょうこ》さんに注意を受けたばかりで、気はそぞろだった。

客に対してぶっきらぼう過ぎる、笑顔が足りない、と厳しく叱責《しっせき》された。さらに午後一番に届く新刊の振り分けを頼まれたのに、ダイアナが要領悪くもたもたしていたせいで、全員の予定を狂わせてしまった。午後には著者が来店するし、もともと人手が足りないのだから、皆の苛立ちが募るのはわかる。一つ叱《しか》られると、気を引き締める間もなく、すぐに次の失敗をしてしまい、自分がここまで無能とは思わなかった。田所さん含め社員はたった二名。残り十三名はすべてアルバイトだった。この店は二十代後半から三十代後半のフリーターが多く、ダイアナは最年少だった。ベテランで社員以上の知識のある山木さんが自分とほとんど同じ待遇であることが信じられない。

ダイアナが平台にサイン本を積んでいると、後ろで声がした。

「おう、遊びに来てやったぞ」

客の顔を見て、ダイアナはあっと小さく声を上げる。武田君だった。

「やめてよ、職場に来るの。お店いいの？」

「定休日。なんだよお。お前、エプロンなんかしちゃってさあ、クッソウケる！」

しっ、と迷惑そうに唇をすぼめるが、友情は有り難くもあった。かつてはわずらわしい幼馴染だった彼だが、高校卒業以来、商店街で顔を合わせれば口をきくし、ティアラを交えて三人で食事をすることもたまにある。でも、今はどうしても周囲の目が気になってしまう。ただでさえ馴染めていないのに、見るからに悪そうなだぼだぼの服に金髪の男が来たとあっては、どんな目で見られるかわからない。

「田所ってあいつかあ。ネームバッジみたぜ。ただのおやじじゃん。デブだし」

彼は何故か勝ち誇ったように、離れた場所でサイン色紙を飾っている田所さんを見据えている。武田君の声はかなり大きく、ダイアナは聞こえはしないかと気が気ではない。田所さんにだけは嫌われたくない。優しくて穏やかで、皆に好かれていて、なにより文学の知識と愛情に溢《あふ》れている。誰からも信頼されるというのは、思った以上にすごいことなのだと、最近知った。何より、彼と接するのは少しも怖くないのだ。絶対に嫌な言葉を吐いたり、裏切ったりしないだろう、という安心感が全身からかもし出されている。気付くと、彼の姿を目で追いかけていて、何気なくかけられた言葉を反芻《はんすう》している。こんな気持ちを誰かに抱くのは初めてだった。

「やめてよ。私の上司にそんな言い方」

「姐《ねえ》さんが、最近お前、田所さんの話しかしないって言ってたから、どんないい男かと思って、見に来たらこれだぜ」

「私、田所さんの話ばっかりしてなんかないっ」

自分でも真っ赤になるのがわかった。武田君はふん、と莫迦にしたように鼻を鳴らしている。山木さんの鋭い視線を感じてダイアナはすぐに声のトーンを落とした。彼女には怒られてばかりだ。ティアラは口は悪いがダイアナを叱ることはほとんどなく、ちょっとした注意がやけに胸にこたえる。ここでは「ドジな矢島さん」で定着しつつあった。

「何も買わないなら帰んなさいよ」

武田君はダイアナのそっけない態度につまらなそうな顔になった。ぶらぶらと所在なさげに店内をふらついて、バイク雑誌をようやく選び、レジへと向かって行く。ちょっと悪いことをしたのかな、と思いつつ、ダイアナは彼の後ろ姿を見送ると、ムック本のコーナーにそそくさと移動する。先週入荷した『秘密の森のダイアナ』ムックの追加注文分がどれくらい減っているのか気になっていた。数年前に一冊出たきりなのに、まだ売れ続けているのが嬉しい。棚の間から田所さんがひょいと顔を出す。心臓が大きく鳴り、思わず髪の乱れを直して表情を引き締めた。

「はっとりけいいち、好きなんですね？」

はい、と笑顔を作ろうとして、ダイアナは浮かない気持ちになった。ティアラのあの悪質な冗談を思い出したのだ。アルバイトを始めて二週間、夜型のティアラとはすれ違いの生活が続いているので、顔を合わせなくてもいいのが、せめてもの救いだ。

「矢島さん、今日は早番ですよね。よかったら、この後、一緒にお昼にいきませんか。うちは歓迎会をやる習慣がないので、代わりと言ってはなんですが……」

「え、あの、私とですか？」

「ええ、迷惑ですか？」

「そんなことないです！」

こんなことがあっていいのだろうか。ダイアナはとっさに髪を整え、目を見開きながら大きくうなずいた。

二人でバックヤードに入るとエプロンを外して、従業員用エレベーターで建物の外へと出た。五月の風が心地良い。田所さんが吸い込まれるように入ったのは線路沿いの薄暗い小さな店で、客は他にいなかった。男の人と二人きりで食事をするのは初めてだった。

「ここの定食、好きなんです。夜は居酒屋になるんですよ。うーん、僕は鮭《さけ》定食にします。矢島さんは？」

同じものを、とダイアナはメニューをろくに見もせずに告げた。注文をとりに来た店員が行ってしまうと、何か話さなければ、と焦《あせ》り、心に重くのしかかっていたことがつい口から飛び出した。

「昨日はすみませんでした。あの……。レジで一万円もあわなくて、皆の帰りを遅くしてしまって」

「いえ、僕も前はよくやりました。次から気をつければいいことです」

「ええと、あのう、高校の近くの隣々堂で見た田所店長のＰＯＰ、好きでした」

好き、だなんて他人に伝えたことはない。ダイアナは耳の付け根まで熱くなるのがわかった。好意をあらわすことがこんなに恥ずかしいなんて知らなかった。でも、何故か気持ちが突き抜けていく。もうここまで来たら恥も恥ではない。まるで子供に戻ったように、ひどく伸びやかな気分だった。

「いつかは私も……。文芸フロアで自分の棚を持って、あんなＰＯＰを書けるようになりたいです」

「そうですか。ＰＯＰだったらいつでも受け付けてますよ。いいのが書けたらもってきてください」

「え、いいんですか？　嬉しい……」

てっきり社員、もしくは山木さんクラスのベテランアルバイトでなければ資格はないと思い込んでいた。見事な薄紅色の鮭、ひじき、とろろ、お浸し、味噌汁《みそしる》にご飯というボリュームたっぷりの定食が運ばれてくる。和食派のダイアナには、こういう食事がいちばんありがたい。二人は同時に箸《はし》を割った。ぴんと立って甘い、とても美味《おい》しいお米だった。

「『秘密の森のダイアナ』を中心としたフェアをやってみるのも、面白いかもしれませんねえ。そうだ、僕がチョイスした少女小説にＰＯＰを書いてもらえませんか？」

「……是非やりたいです」

「矢島さんは『ダイアナ』のどういうところが好きなんですか。参考までに」

「ええっと、それはもちろん、名前が一緒なせいもあります。小学校の頃、あの本がきっかけで初めての友達が出来ました。彼女はいい子で読書好きでした。でも、つまらないことが原因で会わなくなってしまって……」

不思議だ。誰かの前でこんなにたくさんしゃべったことなどない。彩子の話を誰かにしたことなどない。田所さんの前では誰でもこんな風に心を開けるのだろうか。

「ダイアナのエピソードで一番好きなのは、ダイアナが魔女の呪いにかかってしまう話。ダイアナは何も信じることが出来なくなって、悲しい気持ちにとらわれちゃうんです。アンドリュー王子や森の仲間の言葉も耳に届かない。ダイアナは初めて完全に一人で問題に立ち向かわなければならなくなる。でも、魔女を倒しても呪いは解けない。だから、ダイアナは……」

そのあとの展開もすべて憶《おぼ》えている。田所店長の目を見て、彼も同じだとわかった。

「そうでしたね。彼女は自分の力で呪いを解くんでした。実に面白い方法で」

「その親友と二人で、お互いの呪いを解き合う遊びをしました」

鮭は脂《あぶら》がのっていて、塩気もほどよい。田所さんのたっぷりした体型は、こういう美味しくて上質なもので出来ているのかもしれない。ジャンクフードやお酒じゃなく。だから品のいい清潔な脂肪のつき方をしているのだ。時折額ににじむ汗さえ、さらさらと清潔に思える。

「それにしても……。はっとりけいいちさんってどんな人なんでしょうか。年齢も本名もプロフィールも一切、明かされていないですよね。ネットをあさったけど、写真さえ見つからなくて」

「ああ、そうですね。今でもあれだけ人気なのに。彼の情報を求めるスレッドがあるのを知ってますか？　なかなか面白い」

　まさか、かつて自分も頻繁に書き込んでいたとも言えず、ダイアナはうつむいて鮭をほぐすことに専念する。田所さんはポットを引き寄せ、ダイアナの分までお茶を注いでくれた。

「僕、実ははっとりけいいちに会ったことがあるんですよ」

「え、ほんとですか。すごい……」

「今から、二十年近く前でしょうか。まだ大学生だった頃です。バイト先の新宿の大型書店で、彼がサイン会を開いたんですよ。そうだ、その時、一緒に撮ってもらった写真があります。家を探せばあるはずです。今度見せましょう」

　その写真が〈ヘラクレス〉のロッカーで見つけたものと一致するならば、はっとりけいいちは本当にダイアナの父親ということになる。しかし、今はまだ知りたくないような気もした。

「今日、お昼に誘ったのは、矢島さんと話したかったからです。アルバイト、初めてなんですよね？　なら、失敗して当然、叱られて当然なんですよ。でも、矢島さん、ちょっと注意されただけで萎縮《いしゅく》してしまうでしょう？」

自分のいちばん脆《もろ》くやわらかで、みっともない部分に触れられている——。ダイアナはびくびくしながらも、田所店長の穏やかな口調に導かれるように、素直にうなずいた。

「萎縮しすぎるせいで、新たな失敗を呼んでしまう。僕にはそんな風に見えます。打たれ強くなれなんて言うつもりはないんだけど、誰も君を傷つけようなんて思ってないんだから、もっと堂々と落ち着いて振る舞って欲しいんです。高校生のあなたは……、店に一人で来ていたあなたは大人びていて超然としていたじゃないですか」

「いや、でも、あの、あんな騒ぎを起こしてしまって……」

「書店で万引きの濡れ衣を着せられたんだ。あれぐらい怒って当然だと思います。かっこよかったですよ、矢島さん。本当は勇敢な人なんですよね。もったいないなと思います。僕から見てると、矢島さん、失敗することや叱られることに怯《おび》えすぎている気がするんですよ。一体何が原因なんでしょうか」

ひやりとして彼の顔を見つめる。そこに皮肉っぽさはない。ダイアナは静かに箸を置く。この人なら何を言っても笑うことはないだろう。

「私がびくびくしているのは、名前のせいです。小さい頃から笑われてばっかりでした。この名前のせいで……。あ、自分の性分を名前のせいにするのが卑怯《ひきょう》だってことは、わかってます。でも、例えばもっとまともな名前だったら、ちゃんと他人と向き合えていたのかなって思います」

「……僕の下の名前、なんていうか知ってますよね？」

突然の質問に面食らう。田所さんは小さく咳払《せきばら》いをした。

「フリッツっていうんです。不思議の不に律するで不律」

「あ、はい、ええと……」

田所さんは至って真面目《まじめ》な表情だ。実はずっと気になっていたが、なかなか触れられなかったことだった。彼への興味がつきないのもひょっとするとその名前にあるのかもしれない。お茶を一口飲むと、彼は鮭の透き通った小骨に目を落とす。実に綺麗《きれい》な食べ終え方だった。

「僕の父は筋金入りの森鷗外《おうがい》ファンです。今も大学で日本文学を教えています。森鷗外に関する文献を何冊も執筆しているくらい。森鷗外の子供の名前を知ってますか？」

「長男は於菟《おと》で、あとは……、茉莉《まり》、杏奴《あんぬ》、不律《ふりつ》、類《るい》……でしたっけ？」

「そう。実際に我が家は五人姉弟《きょうだい》なんですよ。全員森家の子供と同じ名前です。性別は合致してませんがね。僕以外は全員女性です」

なんと言っていいかわからず、ダイアナはうつむく。お父さんには悪気がなく、心からいい名前だと思っているだろうが、それが余計に辛《つら》い。おまけに彼は大層知的な人物ではないか。ティアラよりはるかに質《たち》が悪いかもしれない。

「矢島さんの苦労や恥ずかしさはすごくよくわかります。からかわれる悔しさも親を恨む気持ちも。僕も同じです。十五歳になった日、名前を変えようと思って、家庭裁判所に書類を送った。でも、変えられなかった……。父を許せるようになるまで随分かかりました」

幼い日のフリッツ少年を思う。自己紹介の順番に怯え、同級生の平凡な名前に嫉妬《しっと》する日々。彼には悪いが、思いがけない場所で光が差してきた気がする。長い間一人で抱え込んできた痛みを分かち合える人と、今やっと出会えた――。彩子もティアラも武田君もダイアナに優しかったけれど、こんな風に深いところで理解はしてくれなかった。

「お互い大変でしたね。子供に変な名前をつける親って、何故か自分の本当の気持ちを伝えるのが下手な人が多いような気がします」

あのおしゃべりなティアラが、気持ちを伝えるのが下手？　一度も浮かんだことのない発想に戸惑う。不器用なのは常に自分の方であるとダイアナは信じ込んでいた。

「あの……。ありがとうございます。大事な話を打ち明けて下さって」

「ドキュンネームの先輩ですからね、僕は。ごちそうくらいいつでもしますよ」

田所さんはなにやら楽しそうに、ふんふんと鼻歌を歌っている。

「私、鷗外は『舞姫』と『ヰタ・セクスアリス』くらいしか読んだことないんですけど。娘の森茉莉は好きなんです」

「そうなんですか。それってすごく矢島さんぽい好みですよね。じゃあ、今度はマカロニでも食べましょうか」

ダイアナは噴き出してしまった。森茉莉の小説『枯葉の寝床』に登場する美青年は、なぜかパスタのことを「マカロニ」と呼んでいた。それが無性に美味しそうに感じられて、初めて読んだ時、じわりと唾《つば》が湧《わ》いたものだ。田所さんとマカロニ。なんだか世界一幸せな組み合わせに思えて、ダイアナの恥ずかしさは吹き飛ぶ。今まで味わったことのない柔らかく甘い気分が広がっていった。

噂《うわさ》通り、小田急片瀬江ノ島駅は竜宮城の形をしていた。江の島には家族で訪れたことが数回あるけれど、父の運転する車で行ったので、駅舎を見るのは初めてだった。改札を出るなり、潮風を感じる。それが合図のように、榎本先輩はごく自然にこちらに指を絡めてきた。咄嗟《とっさ》に身体が強張るが、なんでもないことであると言い聞かせ、彩子はすぐそばに広がるビーチに目を向けた。海を見るのは久しぶりだった。平日なので人は少なく、波は穏やかで気持ちの良い陽気だった。

「なー、今日このまま泊まっちゃわない？」

「うーん……、親がなんていうかなあ」

言葉を濁すと、榎本先輩が露骨につまらなそうな顔になった。潮風が吹くたびに、入念に整えられた髪を神経質に直す。Vネックのカットソーから伸びる首は太くがっしりとしていて、大人そのものだが、こういうところを見ると、まだ子供なんだと思う。

「ノリ悪いなあ、そういうところ。でも、まあ、そこが彩子の良さだけど」

彼の気分を害さなかったようでほっとする。海を見つめていると、ダイアリのことが思い出された。あの子のお母さんの実家が確かこの近くにあるはずなのだ。今頃どこで何をしているのだろう。お祖母《ばあ》さんには会えたのだろうか。あの武田君と付き合ったりしているのだろうか。

今日が先輩との五度目のデートだ。この信じがたい状況をひんやりと俯瞰《ふかん》で見ている自分がいる。きらめく青い海が徐々に近づいてきて、どこからかイカ焼きのにおいがした。平日の海は不安になるほど自由でのんびりしている。

あれ以来、彩子は決してシュガーの部室には近寄ろうとしなかった。泣き寝入りをする自分は許せなかったが、恐怖と嫌悪感《けんおかん》が先立っていた。キャンパスの並木道で向こうから榎本先輩がやってきた時は、足が震えて頭が真っ白になった。ところが彼は、まったく動じず、ごくさわやかに、

――彩子ちゃん！　顔見せないから心配したよ。どうしたの？

と言い放ったのだ。すべては慣れないアルコールが見せた幻だったのではないか――。彩子は半ば本気でそう思ったくらいだ。そうだったら、どれほどいいだろう。いや、そうであるべきだ。気付いたら、彩子はごく普通の調子で彼に微笑《ほほえ》みかけていた。以来、彼の誘いは断らない。シュガーの集まりにも定期的に顔を出している。最

初は吐き気を催すほど緊張したし、今でも時々手足が震える。

断じてあれはレイプではない。だって、レイプ犯がデートに誘うだろうか。被害者がレイプ犯と海を見に来るだろうか。それも、江の島なんかに。デートを重ねるごとに自分に言い聞かせつづけてきた。

榎本先輩の好みはこの二ヵ月の間にしっかりと把握している。昔から、相手の望むことを察するのは早いし、なにより彩子は勤勉だ。彼を夢中にさせて、大切にしてもらうことを第一に考えたら、おのずとやることは決まってくる。白やベージュなどの主張しない色味でとろりとした頼りない素材の服を身に付ければいい。お嬢様っぽさは残しつつも、ショートパンツやミニスカートで健康的に露出するのもポイントだ。先輩は綺麗な足のモデルやタレントが大好きなのだ。髪の色を明るくし、メイクを覚えた頃から、先輩の自分を見る目は確実に変わったと思う。女の出入りが絶えない不実なところもある男だが、根は付属の男子校上がりのコンサバなおぼっちゃんだ。両親がこのところの彩子の服の趣味をまったくいいとは思っていないのは知っているが、そんなことは取るに足らないことだ。あの人たちに、今の彩子を守る力はない。

「ここまでしたら、もうバレてると思うけど……」

砂浜にたどり着くと、榎本先輩は彩子の前髪をそっとかき上げ、身体を屈《かが》めて目を覗き込んだ。いよいよだ、と彩子は祈るように願う。頼む、そうであって欲しい。

「順番おかしいけど、付き合ってくれる？」

はらはらと涙がこぼれた。よかった――。これであの夜のことは、事件ではなくなる。レイプではなくなる。合意になる。記憶は上書きされる。榎本先輩は彩子が好きなのだ。自分だって本当は榎本先輩が好きなのかもしれない。全身から力が抜けていくような安堵感《あんどかん》、すがるような気持ち、これが恋なのだ。世界中の人間が認めないとしても、彩子はそうだと信じることにした。彩子の涙を先輩はまったく違うものとして受け取ったようだ。愛《いと》おしそうに指で涙をすくいとる。

「あの時はさ、ごめんね。無理強いしちゃったみたいで」

ふいに息が苦しくなって、彩子はそっと胸を押さえる。この男に悪気はまったく存在しないのだ。そんな軽い言葉で、あの事件は片付けられるのだろうか。謝る気があるなら、もっと謝れ――。砂に膝《ひざ》をついて、頭をすりつけて――。喉《のど》に熱いものがこみ上げ、彩子は手を強く握りしめる。膝が震えているのがわかった。同時に奇妙な達成感がこみ上げてくる。自分は思うとおりに事を進めているのだ。この男を自分の元に縛れば、あの事件はなかったことになる。自分は被害者ではなく「彼女」になるのだ。サンダルを脱ぐと、冷たい海水に足を浸す。こちらが無言なのを、先輩はいいように解釈したようだ。

「彩子ってけっこう俺の理想そのものだからさ」

「私が理想……ですか？」

そんなこと、とっくに知っている。彼の理想の女を造ってきたのだから。きょとんとした表情を浮かべ、唇を少し突き出す格好にした。

「遊んでるように見えるかもしれないけど俺、一途《いちず》な子、好きなんだよね」

彩子は小首を傾《かし》げ、くすくすと笑う。なだらかに持ち上がるピンク色の唇に彼の視線が吸い寄せられるのを意識する。遊んでるって何？　たかがおぼっちゃんの大学生が同級生や後輩を力尽くで組み敷いてるだけじゃない。だいたい、あんたが私の何を知っているっていうの——？　彩子の内側に広がっているのは、肉が焦げるような怒りだった。どこまで自分を踏みにじれば気が済むというのか。あの夜から彩子の心は真っ二つになったままだった。しかし、潮風が吹き付け丁寧に巻いた髪が揺れると、波が引くように片方の心はふわふわと姿を消してしまう。彩子は昨夜の母との口論を思い出すまいとする。

——お父さんもお母さんも過保護すぎる。サークルの中で、門限があるのなんて私だけなんだよ。

――パパも心配してるわ。最近、おかしいわよ。どうしちゃったの。私たちはあなたを遊ばせるために大学へやったんじゃないのに。

結局のところ、父も母も、彩子が自分たちの庇護下から出て行くのが腹立たしいだけなのだと思う。最近は常に門限を過ぎてから帰宅する彩子に、もはやあきらめつつあるようだ。今は家族よりも授業よりも先輩と一緒にいる方が大事だ。彼に可愛いと思ってもらえる方が大事だ。父も母も十八年間、彩子を守り続けてくれた。汚いものや醜いものを頑《かたく》なまでに見せなかった。身体にいいものだけを食べさせ、最高の環境と教育を与えてくれた。でも、その結果、彩子は人を疑う術《すべ》を身に付けることができなかった。酒の席でさりげなく人をあしらう方法を学ぶことができなかった。怒りを露《あら》わにして、真っ向から敵と闘う力を持つことができなかった。

両親のせいにするのは筋違いだということくらい、本当はわかっている。でも、そうでもしないと今、彩子は彼に微笑みかけることが出来そうにない。波が再び寄せてきて、彩子は派手な笑い声をたてる。榎本先輩がすかさず携帯をかまえ、一人の姿を写した。端末の中の幸せそうなカップルを、彩子は待ち受けにすることにした。目に見えるものがすべて。この仲良さげな男女は真実だ。

「決めた。私、やっぱり泊まる」

有無を言わさぬ強さで彩子は言い放ち、上目遣いで男を見上げた。今年は楽しい夏にしてみせる。なんとしてでも。

ダイアナはベッドから跳ね起きると、大慌《おおあわ》てで洗面所へと向かった。ついうっかり寝過ごしてしまったのだ。リビングの机の上できらきらと何かが光っているのを見て、嫌な予感がした。明け方近くまでかかって作った四枚のＰＯＰが、ラインストーンやスワロフスキー、蛍光ペンでけばけばしく装飾されていることに気づくのに時間はかからなかった。泣きそうになって、もう、と大声をあげる。これではティアラのネイルアートではないか。

「信じられない。なんでこんな勝手なことしちゃうのよ」

「あれ、まずかった？　けっこう頑張ったのに」

と、ティアラはけろりとして洗いたての髪にタオルを巻き付け、冷凍食品のハッシュドポテトをかじっている。これが彼女の朝食なのだ。

「当たり前じゃない。あー、せっかくのＰＯＰをギャルみたいにデコって……。田所さんがせっかくバイトの私なんかに任せてくれたのに」

『秘密の森のダイアナ』『アリーテ姫の冒険』『リンバロストの乙女』『長い冬』……。「働く大人も楽しめる少女小説フェア」の担当は田所さんだ。さすがのチョイスに嬉しくなり、はりきってコピーやレイアウトを考えたのに、これではすべてが水の泡ではないか。

「ふうん、田所さんがねえ」

ティアラがにやにやしているのを見て、ダイアナは唇を引き締める。また武田君になんと吹聴《ふいちょう》されるか、わかったものではない。

「目立った方がいいかなあと思ったんだよ。だってさあ、女の子の小説フェアなんでしょ。本が売れなくて大変なんでしょ。だったらさあ、もう今あるやり方じゃダメなんじゃね？　うちの店もさー、コスプレナイトとか、色々工夫してるよ？」

神聖なる書店とキャバクラを一緒にするな、と一喝してやりたいが、もはや口論する気力はなかった。だめだ、作り直している時間さえない。仕方なく身支度を調え、髪を一つにまとめる。コーンフレークをそのままつまんでかりかりと嚙《かじ》る。化粧をしないので、五分とかからない。鞄《かばん》をつかみ、玄関に向かう途中で気になってティアラを振り返る。

「ねえ、あのさ、この間の話だけど、もし仮に、ティアラとはっとりけいいちさんが……」

「だから、そうだっていってんじゃん。信じろよお」

「ティアラは彼のどこに惹《ひ》かれたの？」

「ええーと、照れるなあ。ぶっちゃけるけど、彼にぎゅっと抱きしめられた時、ああ、旅が終わったなあと思ったの」

なにそれ、とダイアナは顔をしかめる。またどうせ、お気に入りの西野カナだの浜崎あゆみだのの歌詞の引用だろう。こういう陳腐な表現は最近のティアラの大好物で、本気で泣いたりする。かつて文学少女だったなんて信じられない言語センスだ。恋愛ごときで自分の夢や目標を達成した気になるなんて、依存的だし下らない。

ところが、出勤したダイアナがしぶしぶ差し出したPOPを見るなり、田所さんが発した言葉は予想に反していた。

「うん。すごくいいよ。目を引くし、世界観が伝わってきますねえ。僕にはない発想だったなあ。へえ、これはビーズなんですか？」

「そうですか？　けばけばしくて、このお店の雰囲気を損なうんじゃないかと」

「これを撮影して、知り合いの編集者に見せてもいいですか？　その人が担当する雑誌にね、書店員のＰＯＰを取り上げるコーナーがあるんですよ。きっと気に入るんじゃないかな」

ひとまず受け入れられた様子にダイアナは胸をなで下ろす。朝一番のバックヤードは田所さんとダイアナの二人きりで、なんだか彼の家に遊びに来ているような錯覚を覚えた。

「あ、そうだ。矢島さんに見せようと思っていたんです。はい、これ」

田所さんは一枚の色あせた写真を差し出した。書店の片隅で、おそらく若き日の田所さんがひょろりとした同年代の男と一緒に写っている。今よりほんの少しだけ痩《や》せているものの、眼鏡と優しい顔立ちは変わっていない。

「この人がはっとりけいいちさんです。ハンサムでしょ。ははは。僕がよけいに太ってみえますね。まあ、僕の体型は昔からで……。僕の二歳上だったかな。あれ、どうかしました？」

ちゃんとわかるように説明しないと変な女だと思われてしまう。ダイアナは細かく震えていた。はっとりけいいちはあの日、〈ヘラクレス〉で盗み見た写真の男性と同一人物だった。すべてが一つの線でつながり、ダイアナは嬉しいのか悲しいのか、もはやさっぱりわからない。ただただ、写真に釘付《くぎづ》けになった。やっとのことで言葉を発する。

「お父さん……。私、お父さんの顔を知らないんです。でも、ただ、ただ、一回でいいから、田所さんがお客さんにするみたいに、本を選んで欲しかったな」

田所さんが戸惑いながらもティッシュケースを差し出したのを見て、涙と鼻水がとめどなく流れ出ていることにようやく気づいた。慌ててティッシュを引き抜き、顔を押さえる。支えが欲しくて、田所さんの腕についしがみついてしまった。いつの間にか彼の腕の中にいた。抱きしめられている。肉親以外の人間に、しかも異性に。温かくて、やわらかくて、このまま深い眠りに落ちてしまいそうだ。

「僕は君のパパみたいなもんです」

田所さんはちょっと照れて笑っているみたいだった。とんとんと掌《てのひら》で背中を叩かれる。誰かといて、こんなに安心するのは生まれて初めてだった。もっともっとこの気持ちを味わいたい、当たり前のものにしてしまいたい。ダイアナは突然芽生えた貪欲《どんよく》な感情に戸惑う。ずっと予感していたのだ。楽に呼吸できる場所が、実は世界中にたくさんあるかもしれないと。この柔らかくて広い身体がダイアナの探していたそんな場所だった。

恥ずかしいけれど、認めたくないけれど、陳腐極まりないけれど、確かに今、旅が終わったという感覚がしっくりと胸に馴染む。田所さんのエプロンは本の匂《にお》いが染《し》みこんでいた。

呪《のろ》いをとく魔法の呪文《じゅもん》——。

ぱらぱらめくっていた女性誌からその言葉は飛び出してきた。彩子は記事に釘付けになってしまう。大学の購買部の雑誌コーナーで立ち読みをして、飲み会までの時間を潰《つぶ》しているところだった。シュガーの活動のほとんどが飲み会だった。目を離しているうちに亮太が誰かに手を出さないとも限らないから、出来るだけ参加を心がけている。

「書店員さんイチオシの一冊～今月のPOP名人～」

どうやら、書店で目を引くPOPを紹介し、書いた本人も登場するという連載らしい。取り上げられているのはあの『秘密の森のダイアナ』だった。POPは彩《いろど》り豊かなラインストーンやスワロフスキーに彩られ、まるで宝飾品のようだった。そこに踊る文字までラメペンで書かれている。

「百年の呪いをとく魔法の呪文、
女の子なら誰でも知っている。
今こそ読みたい自立と希望の物語。
児童書だからって手に取らないのはもったいない！
ガールズビーアンビシャス☆
読めばあなたもダイアナに夢中」

記事の横に添えられた顔写真は間違いなく、小学校時代の友人、矢島ダイアナその人だった。数年ぶりに見るダイアナはやはり美しかった。はしばみ色の瞳もとがった顎《あご》も、あの頃と変わらない。鼻筋はすっと通り、眉《まゆ》は涼やかな形に整い、ぐっと女らしくなっている。彼女の顔に浮かんでいるはにかんだ笑みは、これまであまり目にしたことのない類《たぐ》いのものだった。少なくとも、自分以外の人間の前で、彼女がこんな表情を浮かべたことなどなかったはずだ。心を開いて、人と接することができるようになったのだろう。誰かといい恋をしているのかもしれない。間違いなく、ダイアナは自分の力ひとつで正しい道を一歩一歩進んでいる。かつての自分ならどれほど誇らしく思っただろう。自分のことのように喜んだだろう。

でも、今は――。彩子は小さく唇を噛《か》むと雑誌を閉じ、本棚に戻した。おかしな名前のせいでいじめられ、行きたい学校にも進むことが出来なかった可哀想《かわいそう》なダイアナ。でも彼女は、自らに覆《おお》い被《かぶ》さる運命をはね飛ばしたのだ。その強さはとうとう彩子が身に付けることができなかったものだった。彼女が自分の環境を羨《うらや》ましく思っていたことは知っている。彩子は充分過ぎるほど恵まれていたのだ。では一体、自分はどこで努力を怠ったのだろう。何を間違ったのだろう。そもそも彩子がしがみついているこの大学というシステムは、人を守るわけでも、育てるわけでもない。もちろん実のある授業は多いけれど、何を選び、どこまで深めるかはあくまでも個人の裁量に任されている。迷える人間にとって、ここはただの巨大な箱でしかない。彩子が今、ここを去ったら悲しむ人が一人でもいるだろうか。どうしてここに通っているのだろう。親に心配をかけ、金を使わせ、心を殺してまで……。どこにも向かわない問いは、彩子の胸の中でくすぶり、出口を求めて発酵している。

結局、自分はたいした人間ではないのだ。彩子はいつものようにそう結論付ける。何かになれると信じていたのは思い上がりだったのだ。根っからの遊び好きで恋愛体質で、彼氏がいれば他に何も要らない。周囲が気付かなかっただけで、よくいる軽薄な女だったのだ。共学の大学を目指したのだって、結局のところ異性と触れ合いたかったからだ。「セシル」だってただの遊び好きなブルジョワジーではないか。高校までの自分が偽りの姿だったのだ。山の上女学園を辞めた、かつての同級生みかげちゃんは、きっと己のそうした性分に早く気付いたのだろう。あの子も彩子もそう変わらない。そう考えると、ほっとする。そうであってくれればいいと涙が滲《にじ》むくらい切実に願う。

「え、もしかして彩子？」

購買部の前で声をかけられ、彩子は振り向く。紗耶香だった。最近ほとんど会っていない。

「え、全然わからなかった。印象変わったねえ。今もシュガーにいるの？」

紗耶香はまじまじと彩子を上から下まで眺め回した。肩のところでふわふわと揺れる明るい茶色の髪は亮太が好きだと言っていた芸能人を真似《まね》た。白いコートの衿《えり》はファーがあしらわれている。ぴったりしたミニスカートにロングブーツ。いずれも女性誌を一緒に見ていて、亮太がいいと言ったものをそっくり購入した。

「いや〜。彩子がまさかあんなにシュガーになじむなんて思わなかった。だってさ、ヤリサーで有名じゃない」

「ヤリサー……。なにその噂」

「お酒弱い子に無理に一気させてヤっちゃうって評判だよ。教務課が調査に乗り出しているみたい」

「ふーん。ていうか、そんなこと言うならほとんどのイベサーがやばいんじゃないの？　だいたいすぐつぶれるような子がイッキしちゃうなんて、それ自己責任じゃん。誰に何されても文句言えないよ」

　よどみなく切り返してみせると、紗耶香がたじろいだのがわかった。彩子ははすっぱに髪を払ってみせるが、先ほどからこめかみがどくどくと波打っている。この子はもしかして、何もかも見透かしているのではないだろうか。こうやってかまをかけて、彩子の反応を楽しんでいるのではないだろうか。彩子は精一杯さりげない風を装《よそお》って、話題を変えてみる。

「紗耶香、今、サークルどこか入ってるの？」

「えー。飲み会は参加するけど、所属は決めてないかな。大学生の集まりってさあ、内輪ノリで子供っぽくてなんか苦手」

　負け犬はあんたじゃない——。彩子は軽く顎をしゃくってみせる。紗耶香の悪い噂なら聞いている。色んなサークルに出入りし、男たちに媚《こ》びを売り、部費も払わずに美味しいところだけつまみ食いしていく。紗耶香のような女の子は最初はもてはやされても、サークルという小さな文化圏では受け入れられにくい。遊んでいる男ほど、身内と認めた女には気遣いと貞淑さを求める。彩子は薄い笑みを浮かべながら、紗耶香の後ろ姿を見送る。先ほどの発言を一刻も早く忘れてしまおうと思った。携帯電話を取り出し、夏から変えていない待ち受けをむさぼるように見つめる。そこに写るのは幸せそうなカップル——。大丈夫、亮太と自分はカップルに見えるから、カップルなのだ。呼吸が楽になった。亮太だって、かつては遊んでいたかもしれない。酔わせた女の子に無理矢理覆い被さったのも自分が最初ではないかもしれない。そう考えると吐き気がこみ上げてくるが、見えないのはないことと同じだ。時間をかけて彼を真人間に作り替えれば、すべては帳消しだ。今は彩子だけを見てくれる。二人でゆっくりしたいなあ、と告げたら、サークルの仲間と距離を置くようにさえなってくれた。ひとえに彩子の努力のたまものだ。

この週末は木村さんカップルと四人でスノーボードをしに行く約束をしている。シュガーのOGの紹介で入ったイベントのアルバイトのおかげで懐《ふところ》は十分に潤《うるお》っていた。今の自分にはレポートに打ち込んだりする時間も本を読む時間も、まして一人でじっくり考えにふける時間もない。でも、それでいいのだと思う。

彩子は講堂から伸びる並木道を見上げる。少し前までは黄金色だったイチョウの葉がすっかり落ちて、細い枝が寂しく揺れていた。

数ヵ月のうちに正門を桜が彩る。新しい女の子達が大量に入ってくる。大学生活に希望を抱いて。垢《あか》抜けない重たい髪に気張った私服姿で。家族や母校の期待を一身に背負って。長い受験勉強から解放された彼女たちは、いっせいに花開こうと胸をふくらませている。うかつで危うくて愛らしくて。その姿に、白分はきっと傷つけられるのだろう。でも、あの頃に戻りたいなんて、彩子は絶対に思わない。思ってはいけないのだ。亮太と自分の間には形はどうあれ、絆《きずな》が生まれつつある。良いとか悪いではない。正しいとか正しくないではない。亮太に愛されることと亮太を愛することが、今の彩子のすべてだ。昨夜部室で耳にしてしまった、木村さんが亮太にかけた言葉を思い出す。

「もうすぐまた一年入ってくるな。お前また速攻手ぇ出すんだろー。毎年の俺らの恒例行事だもんな」

そうはさせない。彼を手離さないだけではなく、自分のような目に下級生を遭わせてはならない。もし、この関係が途絶えたら、魔法が解けてしまう。あの夜はたちまち悪夢に成りはてる。だから、彩子は唇を噛みしめ、この一線をなんとしてでも、死守しなければならないのだ。

ダイアナが呪いを解いたやり方。今でもはっきり覚えている。しかし、彩子は今とてもそれが出来そうにない。勇気を振り絞って、かえって傷口を広げるくらいなら、このまま呪いと一体化して、たゆたっていたかった。呪いは今の彩子にとって唯一《ゆいいつ》寄り添ってくれる親友だった。

大学最初の一年間が、もうすぐ終わろうとしている。

第6章
呪いを解く方法

日が高く昇り、並木道の青葉が照らされて香ばしい匂《にお》いを放つ。まだ五月なのに、真夏を思わせるような日向《ひなた》くささだ。リクルートスーツの中でじっとりと身体《からだ》が汗ばんでいく。四年生ともなると単位は大方取り終わっているし、卒論を選択するほどの気概は早い段階で消えていた。神崎彩子が壮生大学のキャンパスを訪れるのは二週間ぶりだった。新設された巨大な図書館の赤煉瓦《れんが》は日差しを反射して、ぎらぎら光っていた。並木道の両側に広がる芝生のあちこちで学生達がかたまって話し込んでいる。なんて豊かなんだろう。他人事《ひとごと》のように目の前に広がる光景に見とれてしまう。こんなにも守られ、望めばどんな知識だって吸収できる場所は今の日本にそうそうない。心がけ次第でもっと充実した学生生活を送ることが出来たのではないだろうか。いやいや、自分ほどこの三年間を貪欲《どんよく》に遊び尽くした人間もいない。春は花見、冬はスノーボード、週の半分はサークルの紹介で入ったイベントスタッフ

のアルバイト。その収入はすべて旅行と飲み会とデート代に消えた。傍らには常に恋人がいた。おかげで就職活動に遅れをとったほどだ。

「彩子さあん」

ぽわんと甘ったれた声の方を向くと、「シュガー」の後輩女子達がひらひらと手を振っている。彼女達に取り巻かれるようにして、亮太やサークル長の木村さん、古参の男子メンバー達の姿もあった。亮太はあどけない印象の女の子の二の腕をつねってからかっているが、彩子はそんなことではもう傷つかない。小さな浮気に目くじらを立てていては身が持たないし、感情をむき出しにした行為はここではみっともないとされている。

「あーや、どうしたんだよ。もう就活終わったんじゃねえのお？」

亮太は昨晩、ラブホテルのベッドで彩子を抱き寄せた時とまったく同じ口調で問う。一年留年したものの、大手保険会社の役員である父のコネでテレビ局の内定を得ている彼は、まるで貴族のように優雅な雰囲気を纏《まと》っている。

「うん。今日は内定者懇親会だから。一応スーツ」

「ふーん。ね、この子、可愛《かわい》くね？　文学部一年の三阪有紀《みさかゆき》ちゃん。昔の彩子にちょっと似てるっつうか……。新潟の有名なお嬢様学校に通ってたんだって」

そう言って、亮太は誇らしげに女の子の肩をすいと抱き寄せる。彼女が全身を強張《こわば》らせるのがわかった。ほんの一瞬、かすかな嫌悪《けんお》で顔が歪《ゆが》むのを彩子は見逃さない。場の空気を壊すのが嫌で、NOが言えないのだ。この広い大学という場所に一人で放り出されるのが怖くて、権力を持つ男にどうしても媚《こ》びてしまうのだ。ほんの二ヵ月前までは、家族とクラスメイトの信頼と期待を一身に背負った優等生だったのに……。もうとっくに封印していたと思っていた三年前の記憶が蘇《よみがえ》りそうになり、慌《あわ》てて二人から目を逸《そ》らす。

「新歓で目立っててさ。磨けば光る逸材だよ。彩子が卒業したら、次のシュガールの一人になるんじゃないかって期待しているんだよね。新潟から一人で出てきて、こっちに知り合いもいないみたいだから、俺らが家族になってあげないとね」

亮太はわざとらしく少し声を大きくし、有紀の頭をポンと叩《たた》く。目に見えないさざ波が周囲の後輩に広がっていくのがわかる。シュガーで権力をもつ男達はお気に入りの後輩女子をこれ見よがしに特別扱いし、知らず知らずのうちに女達を競わせるのが上手《うま》い。三百人近くを擁すシュガーの特権階級、通称「シュガール」として君臨してきた彩子だが、心を開いて話せる女友達はついに出来なかった。男達が作り上げた見えない壁や序列は確かに彩子達を華やかに磨き上げたが、決して親密にはしてくれない。有紀は大きな瞳《ひとみ》を見開き、やけに早口でまくしたてた。

「彩子さんってすごく綺麗《きれい》……。亮太さんが自慢するのわかります！　三年も付き合ってるなんてすごいなあ。憧《あこが》れちゃいます」

まるで台本に書いてあるみたい――。自分もこうだった。誰にも嫌われたくなくて用意した完璧《かんぺき》な言葉をひたむきに口にしていた。突然の私服通学に戸惑い、母親が買い与えた堅い素材のチェックのプリーツスカートに、まったく似合わない、でも自分では流行を取り入れたつもりのひらひらしたブラウスをこんな風に合わせていたっけ。

「ごめん。私、内定先を登録するために学生課にいかないといけないの。またあとでね」

亮太と有紀に背を向け、磨き上げたパンプスで小道の砂利を蹴《け》散らし、一目散に旧校舎を目指した。これだから新歓シーズンは苦手だ。遊び慣れていない、周囲に付いていくのに必死な後輩を見ていると、胸がざらついた。あと一年もすればあの連中と縁が切れると思うと、ほっとする。ちゃらちゃらした付き合いを卒業し、まっとうな会社員となり、亮太と落ち着いて関係を育《はぐく》んでいけばいいだけなのだ。彼との関係は彩子にとって水や空気のような当たり前のものになっている。他の男と一から関係を築くことを考えただけで、おっくうなのと怖いのとで気が遠くなりそうだ。この三年間で確かに得たものと言えば亮太だけだった。将来のことなど何一つ約束していないが、このまま一緒に生きていくしかないという諦《あきら》めのようなものはあった。

学生課に足を運んだことはこの三年間で一、二回しかない。銀行のようなカウンターに首からIDカードを下げた職員達がずらりと並び、学生の対応をしている。それぞれの頭上に「単位・履修」「生活相談」「学費」「就職」などのカードが掲げられていた。「就職」のブースで女性職員に内定を得たことを告げると、記入書類を差し出された。ペンやスティックのり、朱肉が並んだカウンターに立ち、企業名を記入する。四月になっても一向に就職先が決まらないことに焦《あせ》りを感じ、彩子はとうとう木村さんに泣きついた。彼は学生という立場ながら実際は三十歳近く、あらゆる業界に人脈を持っている。大手カード会社の子会社の人事部に勤めるOBを紹介してもらい、ようやく手にした内定だ。高給かつ福利厚生が優れていて、決して悪い条件ではない。多くは望むまい、と彩子は無理にでも納得することにしている。編集者になるのは高校生からの夢だったが、どんなに頑張っても二次面接より先に進めなかったのだから仕方ない。

大手出版社で定年まで編集長を務めた父が、なんの手助けもしてくれないことに憤《いきどお》り、彩子は先月ついに食って掛かった。

――パパ、どうして？　どうして協力してくれないの。周りの子は、親のコネで内定とる子もたくさんいるんだよ。

加齢とともに痩《や》せて角張った顔をいっそう厳《いか》めしくして、父は諭すようにしてこう答えた。

――出版界の未来は明るくない。それでも、編集者を目指す学生は、難関を勝ち進むために早い段階から準備をし、勉強し、必死な気持ちで試験に臨んでいる。だから不況の今も狭き門なんだ。厳しいようだけど、これは彩子のためでもあるんだよ。コネを利用して内定を得たとして、苦しい思いをするのはきっと彩子だ。考えてごらん？　こんな時代に実力で内定を得るような同期と、これから一緒に働いていくのはとても辛《つら》いことだと思うよ。

白い前髪の向こうの目は悲しげといってもいい。これでは彩子が何も考えていない、ちゃらんぽらんの気楽な女子学生みたいではないか。彩子は唇を噛み、涙のたまった目で父を睨《にら》み付けた。反論出来ないことが何より口惜《くや》しかった。シュガーで過ごした日々を、楽しそうにみせるのにどれほど心を砕いたか。歯を食いしばって闘っていたことに、父も母も少しも気付いてくれない。表面しか見てくれない。かつては自慢の優等生だったのに、大学に入ってからすっかり派手になった娘に白々とした視線しか向けない。頬をぶたれたあの夜以来、見えない溝が二人の間に横たわっている。

「すいません。対応してくれるまで、俺、ここを動かないんで！」

聞き覚えのある野太く低い声に、彩子はペンを持つ手を止める。周囲の学生達がしんと静まった。おそるおそる顔を上げると「生活相談」のブースで身体の大きな男がスカジャンの背中を見せていた。金色の髪とのぼり龍《りゅう》が窓から差し込む陽光を受けて、炎のように猛《たけ》っている。

「大学生活についてなんでも相談していい、ってホームページに書いてありますよね。あのポスターは嘘《うそ》ってことなんすか？」

男はそう言うと、壁に張られたポスターに太い指を突きつけた。不意打ちをくらった形で、そこに書かれた言葉に彩子は釘付《くぎづ》けになる。出来るだけ目に入れないよう努めてきたのに。

《もしかしてセクシャル・ハラスメント？　飲み会でのお酒の強要、性的ないやがらせ。少しでも変だなと思ったら、一人で抱え込まずいつでも相談に来てください。学内の職員から選ばれたセクハラ防止委員が調査します。相談者のプライバシーは厳守します。希望次第で無料カウンセリング・女性スタッフが対応……》

新歓でシュガーに入部してからというもの、外の世界から頑《かたく》なに目を逸らし続けてきた。もし、一年生の時に勇気を出してここに相談しにきていたら、今、こんな気持ちでここに立っていただろうか。

「でも、それはうちの学生という意味で……。あなたは、学生証を持っていないんですよね？」

女性職員の声が明らかにおびえ切っている。男はうんざりしたように首を傾《かし》げ、振り返った。小学生の頃からまるで変わらない、まっすぐな強い光がこちらを射貫いた。

「あれ、神崎？　神崎彩子じゃんか」

近所ですれ違う時は特に意識しないが、いま武田君の放っている色は、早くから働き、世間を知る人間特有のどっしりと濃いものだった。周囲の男子学生がひ弱な子供に思えてくる。

「そっか、お前の大学ってソーセーだったもんな。さっすが」

なんの気なしに放たれたその単語は、彼の働く肉屋で売られている安いお惣菜《そうざい》みたいで、彩子はかちんとくるのを止められない。

「あのさあ、ここの連中、ぜんぜん相手にしてくれねえんだ。力貸してくれないかな。お前、シュガーってサークル知ってる？」

「うちのサークルだけど……」

「マジで？　お嬢のお前が？　あんな派手なとこに？　嘘だろ。ありえねえ」

武田君は目をうんと細め、露骨に眉間《みけん》に皺《しわ》を寄せた。

「他大学ふくめて三百人くらい在籍しているはずだから、全員は把握してないけどね」

「ふうん、ならお前とは関係ない連中なのかもな。実は、俺の高校んときのダチの妹がトラブルに巻き込まれたんだ。高校でたばっかで短大一年生。先週、シュガーを名乗る連中と渋谷のカラオケで合コンしたらしいんだ」

思いがけない接点に彩子は動揺する。中学生の頃から不良とつるんでいた武田君は、こちらには想像もつかないほど顔が広いのだ。

「そしたら、イッキを強要されて、つぶされて……。身体が動かないところを無理矢理押さえつけられたんだって。ヤラれる寸前になんとか逃げることはできたらしいんだけど、ひでえよな」

彼の声だけがやけに頭に大きく響く。ずっと封じ込めてきた記憶が、どっと溢《あふ》れ出した。足の間のねばつき、亮太の重み、ソファのきしみ、身体がめりめりと裂ける自分にしか聞こえない音。彩子はかろうじて自分を落ち着かせる。そんなの、シュガーでは日常茶飯事だ。新入生の洗礼みたいなものだ。それで去って行く女の子もいるけれど、多くはサークルに留まっている。彩子のように強引に身体を奪われた相手と付き合い続けている女の子だって、他にも存在する。深く考えたくない。精一杯胸を張り、顎《あご》を軽くしゃくってみせた。

「それがそんなに大きな事件？　合コンに参加したのは強制じゃないし、お酒飲んだのもその子の意志でしょ？　男が欲しくて出かけていったくせに……。ちょっと思い通りにいかないと大騒ぎするなんて莫迦《ばか》みたい。女の子の方にも問題あるんじゃないの？」

「なんか神崎、変わったな？　ガキの頃は矢島ダイアナがからかわれるたびに、食ってかかってたじゃん。お前の正義感の強いところ、嫌いじゃなかったのに」

武田君の失望しきった視線。そして、今もっとも聞きたくないかつての親友の名に、全身が錆《さ》びてはぼろぼろとはがれ落ちていくような深い敗北感を味わった。

「学生の悪ノリに見せかけて加害者と被害者の関係を曖昧《あいまい》にするとか、最悪じゃんか。自分を被害者だと思いたくないあまり、そのサークルに居続けて楽しそうに振る舞う子だって絶対に居ると思うんだよ。友達の妹じゃなくても……その子たちの気持ちを考えただけで腹がキリキリするよ。関係者を徹底的にシメて何があったか吐かせる。場合によっちゃ警察だって介入させる。それが筋じゃん。あ、ガキだけでなんとかしようなんて思ってねえから」

よく通る武田君の声に、後ろの職員達が見る見る内に青ざめていくのがわかった。耳を塞《ふさ》ぎたい。これ以上ここに居たくない。彼の声を聞いていたくない――。

「ばっかじゃないの。ここをどこだと思ってるの。大学なんだよ。壮生大学だよ。日本中だれもが知っている有名私大なんだよ。そんなこと、起きてるわけないじゃない。これだから嫌なのよ、あんたやダイアナみたいな高卒って……。ヤンキーって！」

一息にまくしたてると、呆気《あっけ》にとられている武田君に背を向け、学生課を後にする。考えてはいけない。今聞いたことは全部、忘れてしまわねばならない。あの芝生の輪に戻ろう。亮太のそばにいれば、仲間達とはしゃげば、たった今見聞きしたことなんて、すぐに忘れてしまえる。なかったことに出来る。

パーティーで強制的に一気飲みさせられる安いシャンパンの泡みたいに、すぐに消えてしまえ。

違和感からすべすべした広い額に手をやると、ぽとりとラインストーンが落ちた。

これではまるでインド女性のビンディ……。朝日に輝くフェイクの光に目を懲《こ》らすと、ようやく焦点が定まっていく。どうやら昨夜もPOPを作るうちに、テーブルに突っ伏して寝てしまったらしい。ハサミにカッター、マジック、色鉛筆。そして矢島ダイアナのPOPになくてはならないアイテム、キラキラのビーズとシール、レースやリボンの切れ端が到るところに散らばっていた。

窓のすぐ下を目黒線が通過し、せき立てるようにごとごとと部屋全体を震わせた。ダイアナは携帯電話を引き寄せ、時間を確認する。まずい、あと十分以内に出ないと遅刻――。熱いシャワーを浴び、すばやく身支度を調えると、台所のステンレス台に袋を開けたまま転がしてあった麩《ふ》菓子を口に突っ込み、玄関から飛び出した。マンションの脇《わき》に止めてある赤い自転車に飛び乗り、ペダルを強く踏みしめる。口中の唾液《だえき》が麩菓子に奪われ、危うくむせかけた。

書店で働き始めてもう三年、今年から契約社員に昇格した。接客は今でもあまり得意ではないが、熱心に本をお薦めし必ず購入に結びつける姿勢が評価されている。最近では版元側がダイアナのPOPを気に入ってくれ、大量に印刷し、全国の書店に配布することが当たり前になっていた。店のブログとＴｗｉｔｔｅｒを任されているだけではなく、隣々堂恵比寿《えびす》駅ビル店の名物書店員として、文芸誌や女性誌で新刊を紹介することも多々ある。名前が名前なだけに、実名でメディアに出るのがあまりにも恥ずかしく、田所店長に許しを得て店のアカウント名そのままに「ほんのむし」と名乗っていた。ダイアナ目当ての客もいて、いつしか店でつける名札にまで「ほんのむし」と表記されるようになった。

五月の空気に川のにおいが混じって、慌ただしい朝の時間のはずなのに、ピクニックにでも出かけるような錯覚をおぼえる。今はほとんど濡《ぬ》れたままの髪も、恵比寿に着くまでには春風が乾かしてくれるだろう。目黒川沿いにあるこの古いマンションには、昨年末から住み始めた。自転車で十五分足らずで通勤できるところと、五万九千円という家賃に惹《ひ》かれたのだ。ようやく手に入れた一人の城は何にも換えがたいほど愛《いと》おしいが、手取り十六万円の給料では生活するのがやっとだ。山手線の薄暗い高架を潜《くぐ》り、緩やかな坂道を昇っていく。

向田邦子《むこうだくにこ》や森茉莉《まり》、安井かずみ……。少女時代、お気に入りのエッセイを読む度に思い描いてきた「美しい一人暮らし」には程遠かった。一輪挿しに花を飾ったり、季節の果物でジャムを煮たり、器を選んだり、クッションに刺繍《ししゅう》を入れる余裕などまったくない。くたくたに疲れて夜遅く帰ってきても、ＰＯＰ作りだけではなく新刊のゲラ読みやフェアの企画書書きなど、仕事は無限にある。百円ショップの雑貨と量販店の家具、コンビニの惣菜でなんとかしのぐ毎日だった。あれほど忌《い》み嫌っていたティアラのがさつな暮らしぶりを、今はとても笑うことが出来ない。むしろ、日常のちょっとした場面で、ティアラのたくましさと聡明《そうめい》さに気付かされるくらいだ。山手線に追い越されたのでムキになり、下腹にぐっと力を入れて立ち漕《こ》ぎに切り替える。

書店で働いていると、幼い子供を必要以上にきつく叱《しか》りつける母親を日に何度も見る。ティアラはダイアナに辛くあたったり、不機嫌になることはほとんどなかった。毎晩明け方近くまで働き、頼れる家族なんて一人もいない中、大抵にこにこしていた。「疲れているから」と背を向けられたことなどない。それがどれほど希有《けう》なことか、社会に出て初めてわかるようになった。食生活をファーストフードやコンビニに頼っていたのは、決して料理が苦手なせいばかりではなかったのだろう。娘とともに生きることで彼女は手一杯だったのかもしれない。しかしだからと言って――。そう簡単に和解はできない。去年、引っ越しをする時に喧嘩《けんか》をしてから、ティアラとはあまり会っていなかった。

指定の駐輪場に自転車を停めると、髪をゴムでまとめながら従業員用通用口をくぐり抜け、エレベーターで七階に向かう。離れたビルに更衣室があるが、隣々堂の書店員はモノトーンで統一した私服にエプロンを着用すればいいとされているので、使うことはほとんどない。ワゴンに積んである午前便の配本を確認するうち、朝礼が始まった。

「おはようございます。今日はシリーズ累計《るいけい》六十万部を突破した東十条宗典先生の新聞連載小説が入荷する日です。レジ横、新刊台で展開します。お客様には積極的に……」

田所店長がいつものように十数名の社員やアルバイトを見回しながら、穏やかな口調で業務スケジュールや売り上げを報告する。あのストライプのシャツ、おろしたてだ——。小さな変化をめざとく見付け、ダイアナはこっそりと微笑《ほほえ》んだ。片想《かたおも》いを続けてもう三年が経《た》つ。月に何度かランチを共にする、上司と部下の関係から一歩も踏み出していないけど、飛び越えてすべてを失うよりは今はこのままがいい、と思っている。彼にならなんでも話せるのだ。母との関係、将来は本屋さんを開きたいという夢、そして、はっとりけいいちが実の父であるということ。最近では、先輩の山木涼子さんを誘って三人で居酒屋に行くこともある。入店した頃は厳しかった山木さんも、今では十歳以上年上であることを忘れて対等に話せる仲の良い同僚だ。三人でたわいもないことや愛読書の話題で盛り上がる時間は、物心ついた頃から孤独に過ごすことが多かったダイアナにとって、かけがえのないものだった。

——結局、ティアラは自分の生き方に酔いたいだけなんだよ。

まくしたてるダイアナに、ティアラは全く反論せず静かに向かい合っていた。

——お父さんのために身を引いたとか、私は日陰でいい、とか、どっかの演歌みたいな美談にすり替えているけど、自分の権利や要求を告げる勇気がなかっただけじゃない。自分がどういう人間になりたいっていうビジョンがない、男に好かれることばっかり考えた、その場の感情に流されるだけの生き方だから、なんにもつかめないんだよ。だから、私まで巻き添えくらって、二人でしなくていい苦労をするはめになったんだよ。

はっとりけいいちが実の父親だというティアラの話が真実だと知ってから、かえって怒りが募った。恨みがましいことはよくわかっている。でも、ティアラの勝手なひとりよがりの決断のせいで、決して裕福ではない母子家庭に生まれてくるはめになったのだ。ティアラが全く動じないのも癪《しゃく》に障《さわ》る。

——あんたの言う通りかもね。でも、あの人はあの時、本当に苦しんでいたんだよ。たった十九歳で超人気作家になって二作目を熱望されてるときに、おまけに妻子まで抱えてしまったらとんでもないプレッシャーを与えることになる。あの人から書く場所をどうしても奪いたくなかったんだよ。もともとメンタルも弱くて、友達もいなくて家族とも折り合い悪くて普通のお勤めなんてとても出来る感じじゃなくて……。あの人にとっては書く仕事がすべてだったんだから。のしかかる重荷のせめて片方だけは取りのぞいてあげたかった。

でも――。はっとりけいいちは現在、筆を折っているではないか。ティアラがおかしな気の回し方をしなくても、結果は変わらなかったのではないか。たとえ、書けない作家であろうと精神的に脆《もろ》かろうと構わない。お父さんに居て欲しかった。ティアラと自分を守り、時々は本を選んでくれる、ごく普通のお父さんをダイアナはずっと必要としていた。そのことを、どうしてティアラはわかってくれないのだろう。田所さんが咳払《せきばら》いを一つし、ダイアナは我に返る。

「朝礼を終わります。ええと、突然になりますが……。私、田所不律は山木涼子さんと、昨日入籍しました」

おおっと誰かが叫び、小さなどよめきが起きる。おめでとう、とあちこちで声が上がり、拍手で包まれた。ダイアナは目を見開く。身体中の血が暴力的にかき集められ、心臓目がけて迫ってくるのが自分でもわかった。ありえない。そんなの、ありえない――。田所さんの傍らでは、山木さんが微笑んでいる。いつもきりりとした眼鏡の奥の細い目が、やわらかな弧を描いていた。様々な光景が蘇る。田所さんと山木さんのちょっとしたやりとり、二人が並んで終電に駆け込むダイアナを見送る姿。小さな「まさか」が星座のようにつながり、ぎらぎらとこちらを射るように光りだす。その場にうずくまって、目を塞《ふさ》ぎたい。田所さんも山木さんも、いや世界中が自分のおめでたさを笑っている気がした。ふと我に返ると、いつの間にか朝礼が終わっていて、目の前には容赦なく田所さんが立っていた。

「矢島さんにはもっと早く伝えようと思ってたんですけどね。でも、勘のいいあなたのことだから、とっくに気付いてたでしょう。わざわざ口に出すのも恥ずかしくて……」

今こそ、権利と要求を伝える時だ。目の奥が熱くなり、視界がぐんにゃりと歪んでいく。ダイアナは奥歯を噛《か》みしめ、田所さんを見上げた。

ティアラのような都合のいい女になってたまるものか。ダイアナは脇腹に力を込める。こちらの想いに気づいていないはずがない。ダイアナにとっては初めての恋だ。いくら悪気がないとはいえ一方的に心を奪って、のんきな顔で他の誰かと幸せになるなんて許せない。変な名前の者同士、誰よりもわかりあっていると思っていたのに、涼子なんてきちんとした名前の女に盗《と》られたのが、何より腹立たしい。酷《ひど》い言葉をぶつけるべきか、それとも勢いに任せて長年の恋心をぶつけるべきか——。

「おめでとうございます。さんざんやきもきさせられましたよ。永すぎる春はいつまで続くんだろうって。ドキュンネームの妹としては嬉《うれ》しいです」

無理に笑って早口でそう言うと、目の前の白くふっくらした顔に照れくさそうなピンク色が広がった。これでは母と一緒ではないか。嫌われたくなくて自分を飲み込んでしまった。でも、まるで悪気がない田所さんを困らせて、それが何になるというのだろう。

逃げるようにバックヤードへと駆け込んだ。やることがたくさんあるかのように、わざと忙しそうに働いた。マジックを色別に整理したり、スリップを版元別に分けたり、防犯カメラに映った万引き犯をカラープリンタで出力したりした。そのうちの一枚をダイアナはじっと見つめる。かつて自分が間違われたことがあるだけに、万引き犯だけはどうしても許せない。特にこの男。粗い画像だから特定は出来ないけれど背の高い痩せた中年男である。『秘密の森のダイアナ』ムックをレジ前で平然とかばんに入れ店を後にしたのだ。確か昨日の昼のことだった。万引き犯の多くが最新のベストセラーか人気の漫画を盗んで行くので特に記憶に残っている。

その日は、ミスをしないよう最低限の業務をこなすだけでやっとだった。明るい時間に上がれる早番シノトであったことだけが唯一の救いだ。店を出るなり闇《やみ》が広がっていたら、歩き出すことなど出来なかっただろう。白っぽく沈んでいく五月の夕空を見上げると、また目の奥が熱くなった。今年で二十二歳になるのに、いまだバージン。キスひとつしたことがない。こんな時に、泣きついて話せる女友達もいない。職場でちょっと目立ったからってそれが何になるというのだろう。自転車置き場にたどり着くなり、今度こそうずくまりたい思いに駆られた。誰でもいいから話をしていたい。少し迷ったが、恐る恐る携帯電話を取りだした。

「どうしたの。あんたからなんてめずらしーじゃん。元気でやってんの？」

底抜けに脳天気なティアラの声が、今は何よりも有り難かった。

「別に……。どうしてるかなと思って。また、無茶な買いものとかしてないでしょうね。ちゃんと野菜食べてるの？」

甘えるためだけに電話をした後ろめたさから、必要以上にぶっきらぼうな口調になってしまう。自分だって本の買いすぎでお金はなく、ろくなものを食べてはいないのに。

「……あ、えっと、ね、ねえ。今からお店いっていい？」

へえ、とティアラは驚愕《きょうがく》したようなため息をもらした。

「そりゃいいけど……。今、うち、〈ヘラクレス〉で働いていないんだ。同じオーナーがやってる、五反田の〈バビロン〉っていう店で雇われママやってんの。あ、今携帯にURL送るから、それ見ながらおいで。駅からすぐだから」

電話は一方的に切れ、ダイアナは腑《ふ》に落ちない気持ちで、即座に端末に浮かんだ「メール受信」の文字を見つめる。五反田であれば自宅からほとんど離れていない。歌舞伎町《かぶきちょう》から五反田——。水商売の女にとって、それが何を意味するかということくらいわかる年齢になっている。サドルに跨《また》がるとディスプレイに表示された地図を頼りに、自転車を漕いだ。十五分足らずで五反田駅の高架を潜り、駅前の繁華街を入ってすぐの場所にある小さなスナックにたどり着いた。看板はまだ出ておらず、灯りも点《つ》いていない。ドアを押すと薄暗い店の奥でティアラの金髪が光っていた。前髪にはカーラーが巻き付き、肩から落ちそうなニットとスカートはいかにも普段着しみていて、歌舞伎町時代のあでやかさとは比べものにならない。

「おつ。早かったじゃん。お店始まるの七時からなんだ。お腹《なか》すいてるでしょ。今、焼きうどんとスープつくってやっから」

いらない、という言葉はあっさりと無視された。ティアラはろくにこちらを見ようともせず煙草《たばこ》をくわえ、カウンターの奥でせっせと野菜を刻み始めた。ダイアナは改めて店内を見回す。五人も座れば満員の狭いカウンター、ボックス席が二つ、古い機種のカラオケ。〈ヘラクレス〉の経営状態がかんばしくなかったこと、三十七歳という年齢がキャバクラのママとしても高齢であること。考えてみればこの人事異動は当然のことなのかもしれないが、あれだけ店のために尽くしてきたティアラを知っているからこそ、ひどく哀れに思えた。乱暴に突き出されたマグカップからインスタントのわかめスープが溢れた。続いて出された焼きうどんには、キャベツとソーセージとコーンが入っている。ソースの強い味がして、ダイアナがあまり得意でないマヨネーズがたっぷりかけてあった。それは紛れもなく、ティアラがいつかの土曜日のお昼に作ってくれた焼きうどんの味がした。数少ないお母さんの味。美味《おい》しいとか美味しくないとかでは計れない、出されたら必ず完食してしまう我が家の一皿だった。

「言ってくれれば良かったのに。お店が……」

「別にどこで働こうとうちはうちだもん。関係ないよ。あ、もう飲めんでしょ。水割りでいいよね？　そうだ、そうだ。田所さん、元気？」

聞きたくない名前に不意を衝《つ》かれて、差し出されたグラス越しにちらりと顔を上げると、ティアラはすでに自分の分の水割りに取りかかっているところだった。

「結婚したんだって……。山木さんって先輩と」

普段は付き合い程度にしか飲まない。琥珀色《こはくいろ》の液体が胸に広がるなり、ダイアナの中で何かがせり上がってきた。

「あんな女、ただのおばさんなのに……。私の方が……、私の方が……」

可愛いし、若いし、素直だし、なにより変な名前仲間だし……。様々な言葉があふれ出すが、懸命に水割りで流し込む。それを口にしたら今度こそおしまいだ。自分がうぬぼれやで鼻持ちならない女だなんて、山木さんにどこかで勝っているとふんぞり返っていたなんて、絶対に認めたくないし、誰にも知られたくない。ところが、ティアラは楽しそうににやにやしている。

「いいじゃん。いいじゃん。もっと言うたれよ。あんた小さい頃からいい子すぎて、愚痴も悪口もほとんどいわないからさあ、ちょっと心配だったんだよね。もうさあ、やめなよ。二十歳を過ぎていい子なんてさ。自分で自分に呪《のろ》いをかける生き方はしんどいっつうの」

呪い、という言葉にぎくりとした。それは『秘密の森のダイアナ』のもっとも重要なキーワードだった。こちらの視線に気付くなり、ティアラはへへへと照れたように笑う。

「でも、あんたとこんな風に飲めるなんて嬉しいな。女の子ってやっぱいいよな。うん。自立したら、友達になれるんだもんね」

かんぱーい、とティアラは明るく言って、グラスをぶつけてきた。友達が選べるなら、ティアラみたいにやかましいヤンキーなんて絶対ごめんだ。ダイアナは仏頂面《ぶっちょうづら》になり、空にしたグラスを突き出した。ティアラの作ってくれた水割りはちょうど良いバランスで、きんと冷たく、するすると面白いように喉《のど》をすべり落ちていく。水商売なんて絶対に認めたくないけれど、やるせない夜にお酒の相手をしてくれる女というのは、働く大人にとって大きな救いになっているのかもしれない。実際、今はお酒がなければとてもやり過ごせそうにない。

「ティアラはさ、読書家だったんでしょ」

ダイアナはずっと気になっていたことをとうとう口にしてしまった。

「まあね」

「どうして読まなくなったの?」

「『秘密の森のダイアナ』は私の一番好きな本だよ。だから、私はあの本に出会って決めたんだ。もう本を読むのはやめよう、ってね。以来、できるだけ活字から遠ざかった。あの本が一番じゃなくなる日が来るのが、すごく怖いからさ。子供みたいな理屈だけど、そのくらいあの作品が好きだったんだ」

大好きな一冊があったとして、さらなる傑作を読んだとしてもその感動が薄れるわけではないのに――。度を超した思いだ。まるでおろかな恋みたいだ。それって、お父さんを忘れたくないからなんだろうか。

「それにね、本のヒロインに自分を重ねるより、自分がヒロインになりたくなったんだ。だってこの世界にはすげえ面白いことがいっぱいあんだもん」

きっぱりそう言い切ったティアラを、ダイアナは初めて理解できた気がした。本を必要としない人生に、共感はしないけれど。

「なんかさー。この間、久しぶりに彩子ちゃんちの前を通ったら、庭仕事してる彩子ママと目が合って立ち話したんだ」

かつての親友の名にぎくりとして、ダイアナは座り直す。もう会うこともないだろうけれど、ふとした瞬間に彼女の姿が蘇る。就活用の参考書を探す女子大生を目にした時、最近通いつめている名画座のスクリーンいっぱいに、開襟《かいきん》ブラウスが似合う昔の名女優が微笑んだ時。氷のとける音に耳を澄ませながら、もはや決して縮まることのない隔たりに思いを馳《は》せた。彩子――世界を彩《いろど》る女の子。あの家の庭は、今もあの子にふさわしく色とりどりの花々で満ちていることだろう。

「なんかさー、大学に入ってからというもの、娘がわからない、とかさびしい、とか言ってたよ。あの彩子ちゃんでもそんな感じになるんだねー。意外だよ」

彩子が親に反発するなんて、確かに信じられない。知的で家庭的なお母さんと仲良しで、料理や庭仕事を手取り足取り教えてもらう様子が、心からうらやましかった。すべてにおいて恵まれていそうな彼女でさえ、誰とも分かつことの出来ない鬱屈《うっくつ》した感情を抱えているのだろうか。自分のようにやさぐれてお酒を飲んだりするのだろうか。生まれて初めてのやけ酒は、安いウイスキーとは思えないくらい、ふくよかな甘みが感じられた。ティアラの配合したお酒だからかもしれないと思ったことは、言わないけれど。

ソファからずり落ちそうな体勢で寝そべっていた彩子は、窓の向こうで庭仕事をする母を投げやりに見やった。梅雨が来る前に薔薇《ばら》の剪定《せんてい》を済ませようと朝から忙しく立ち働いている。もうそろそろ六十歳に手の届こうとしている母がミレーの「落穂拾い」のごとく腰を折って働く様が惨《みじ》めに感じられ、すぐに視線を携帯電話に戻す。ただの趣味のはずなのに、あの人はどうして何もかも、これ見よがしな大仕事にしてしまうのだろう。太るからいらないと何度も言うのに、庭でとれた旬のベリーでプリザ

ーブを作って食卓に並べ、彩子が断ると悲しげな目をするのもうっとうしい。シュガーの後輩から何度めかの催促メールが届いていた。今から渋谷のカラオケで新歓コンパをはじめるらしい。飛び入りは大歓迎、是非四年生にも参加して欲しい、とあった。渋谷のカラオケと聞いて、武田君から聞いた話が蘇り、たちまち苦い気分になった。携帯電話をわざと乱暴にサイドテーブルに伏せる。もしかしたら、亮太も参加しているのかもしれない。後輩の有紀という子にご執心のようだから、牽制《けんせい》のために顔を出すべきだろうか。

「彩子、ちょっと。来なさい」

テーブルでパソコンに向かっていた父が声を掛けてきた。立ち上がることさえおっくうで生返事をしていたらもう一度、来なさい、と今度は振り向きもせずに言われた。しぶしぶと身を起こし、父の背後に回る。パソコンの画面には「隣々堂ホームページ」が表示されていた。幼なじみのダイアナが担当する書評ブログだった。ネットでは「ほんのむし」と名乗っているが、言葉選びや本の好みで、彩子にはすぐ彼女と分かる。

〈いよいよ梅雨シーズン到来です。家で読書をするのにぴったりなこの季節、ほんのむしイチオシ！「働く大人も楽しめる少女小説フェア」第三弾は、ゲイル・カーソン・レヴィン『さよなら、「いい子」の魔法』です。アメリカでは有名な児童書で、アカデミー賞女優のアン・ハサウェイ主演で映画化もされているんですよ。裕福な商人の娘・エラは生まれると同時に妖精《ようせい》から「どんな命令にも従順であれ」という呪いをかけられてしまいます。理解者である母親が死んだことをきっかけに継母《ままはは》と意地悪な二人の義姉にいびられ、奴隷《どれい》のようにこき使われる毎日。そう、これは「シンデレラ」を素《もと》にしたストーリーなんですね。でも、本家と違い、エラは誰かの手助けを待っているような女の子ではありません。一つ意地悪を言われたら百言い返すような痛快キャラ。読みどころはクライマックス、彼女が呪いをどう破るか——。火花が散るような派手なシーンではありません。その戦いは彼女の心の中でのみ起きるからです。呪いに懸命に立ち向かう魂のひたむきさには胸を打たれること請け合い。魔法も王子様の力も頼らずに、エラはたった一人で、縛り付けられていた自己を解放し、意志と決断力を手に入れ、自由な世界に飛び出します。私がしつこくしつこく推す（笑）はっとりけいいち『秘密の森のダイアナ』にもこれと共通する「女の子が自らを解き放つ」場面があるんですよ。みなさんの中にも周囲の押しつけや思い込みに縛られて、知らず知らずのうちに自分で自分に呪いをかけている人もいるかと思います。勇気を

持てる一冊です〉

読み終わるなり、彩子は指先にまで墨が広がっていく気分になった。小学生の頃、ダイアナは自分の気持ちを文章につづることがひどく苦手だった。どんなにたくさん本を読んでいようと、読書感想文の発表で褒められるのは、常に彩子の方だった。それが、いつの間にこれほどの表現力を身に付けたのだろう。もう今の彼女に勝てるところなんて、自分には一つもないのだ。そう思ったら、自分でもひやりとするほど硬い声が出た。

「なんなの、パパ？　学歴や名前や母子家庭のハンデをものともせず、夢を実現したこの子を見習えっていいたいの？　チャラチャラした自分を反省しろって？」

「そんなことは言ってないだろう。彩子はダイアナさんと仲が良かったから。たまたま目にして、喜ぶと思ったんだ」

父がこちらを見上げた目はおびえているといってもいい。こうして父の頭を見下ろすと、後頭部がますます薄くなっているのがわかる。頭皮は青白く、いかにも生命力が弱そうだ。出版不況による人員削減で、嘱託としての出勤もなくなり、父はこうして日がな一日家で読書や調べ物をして時間を潰《つぶ》している。それがなんとも重苦しく、邪険にしてやりたくなる。年老いた両親を知らず知らずに見下す罪悪感に押しつぶされそうになり、彩子はいっそう声を荒らげる。

「もう関係ないわよ。ダイアナとか武田君なんて……。何年前の話よ。こんなヤンキー……。パパ、なんなのよ。もしかして昔、ティアラさんとなんかあったんじゃないの？」

「下品なことを言うのはやめなさい。もう、君も大人だ。変な誤解をさせるくらいなら、きちんと話すべきなのかもしれない……」

父は庭の母にちらりと目をやると、深く疲れたため息をひとつつき、こちらをいつになく強い眼差《まなざ》しで見据えた。

「ダイアナさんの実のお父さんは、はっとりけいいちさんだ」

庭の緑が鮮やかに目に飛び込んできた。小さい頃はこの狭い庭が、大自然に見えていたことを急に思い出す。嘘でしょ、という言葉が喉の奥に張り付いて出て来ない。

「はっとりさんはそのことを知らない。パパもティアラさんにきつく口止めされている。彼の執筆活動を邪魔したくない、と彼女は身を引いて、一人でダイアナさんを産んだんだ。時が来たら、ダイアナさんには自分から話すといっていた。といっても、この数年、パパもティアラさんとの交流は途絶えているが……」

「でも、どうしてティアラさんが全部を抱えなきゃいけないのよ。不公平じゃない」

「デビューしてすぐにヒット作を出したプレッシャーと彼女が妊娠したショックで、はっとりさんは心を患《わずら》ったんだ。まだ十九歳。もともと脆いところのある青年で社会性が希薄なところがあったし、親との折り合いも悪い。ティアラさんは彼と一緒に子供を育てていくことは無理だ、と判断した。彼の作家としての将来も考えたんだろう。おそらく、その辺りの事情をダイアナさんに理解させるには時間が必要だ、とも考えたんだろうな。十六歳とは思えないほど聡明な女性だったよ。パパが何度説得しても、絶対に意志を曲げなかった」

　中学受験の直前、ティアラさんにかけられた言葉を思い出す。少女時代、おかしな男にいたずらされた経験をさらりと打ち明けてくれた。彼女はその傷を乗り越えて、自らの生きる知恵や強さに変えてみせたんだ——。身体の柔らかい部分が次々に切り裂かれたように痛み、彩子は上手く息ができない。

「ダイアナさんは偉いよ。お母さんに似たんだな。たくさんハンデがあったのに、自ら道を切り開いた。幼い頃はパパも心配で、なんとかダイアナさんとはっとりさんとの間を取り持とうとお節介を焼こうとしたこともある。でも、この分だと、彼女は自力でお父さんを探し当てることが出来るかもしれないな……。それが彼女にとって良いことなのか、そうでないかはパパも正直よく分からないんだが……」

もう我慢が出来なかった。ドラマチックすぎるダイアナの人生。彼女は間違いなく物語のヒロインだ。その生き様の強さと光に満ちていることといったら……。誇りも矜持《きょうじ》もない自分はおそらくこの先、一生何もつかめないし、光を浴びることもない。ただ地べたを這《は》うように生きるしかない。こうしてダイアナの出自を知っても、彼女に知らせようともしないのがいい証拠だ。今の自分をどうしてもあの子に見せたくなかった。

「自分の娘の内定が出てもろくに喜んでもくれないくせに、なによ、ダイアナダイアナって！　小さい頃から、あの子を褒めてばっかり！　ダイアナはほんものがわかる、私にはわからない。ダイアナの選ぶ本はいい本、私の選ぶ本は……」

母が庭から居間へと戻ってきた。こちらに向けられた顔は青白く弱々しかった。両親をなるべく見ないようにして、彩子は携帯電話を手に二階へと逃げた。手早く身支度を調えて戻ってくると、玄関で一番高いミュールにつま先を差し込む。亮太が最近、気に入っている飴《あめ》細工のようにきゃしゃでセクシーなものだ。

「出かける。晩ご飯いらないから」

家を出るなり、一目散に駅を目指す。三軒茶屋で乗り換え、渋谷に出た。

押しつぶされそうな湿度とスクランブル交差点のもやもやと湯気の出るような人いきれに、中学時代、みかげちゃんにくっついて、この街に来た時の戸惑いが蘇る。渋谷なんてもう怖くもなんともないのに、今にも雨が降りそうな灰色の空を見上げると、遠くに流されてしまったような心許《こころもと》なさがあった。西武の裏にあるシュガー御用達の高級カラオケ店にたどり着くと、一番広いパーティールームは二十名近いメンバーですでに一杯になっていた。

「ちーす、彩子さん、とうちゃーく」

マイクを握っていた後輩のおどけた声がきいんという金属音と一緒に広がった。おっそいじゃん、と亮太が笑い、するりと腰に手を回す。今はこの喧噪《けんそう》が有り難かった。安心感すらおぼえる。回ってきたビールへ反射的に手を伸ばし、ジョッキ越しにメンバーを確認する。一番隅のソファに半分目を閉じてもたれている女の子が居た。有紀だった。

「有紀ちゃん、大丈夫？　ほら、気持ち悪いなら、俺に寄りかかりなよ」

木村さんの大きな身体《からだ》が彼女に被《かぶ》さった。ショートパンツから伸びるか細い白い足に、毛の生えた指が這い回っている。抵抗する気力もないのか、それともおびえているのか、有紀はぐったりと動かない。

「うっわ。相変わらず、木村さん、手ェはええ！」

「隣の個室も貸し切りにしてあるから、自由につかっちゃっていいっすよ」

「おっ、気が利《き》くな」

少し離れた場所にあるはずの木村さんのぐにゃりと歪んだ笑顔が、吐く息が、手のねばつきが、彩子にはすぐそばにあるように感じられた。こめかみが痙攣《けいれん》し、ビールを流し込んだばかりなのに口の中が渇いている。男に無理矢理抱きかかえられている小さな女の子――。あの子は私だ。三年前の私だ。彩子は拳《こぶし》を握りしめる。止めてもどうにもならない。男達の本質は変わらないし、自分の傷も消えない。でも、彩子の胸には、かつて親友と並んでめくったあの本のページがくっきりと蘇っている。呪いを破った勇敢なダイアナ――。繰り返し読んだ物語は身体に染《し》みついていて、この傷と同様に、消すことなど出来ないのだ。

気が付くと、あらんかぎりの悲鳴を上げていた。

「やめなさいよっ」

隣の亮太ののど仏が大きく動いたのがわかる。爆発するほど騒々しかったブースはしんと静まった。木村さんが信じられないといった様子で大きく目を見開き、かすかに青ざめている。すぐに駆け寄り、力のない有紀の手を強く摑《つか》むと、自分でもたじろぐくらいの鋭い声が出た。

「あんたたちも同罪。これはれっきとした犯罪よ。ほら、いこう！」

亮太の声が聞こえてきたけれど、振り返ることはなかった。夢中で階段を駆け下りると、公園通りへと飛び出し、有紀を引きずるようにひたすら坂を上っていく。ぽつぽつと振る小雨が頰や髪を濡らす。暗い道路が濡れてよく光っていた。数時間前に読んだ「ほんのむし」の書評を思い出す。呪いを解くことが出来るのは自分だけ……。魔法使いは死んでしまった。森の仲間も、アンドリュー王子も助けてくれない。二人はいつの間にか「たばこと塩の博物館」前にたどり着いていた。噴水がざあざあと流れていて、真っ暗なガラス窓がそれを飲み込んでいた。息を切らしている有紀を煉瓦《れんが》張りの段差に座らせる。

「ほら、吐きたいなら、吐いちゃいなさい」

鞄《かばん》の奥に入っていたビニール袋を突き出し、有紀の骨の浮いた小さな背中に手をやる。まだほんの子供ではないか。改めて、亮太や木村さんへの激しい怒りが湧《わ》いてくる。闇の中のガラス窓は鏡みたいに見えた。そこに映っているのは、ぼさぼさ髪に化粧のはげおちた、みすぼらしい娘だった。サークルや恋人を離れた自分へ目を向けるのには、悲鳴を上げる以上の勇気を要した。これとよく似た場面が『秘密の森のダイアナ』にも描かれていたっけ――。

湖を見つめると、不安そうなちっぽけな女の子がこちらを覗《のぞ》き込みました。こんな女の子、消えてなくなっても、誰も気に留めないでしょう。でも、目を逸《そ》らしてはいけません。満月の夜、曇りなき目で湖を覗き込み、そこに映る自分と向き合うこと。そして、呪文《じゅもん》を自ら口にすること。その勇気がなければ、悪い魔女の魔法を破ることはできないのです。ダイアナは勇気を振り絞りました。

「リュークス、リュークス、フィルフィルルー。なんびとたりとも、このダイアナを縛ることはできない。私に命令できるのは、この世界で私ひとりだけ……。私だけが私のすすむべき道をしめすことができる……」

風が吹いているわけでもないのに、水面はゆらゆらと揺れ、そこからレースのようなさざなみが湖全体へと広がっていきました。そして、変化がゆっくりと森とダイアナを包みました。湖は月をすっぽり飲み込んだように輝きだし、森全体を真昼のごとく明るく照らしたのです。胸の中でずっと硬くつまっていた石ころがゆっくりと消えてなくなるのがわかりました。閉じていた喉が開き、森の新鮮なつめたい空気が肺に吹きこまれるのがわかります。手足にいきいきと血が巡り出しました。なんだか大声で歌を歌いたい気分です。そうです。そうです。かつてのダイアナはこんな風に、いつもダンスできるような、そんなうきうきした楽しい気持ちで暮らしていたのです。悲しくて辛いのが、まるで上等なことのように、ずっとずっと思い込んでいたのでした。ダイアナは大声で叫びました。

「呪いを破ったんだわ！　私一人の力で！」

声の大きさに驚いて、湖の周りを取り巻いていた鳥たちがわっと飛び立ちました。

ダイアナのように――。自分を取り巻く状況を、真実を、そして己を、曇りなき目で見つめるのだ。膝《ひざ》が震え、胃がきゅっと音を立てるのがわかる。彩子はきっと顔を上げた。あんなサークル、たかが学生の集まりだ。権力を持っているように見える木村さんだって、社会人ですらない。ガラスの中の自分をじっと見つめ返した。弱虫で、流されやすく、どこにでもいる娘。でも自分の足でそこに立って、自分を見据えている、一人の人間だった。今こそ認める時が来たのだ。

三年前、自分は有紀と同じ目に遭ったのだ。新歓の飲み会で、酒を飲まされ、強引に体を奪われた。そのことをどうしても認めたくなくて、必死で自分ではない他の

「誰か」を演じてきた。その「誰か」であれば、彩子の重荷を軽々と持ちあげてくれそうな気がしたから。亮太は根っからの悪人ではないのかもしれないが、無神経で臆《おく》病《びょう》で怠惰な若者だ。だから、きちんと憎むことができなかった。あの一見華やかに見えるサークルの男達は、女を踏みにじることで、かろうじて権力を保っている。踏みにじられた女達は、男と一緒になって同性を踏みにじることで、自分達が受けた屈辱をなかったことにしている。

「リュークス、リュークス、フィルフィルルー。なんびとたりとも、この神崎彩子を縛ることはできない。私に命令できるのは、この世界で私ひとりだけ……」

気づくと、唇が勝手に動いていた。声にならないくらいのかすかな息だけれど、有紀は聞き取った様子だ。

「彩子さん。どうしたんですか」

と心配そうな声をかけてきた。長い眠りから覚めた気がして、彩子は周囲を見回す。そこに広がるのはさっきまでの夜の渋谷だ。やらなければならないことが、ある。数え切れないほど――。鮮やかなネオンや濃い緑の気配が一度に押し寄せてきて、彩子はわっと泣き出しそうになる。きらめくヒロインにはなれない。自分なんか、これといって才能も長所もない。でも、ヒロイン達を支える誰かにはなれるはずだ。有紀がそっと、こちらの手に冷たい指をからめてきた。濡れた目に雨上がりの街が冴《さ》え冴《ざ》えと飛び込んできた。

約束の時間をもう三十分も過ぎている。もしかして、ただのいたずらメールなのではないだろうか。そうだ、そうに決まっている――。ガラス窓越しに見える数メートル先の隣々堂がはるか遠くにあるように思え、ダイアナは今すぐここから逃げ出して、職場に戻りたくて仕方ない。期待と不安で息が詰まり、もはや彼に会えるかどうかなど、どうでもよくなっている。

「あと、十分待って来なかったら、帰ろう。レジも混み出す時間だ」

隣で手つかずのカフェオレを前にしていた田所さんも、腕時計に目をやるなり、珍しく眉《まゆ》をひそめた。

「イタズラだとしたら、悪質過ぎる。やっぱり僕一人で来るべきだったね。顔色が悪いよ。平気？」

「いえ、大丈夫です」

ダイアナはそう言うと、カプチーノのつぶれていく泡を見下ろした。

店のホームページ宛《あて》に「はっとりけいいち」を名乗る人物からメールが来たのは今から一週間前、六月の終わりのことだ。

自分などとっくに忘れ去られた作家だと思っていたので、隣々堂の取り組みや「ほんのむし」のPOPや書評をある読者から教えてもらって感激した、是非一度挨拶《あいさつ》したい、とあり、同じフロアにあるこのワッフル屋を待ち合わせ場所として一方的に指定された。ワッフルの焼ける甘い匂《にお》いに胸がつかえ、何かがこみ上げそうになる。ただでさえ、田所さんが結婚したショックから立ち直っていないのに、こうして並んで待たねばならないなんて何かの罰ゲームだろうか。酔いが未だに抜けないし、気を抜くとあいつの顔ばかり浮かんでくるというのに――。最近では、休みの前日はティアラの店で飲み、そのままティアラのアパートに泊まって行くのが恒例になっていた。夕方近くまでだらしなく眠っていると、どこから聞きつけたのか必ず武田君が、雑炊やうどんを作りにやって来る。昨日、ティアラの出かけた部屋で武田君と二人きり、いつものように梅干し入りのおかゆをすすっていたら、唐突に切り出された。

――あのさ、そろそろ俺たち付き合わねえ？

いつかは来る、と思っていたが、むくんだ起きぬけの顔の前で言うことではないだろう、とダイアナは赤くなって睨《にら》み付けた。彼は気にする様子もなくにこにこ笑っている。武田君の息づかいや首の太さが急に猛々《たけだけ》しく感じられ、ほんのり怖くなった。

――田所にフラれた今がチャンスと思ってさ。

ずっとそばに居てくれる彼に感謝する気持ちもないではない。しかし、そんなに突然、恋愛対象にはなりえない。そもそも同年代の男とどう交際していいかわからないのだ。今にして思えば、田所さんは年が離れていたし、ふっくらと優しげな外見だから、安心して甘えられた。自分でもいささか気がとがめるほどそっけなく保留を言い渡したのに、武田君はなにやら楽観的なことをぺらぺらしゃべって、帰っていった。もちろん、嫌いではない。彼が消えてしまったら困るという気持ちもある。返事を濁した自分は計算高い女なのだろうか。

「すみませーん。田所さんと『ほんのむし』さんですかあ」

気の抜けた声におそるおそる顔を上げると、顎のとがった青白い顔があった。寝癖のひどい髪に不精髭《ぶしょうひげ》、ロックTシャツとデニムにつっこんだ手、くたびれたスニーカー。夢にまで見た、実の父にして、憧《あこが》れの作家をダイアナはまじまじと見上げる。

「ポッケに五百円しかなくて焦《あせ》りましたよお。駅長事務室でお金借りてて遅くなったんです。田所さん、お久しぶりです。ずーっと前にサイン会でお世話になりましたよねえ。えーと……あなたがほんのむしさんですねっ」

　そう言って、はっとりけいいちは向かいにどさっと腰を下ろすと、鼻歌まじりにメニューをめくりはじめた。

「ええと、好きなもの頼んでいいんですよね？　うわ、やったあ、嬉しいなあ」

　これがお父さん——？　ダイアナはカップを持つ指が震えそうになるのを堪えた。あの写真の中の人の良さそうな青年と同一人物であるのはわかるが、まるっきり年を重ねていないように見える。確かもう四十二歳になるのに、ほぼCの字を描くような猫背も何がおかしいのかずっと笑っているような口許も、あきれるくらい少年じみている。起きてそのまま飛び出してきたようなだらしのない出《い》で立ちといい、こぼれおちそうな大きな目をきょろきょろと始終落ち着きなく動かす様子といい、ダイアナよりはるかに世慣れない様子だ。思い描いていたような胸にしっくりくる感じや、温泉のように熱い感情がこみ上げてくるということが全くない。

　そして何より——。

　この男によく似た男と最近どこかで会った気がする。それがどこかは思い出せないけれど、ろくでもない場所である気がしてならない。例えば、ティアラの店に向かう途中にあるいかがわしい界隈《かいわい》とか。失望の重さでダイアナはテーブルに突っ伏しそうになった。

これだったら、傍らに居る田所さんの方がよっぽどお父さんらしいではないか。はっとりさんは注文にたっぷり時間をかけて、わざわざ「きーめたっ」と口にして、苺《いちご》とクリームのワッフルを頼むと、いささか苛立《いらだ》たしいほどのんびりとした口調で話し出した。

「版元を経由して読者からの手紙をもらいました。それでここの書店の取り組みを知ったんですよぉ。初めて来たけど広くていいお店ですね。山所さんや『ほんのむし』さんが、今なお『秘密の森のダイアナ』やムックを大々的に売ってくれていることにすごく感動して。一度ご挨拶に来たいと思ってました。あ、そうそう、出来たらあ、サイン会なんてできないかなーって思っちゃって」

「え、よろしいんですか」

田所さんがさっと身を乗り出した。はっとりさんはへらへらとうなずいている。

「いいですよお。だって、ちょっとでも思い出してもらって、新しいファンとかつかないかなあと思ってるんです。金が全然なくて」

田所さんとダイアナが顔を見合わせていると、彼は聞いてもいないのに話し出した。

「この二十年、清掃係や警備員なんかをして細々と食いつないでましたよ。幸い、今の彼女が証券会社で働いているおかげで、切り詰めればなんとか二人で暮らしていけたんです。でも、僕こんなんだから、色々と無駄遣いしちゃってえ」

今こそ、言うときではないか。私はあなたの娘です。矢島ダイアナ、あなたの本からとった名前です——。喉まで出かかった言葉は、はっとりさんによって遮られた。

「もうじき、娘が生まれるんだ……。いい年してデキ婚ですよ。妻子のためにもまとまった金を作らないと……」

ダイアナはなんと言って良いかわからず曖昧《あいまい》な表情でうなずいた。

ティアラはああいう言い方をしたけれど、彼への愛のためだけに身を引いたのではなかったのだ。この人と一緒では子供をまともに育てられない、と判断したのではないか。すべてが鮮明に見えてきて、鳥肌がぞわりと立った。はっとりさんがそわそわした様子でこちらを覗き込む。心なしか彼が緊張しているように感じられた。ダイアナを見る目にどこか必死さが滲《にじ》んでいる。何故《なぜ》だろう——。まさか、実の娘だとようやく気付いたのか。ダイアナはどきどきした。

「ねえねえ、えーと、ほんのむしさん。どうして君、そんなに『秘密の森のダイアナ』が好きなの？　なにか思い出があるとか？　どんな風にして出会ったの？」

「小さい頃、親友の家で借りて読みました……」

「え、親友？　どんな子、今も仲いいの？　聞きたいなあ。詳しく話してよっ」

親友、という言葉に、はっとりさんは女子高生のようにはしゃいでいる。面倒だが、話さないわけにはいかない。ダイアナは初めて出会った日の彩子のつやつやのおかっぱ頭や交わした会話を思い浮かべる。

「小学校三年生の時に同級生になりました。読書の趣味も、性格もぴったり合った女の子でした……。お金持ちの可愛《かわい》い子でうらやましかった。でも、いつの間にか仲違《なかたが》いしてしまった。今も仲が良かったら、いろんなことが分かち合えたのかもって思うんですよね」

「……今の君たち、じゃなくて、君にぴったりな本があるっ。ちょっと待ってて！」

突然、はっとりさんは立ち上がると、ワッフルを運んで来た店員を邪険に押しのけた。長い足を振り回すようにして店を飛び出していく。田所さんが目だけで合図したので、ダイアナは慌《あわ》てて後を追う。はっとりさんは迷いのない足取りで、児童書のコーナーへと向かっていった。父に本を選んでもらう、という夢がこんな形で叶《かな》えられるとは。期待で胸がふくらみかけたが、彼の大きな薄い手のひらがつかんだ本は、モンゴメリ『アンの愛情』だった。なんだ——。ダイアナははっきりと失望する。こんな誰でも読んだことのあるような作品ではなく、もっと知る人ぞ知る隠れた名作を教えて欲しかった。『赤毛のアン』は大好きだけれど、面白いのは、アンが元気で伸び伸びしている『アンの青春』までだ。ギルバートとの恋愛が幅をきかせるようになってから、アンがしおらしくなってしまった気がして調子が狂う。こちらの心情を読み取ったように、はっとりさんは後ろの方のページを広げてみせた。

「読み手のプロである書店員さんにアンシリーズなんて、そんな顔をされるのはわかってるよ。僕が読んで欲しいのは、翻訳者である村岡花子さんの解説だよ。きっと、小さい頃はこういうところ、読み飛ばしてるだろ？」

彼が示した箇所を、目で追いかけようとして、ダイアナははっとりさんの横顔に釘《くぎ》付《づ》けになる。それは一ヵ月前、防犯カメラに映っていた万引き犯にそっくりだったのだ。彼の落ち着きのない態度の原因がわかった。一瞬でも父親として訪ねてきたのでは、なんて夢のようなことを期待した自分を殴りたい。

やめておけ――。そう思っているのに唇が動いていた。

「さっき……。この店初めて来たっておっしゃってたけど……。あれ、嘘《うそ》ですよね。この本の位置も知っているし……」

はっとりさんの肩がぴくりとした。顔から次第に浅い笑顔が消えていく。

「防犯カメラに先生が映ってるの見たんです」

ダイアナがぼそりと言うと、彼はややあって大きく息を吐き、何かを拒否する様に音を立てて両手を合わせた。

「えー、なんとなくだよ。ごめん。一冊保管用に欲しかったけど、金なかったし。今度返す」

「なんとなく!?」

店内の喧騒が遠のき、熱いたつまきがダイアナの首から頭のてっぺんにかけて行ったり来たりした。目の前の男になんの反省もないところが、ダイアナをやりきれない思いにさせた。

「なんとなく、で万引きなんかしないで。信じられない。はっとり先生は自分がどれだけたくさんの人を傷つけているかわからないんですか? 書店に損害を与えているだけじゃない。あなたの作品を愛している読者や、編集者や、家族……」

夢中でまくしたてていると、急にはっとりさんが割って入った。

「そのさあ、作家を聖人視するのやめてくれないかな? 君達、書店員の傲慢《ごうまん》なところだよ」

「え……」

驚いて見つめ返すと、はっとりさんはふてくされたように吐き捨てた。

「良かれと思って俺の本を推してくれてるのは分かる。助かってもいる。だからって理想を押し付けないで欲しいんだよ」

理想――。理想を抱いて何がいけないと言うのか。本に、仕事に、そして何よりまだ見ぬ父に理想を抱いてきたからこそ、今日まで自分は生きてこられたのに。そして、こうしてはっとりさんを応援してきたというのに。こちらの瞳《ひとみ》にすべてが滲んでいたのだろう。はっとりさんはさらに続けた。

「君達の理想がプレッシャーで、俺は書けなくなったようなもんだ」

「……どういうことですか」

「『秘密の森のダイアナ』を今でも君達が愛してくれるのはもちろん、感謝しなきゃいけないってよくわかっている。でも、あの本のせいで、僕は何も出来なくなった。あまりにもヒットし過ぎたんだ。あれ以上のものはきっともう書けない――」

はっとりさんの顔が苦しげに歪《ゆが》み、声が震えている。

――何言ってるんですか。先生ならまた素晴らしい作品を書けるに決まってます。私達読者はそれを待ちわびてます。

喉まで出かかった言葉に、ダイアナはぞっとする。おそらくこうした期待で彼は潰されたのだ。

「だからって万引きしなくても……」

「悪かったと思っている。それは本当にすまない。でも、今だに『秘密の森のダイアナ』が書店で推されていると、苦しくて苦しくて、噂《うわさ》を聞くと嬉しくて見に来てしまうのにやっぱり苦しくて……。出来るだけ人の目に触れさせたくないと思ってしまうんだ。それでつい……」

はっとり先生はそれきりうつむいた。あまりにも弱い——。ダイアナは今すぐにこの場から立ち去りたくなった。生まれて初めて突きつけられた大人の男の弱さ、それも肉親の弱さを到底直視出来そうにない。ティアラはダイアナの前で決して弱音を吐かなかった。

もう聞いていたくない。ダイアナは半ば叫んでいた。

「もういい！　黙って下さい。万引きのことは忘れます。サイン会も上手《うま》くいくように私、ちゃんとやります。でも、それはあなたのためじゃなくて、あなたの読者のためですから!!」

「本当は君に会いに来たのに……」

変なことを口走るはっとりさんを突き飛ばすようにしてダイアナは売り場を離れて行った。

どうやってティアラの店まで行ったのかよく覚えていないほど、動揺は消えず、入り口に足を踏み入れるなりこらえていた涙が噴き出した。ティアラはカウンターの奥で目を見開いている。

「どうしたんだよ。そんな顔してさ」

「ティアラは……。ティアラは……」

他に客の姿はない。ダイアナは思い切って今日あったことをすべて洗いざらいぶちまけた。

「それはちょーっとショックだったね。変わってねえなあ、蛍……」

すべて聞き終わると、ティアラはいつものようにマルボロライトに火を点けた。

――あんな人のどこが良かったの？

無言の問いをティアラはすぐに察したようだ。

「蛍はさ、あれでいっつも他人の幸せばっかり考えてんの。考えれば考えるほどから回って、結果大惨事になんの。作家なんだからドシッと構えて好きなもんを自分のペースで書けばいいのに、なまじ生真面目《きまじめ》だから期待に応《こた》えようとしてパンクしちゃってさ」

ティアラは鼻から煙を出し、小さく笑う。

「あたしは弱味とか見せたんの嫌いで、器用に楽しそうに生きるのが得意だったから、ちょっと羨《うらや》ましかったんだよね。文壇バーで編集者に取り囲まれて、テンパって失敗ばっかしてしょげてる素直なあいつがさ……」

こちらの視線に気付いたのか、ティアラはようやく煙草を空き缶にねじ込んだ。

「ま、あんたも可哀想《かわいそう》だけど……小説みたいに上手くは行かないんだよ。巡り合えたお父さんが理想の人だ、なんてさ」

しばらくして、ティアラはぽつりと言った。

「でも人生がこんなに上手く行かないなんて、どんな本にも書いてなかったよ……」

せめて父親くらいは尊敬できる人であってほしかったのに。これから何を励みに生きていけばいいのか、もうわからない。書店員としての仕事まで否定された。一番惨めなのははっとりけいいちのめちゃくちゃな主張に耳の痛い部分が少なからずあるところだ。確かにダイアナは理想を高く掲げるところがある。自分にも他人にも厳しいし、期待が叶わないと、どうでもよくなって、離れてしまうところがある。自分の人生がすぐに行き詰まるのは、理想ばかり追求し、今目の前にある現実を愛さないせいではないか。彩子に田所店長。ダイアナの指の隙間《すきま》をこぼれ落ちて行った人達。もし、自分に清濁併せ呑《の》む柔らかさがあれば結果は違っていたのだろうか？

「『丘の家のジェーン』みたいなお父さんはそうそういねえから」

ティアラも『丘の家のジェーン』なんて読んでるんだ——。生き別れたお父さんに再会する少女の物語。モンゴメリの隠れた傑作だ。ダイアナはようやくほんの少しだけ笑うことが出来た。ティアラはまた焼きうどんを作ってくれて、いつもは邪魔に思えるマヨネーズが、焦《こ》げたしょうゆ味にマッチしてなぜだか妙に美味しかった。

喫茶店の窓から、学校から帰る途中らしき小学生が見えた。自分が通っていた小学校の生徒だろう。赤や黒に交じって、ピンク色のランドセルを背負う子も目につく。ダイアナのランドセルは、きらきらしたビーズやスワロフスキーで飾られ、誰のものより目立ったことを思い出す。大きなのど仏を動かして、目の前でコーラをすするかつての同級生に向かって、彩子は出来るだけ落ち着いた口調で、話し出した。

「あの日、やけになって自分からお酒を口にしたの、私。いくら友達に誘われたからって、ああいう派手なサークルに出入りしたのも、いわば自分の責任よね。だから、ずっと怖くて言い出せなかったの。全部お前のせいだって責められるのが怖かった。

でも、このままじゃいけないって、本当は誰よりも自分が分かってた」

武田君が氷をがりりと噛《か》みしめる。それだけで、彼が怒りを堪えているのがわかった。

「亮太からされたこと、事件にするには時間が経《た》ち過ぎている——。だけど、出来ることはちゃんとあった。シュガーでのお酒にまかせた強引な……セックスが日常茶飯事だったことを中立書にしたの。学生課を通して『わいせつ』として大学側に訴えた。それでセクハラ防止委員会が動いてくれたの」

彩子は、すっかり冷めてしまったコーヒーをスプーンでかき混ぜた。

「私があの晩、初めてカラオケで食ってかかった後、サークル内で名乗りをあげた女の子が何人か居たらしいわ。委員会の調査を受けて、木村さんは大学を無期停学になった。亮太と他の幹部メンバーは厳重注意で済んだらしいけど……先週、大学の裏サイトで全員の名前がさらされて、あっという間に拡散したの。そのことが企業に伝わったらしくて亮太は……内定取り消されたって……」

最後にファミレスで会った夜、亮太は人目も憚《はばか》らず、泣き出した。

——どうしてだよ。俺たち、ちゃんと好きあってただろ。あれは合意だっただろ。なあ、どうしてこんなことしたんだよ。大好きな彼女とセックスしたことで、なんで人から白い目で見られて将来まで失わなきゃいけないわけ。今までのこと、全部嘘だったのかよ。俺たちの時間ってなんだったんだよ。

胸は痛んだ。情がないわけではない。心が通った瞬間もないとは言えない。最初に会った高校三年生の秋、彩子は確かに彼に好意を持った。半年後、飲み会で話し掛けられた時にときめいたのも事実だ。二人で見た朝焼けや雪景色が何度も蘇《よみがえ》った。

――亮太はさ、いつも周りに人がいるけれど……。誰とも親密な関係なんて築けたためしがないんだよね。上下関係やランクがないと誰とも繋《つな》がれないの。木村さんやサークルの他のみんなもそう。だからなんでしょ。

そう言ったら、見る見る間に彼の顔は赤から白へと変わっていった。

――だからいつも、そんなに怒っているんでしょう？　それを隠すために、いつも楽しそうにしているんでしょ？　それに女を巻き込まないで。

歯を食いしばって、泣きながら膝にすがりついてきた彼にきっぱりと別れを告げた。楽しかった思い出は今も消えないけれど、彼を許せる日はたぶん来ない。それが現実だった。

「お前のこと、何も考えてないお嬢さんみたいな言い方して悪かった」

「ダイアナは幸せだね。武田君みたいにずっとそばに居て、想《おも》ってくれる相手がいるんだもん」

武田君は小学生の頃と何も変わらない、照れた顔つきでぶっきらぼうに言い放つ。

「あいつの、頑固で強気で、弱いくせにたくましい、変なところが好きなんだ。付き合えないとしても、ずっと見ていたいんだ。この間、とうとうコクったつもりだったんだけど、なんかサラッと流されたわ……。今は失恋したばっかりでそれどころじゃないんだってさ」

「一度や二度であきらめちゃだめなんじゃないの。だって、小学三年の頃から、ずっとあの子を見ていたわけでしょ。そんな生半可な思いじゃないでしょ」

「そうだな。フラれるにしても、このままじゃ、なんか納得できないよ。俺っていうより、男全体がよくわかんないって感じだったもん。ほら、あいつ、オヤジさんの顔知らないじゃん。オヤジさんとちゃんと向き合うことが出来たら、男も怖くなくなんじゃないの。ま、俺、頭わりいからよくわかんねえけど。でも、あいつがオヤジさんと再会できたら、そのタイミングでもう一回コクろうと思うんだ」

彩子は黙ってうなずく。こんな風に、照れくさいくらいのまっとうな本音をぶつけあえる仲間は大学にいない。シュガーを訴えた女とは誰か、すでに犯人捜しが始まっていると噂で聞くが、毅然《きぜん》とした態度を貫くつもりだ。身の危険を感じたらどうすればいいか、セクハラ防止委員の一人である年配の女性教授にアドバイスも貰《もら》っている。武田君と別れ、久しぶりに明るいうちに我が家に帰った。居間に入ると、母がソファに寝そべり額に手を当てていた。

「ママ、どうしたの」

慌てて駆け寄ると、母はうめくように言った。

「庭で日に当たりすぎたの。横になれば直るから。あと、ちょっとお腹《なか》が空《す》いたみたいね」

「待ってて。何か軽いものを作るわ」

そう言って台所に来たものの、お料理なんてずっとしていない。幼い頃は母に習って、ダイアナと一緒にここでケーキやクッキーを焼いた。中高時代もよく母を手伝っていた気がする。でも、最近では家に居ること自体、ほとんどない。ふと思い出して、母が料理書を並べている本棚を覗き込む。あった――。瞳を輝かせて、表紙がよれよれの『赤毛のアンのお料理ノート』を取り出す。原作に登場するふんわりと軽い、真っ白なビスケットの描写にダイアナと彩子は唾《つば》を飲み込んだものだった。この料理本を母の蔵書から発見し、レシピを見付けた時はとても嬉《うれ》しかった。母の見ている前で、二人で繰り返し繰り返し作ったから、今でも手順はなんとなく覚えている。

これは特別なお菓子なのだ。アンの作ったビスケットを口にしたやかまし屋のレイチェル＝リンド夫人はその美味《おい》しさに感激し、ようやくアンを大人として認めてくれるのだから。薄力粉、ベーキングパウダー、砂糖、バター、牛乳。冷蔵庫や戸棚を次々に見て回る。必要なものはすべて揃《そろ》っていた。オーブンを温め、冷蔵庫から取り出したばかりの冷えたバターを刻む。粉類をまとめてふるいにかけた。ふわふわと雪のように積もっていくパウダー、ふるいを転がる白い固まりを見つめるうちに、胸のつかえが解けていくのが分かった。

いつもこの場所に立って、どんな日でも彩子のために料理を作り続けた母。もちろん、母親の気持ちなんて、今の自分には到底わからない。でも、キャンパスで、有紀の顔を見かける度に、あたためた牛乳を飲んだようなほの甘く温かい気持ちが湧いてくる。シュガーを辞めた彼女は、高校の時に入っていたというブラスバンド部に入部し、いつ会ってもスーツ姿でトロンボーンを抱えている。自分より幼い誰かを大切だ、と思う気持ちは、行き詰まるような自分自身との闘いから、ほんの少しだけ解放してくれるみたいだ。何も得るもののなかった大学生活だけれど、有紀が伸び伸びとやってくれることだけが、今の彩子のささやかな誇りだった。生地を型抜きし、天板に並べてオーブンに入れた。

洗い物をすべて終え、バターやジャムを並べ、紅茶を用意したところで、オーブンのベルが鳴った。天板の上に焼き上がったホットビスケットは、小説そのままに白くふんわりと軽い。彩子はほっとして紙ナプキンを敷いた大皿に盛り付け、居間へと運ぶ。ソファから身を起こした母が眼尻《めじり》に皺《しわ》を寄せ、こちらを見つめていた。

「ありがとう。とてもよく出来ているわ。ママの教えたこと、彩子ちゃんはなにも忘れてなかったのね。よかった」

母はかすかに涙ぐんでいる様子だった。どれだけ心配をかけたか、と考えると、彩子はたまらなくなって床に跪《ひざまず》き、母の手を握りしめていた。庭仕事と家事で荒れた、それでも柔らかくて頼れる、母の手だった。

「いろいろ、ごめんね。ママ、全部、いつかちゃんと話すね。心配かけてごめん。私は何も変わってないから」

母が泣きそうな顔をして、彩子に向かってうなずくと、おずおずと髪を撫《な》でた。目を細めたくなるくらい、心地良く、彩子は久しぶりに身体の芯《しん》から安心している自分に気付く。ただいま、と声がして、玄関の扉を開く音がした。まもなく、父が顔を出した。

「ホットビスケット焼いたの。パパも食べるでしょ」

自分の足で立とうとしている自分に気づいて欲しい、と祈るような思いだった。

先週、久しぶりに父とちゃんと話した。どうしても、父の力を借りねばならなかったのだ。しぶる父に頭を下げ、無我夢中で頼み込んだが、人の家庭の問題に介入するべきではない、と何度もいなされた。それでも、彩子は主張した。はっとりけいいちとダイアナを会わせるきっかけを作るべきだ、と。根負けした父は、彩子の手紙をあくまでも匿名《とくめい》のファンレターとして、はっとりけいいちに渡すことを約束した。その上で、編集者として、作家への手紙の書き方を教えてくれたのだ。鳩居堂《きゅうきょどう》の便せんを何度も何度も破り捨て、彩子は渾身《こんしん》の力を込めて手紙を書き上げた。もう会うことがなくても、かつての親友の役に立ちたいと強く思った。はっとりけいいちが彼女の職場を訪れることを今何よりも強く願っている。

父はしばらくしてにっこりすると、手を洗ってくるよ、とつぶやいた。

新春の仕事始めにふさわしいイベントだった。朝から雪交じりの雨だったにも拘《かか》わらず、「はっとりけいいちサイン会」は盛況だった。

行列は隣々堂を溢《あふ》れ、最初にはっとり先生と打ち合わせをした同じフロアのワッフル屋の前まで続いていた。母親に手を引かれた幼い女の子もいれば、三十代くらいの男性も、高校の制服を着た少年少女も居る。いずれもかなり読み込まれた『秘密の森のダイアナ』を胸に抱いていた。今までネットでしか見かけたことのない、はっとりけいいちファンを目の前に、ダイアナは身体が熱くなるのを感じる。今回のサイン会は田所さんの手を借りずにほとんど自分一人の手で進行した。書店員としてようやく一人前になれたのかもしれない。時間にルーズな上、土壇場《どたんば》で逃げ出すことで有名なはっとり先生を時間通りに書店に到着させ、百人以上のファン一人一人の顔を見てサインをしてもらったのだ。ようやく最後の一人が満足そうにサイン本を抱えて去って行くと、彼個人への思いとは別に、その場に座り込みたいほどの安堵《あんど》がゆるやかに襲ってきた。

「よくやったな、ダイアナちゃん。自分のことのように嬉しいよ」

声を掛けられ顔を上げると、そこには数年ぶりに会う神崎彩子のお父さんが居た。暖かそうなコートに身を包み、にこにこと穏やかに微笑《ほほえ》んでいる。元担当編集者の彼がこの場所に居るのは当然だった。この人はきっと何もかも知っていたんだ――。おそらく、ティアラとお父さんの恋もずっと見守ってくれたのではないだろうか。

「お久しぶりです。今すぐ先生を呼んできますから。ここで待っててくださいね」

慌てて立ち上がり、バックヤードへと急ぐ。ところが、はっとり先生のために用意しておいた休憩スペースに彼の姿はなく、手つかずのままのミネラルウォーターとお菓子が置いてあった。この後、書店員らを集めて打ち上げを企画しているというのに、どこに行ったのだろう。

「あれ、先生は？」

アルバイトの大学生がおっくうそうに振り返った。

「緊張が続いたせいか、お腹の具合が悪いとかで、たった今帰ってしまいました」

少し目を離すと、これだ――。

「あ、これ矢島さんに渡しといてって言われました」

差し出されたのは、初めて会った時にはっとり先生に薦められた『アンの愛情』だった。巻末の方にふせんが貼《は》ってある。だから、読んだことがあると言っているのに――。しぶしぶと開いてみて、ダイアナの目は釘付けになる。

〈この本の中では、アンにも親友のダイアナにも、いろいろな変化がおこります。アンが大学へ入学するのに対して、ダイアナは静かに家庭にいて、娘としての教養を身につけます。親しい友が村をはなれて、新しい大学生活にはいっていっても、ダイアナは、それをさけられない現実として受けいれ、彼女は自分自身の道を進んでいきます。それでいながら、アンとの友情は、けっして変わることがありません。これが、ほんとうの友情というものではないでしょうか。

女の人のあいだでは、相手が自分と同じ境遇にいるときは仲よくできても、相手が自分より高く飛躍をすると、友情がこわれるというばあいがないではありません。わたしにはアンの中にも、ダイアナの中にも、学ぶべき点がたくさんあるように思えます〉

〈人生には、待つということがよくあるものです。自分の希望どおりにまっしぐらに進める人はもちろんしあわせだと思いますが、たとえ希望どおりに進めなくても、自分に与えられた環境の中でせいいっぱい努力すれば、道はおのずから開かれるものです。こういう人たちは、順調なコースにのった人たちよりも、人間としての厚みも幅も増すように、わたしには思えるのです〉

一文一文が深いところにずしんと沈んで、滲《し》みていくようだ。ダイアナがずっと欲していた言葉がこんなにそばにあるなんて。考えてみたこともなかった。

だからと言って、今さらどうなるものでもない。ダイアナは本を閉じ、テーブルに置くと再び彩子の父の元へと急ぐ。しょんぼりと事情を説明していると背後で声がした。

「ねえ、お父さんを追いかけなくてもいいの？」

よく通る、凛《りん》とした声を忘れるはずがなかった。十年ぶりに向き合った神崎彩子はあの頃と少しも変わらない気品と清潔感を持って、超然とこちらを見据えていた。素っ気ないリクルートスーツ姿にまとめた髪が、はっと目を惹《ひ》くような凛々《りり》しさを放っている。

「今度は……、今度はあなたが呪《のろ》いを解く番なんじゃないの？　私は自分で解いたよ。ちゃんと見せてよ。あなたが自分を解き放つところを、私にちゃんと見せてよ」

何を言っているのかわからない。しかし、彩子の目は燃えるように、赤い。突き放したのはそっちじゃないの——。一方的に絶交されてずっと音信不通だったのに、今ごろ何を言っているの——。のど元までせり上がる言葉をダイアナは懸命にこらえる。誰よりも恵まれたあなたに、自分で自分に呪いをかける私の気持ちがわかるわけ、ないじゃない。

とうとう思いが爆発した。

「あなたに何がわかるのよ……。あの人はね、私が思ってたようなお父さんじゃないんだよ。わかる？　事情はどうあれ、万引きするような男なんだよ。彩子ちゃんのお父さんみたいに人に誇れる完璧《かんぺき》な人間なんて居るわけないじゃない!!」

「誰にでも胸を張れる父親じゃないんだよ」

そう言った彩子の目には涙が滲んでいた。

「ダイアナ、自分で自分を狭いところに押し込んじゃ駄目だよ」

二人はしばらく睨み合う格好になった。先に有無を言わさぬ勢いで叫んだのは彩子だ。

「とにかく、走って!!　今、行かなきゃ絶対に後悔するんだから！」

その口調は小学校の頃と同じで、ダイアナはどきりとする。誰もが認める優等生で、頼れる自慢の親友、神崎彩子だった。彼女はあの日のままだ。それならば、自分だって変わっていないのかもしれない。お父さんを探しているやせっぽちの、内気で本好きの金髪の少女。あの子のためなら、今、恥も外聞もなく走ることができる――。彩子に押されるようにして、ダイアナはエプロン姿のまま走り出した。店を出て、エスカレーターに走り込もうとした瞬間、反対側の昇り口に、ティアラが立っていることに気づいた。

今日のサイン会の情報を彩子ちゃんのお父さんから聞いたのだろうか。ネットで見たのだろうか。でも、母ははっとりけいいちの一番のファンなのだ。ここに居てもなんの不思議もない。ダイアナはすぐに駆け寄った。ティアラはいつになく照れくさそうである。

「あんたもけっこう頑張ってんじゃん。ずっとこっから見てたよーん。今度はあたしにさ、本を選んでよ」

「ティアラに本……？　もう読まないんじゃなかったの？」

ティアラは笑って首を振る。

「そろそろ次に行ってもいいかなって。私も。あんたがこんなにぐんぐん、先行ってんだもん。負けてらんねっしょ」

親に本を選んでもらえない自分がずっと不憫《ふびん》だった。でも、今のダイアナは母親に本を選ぶことができるのかもしれない。急にわくわくして、目の前に一本道が光っていく気がした。

「わかった。ティアラの好きそうなやつを考えとくよ。とびっきり描写が華やかでドラマチックでヒロインがたくさましい、きらきらした本！」

「うお、楽しみ！　じゃあ、追っかけな！」

背中をぽんと押され、ダイアナは再び走り出す。

「ありがとう！　さすがうちの娘だよ」

背中から追いかけてくる母の声がくすぐったかった。

ダイアナは小さくうなずくと、エスカレーターを駆け下りる。このビルは駅に直結している。一番近い改札へと向かったら、ホームへと続くエスカレーターに見覚えのあるユニクロのダウンジャケットと小豆色のマフラーを見付けた。

「先生、待ってください！」

知り合って半年近く経つのに、どうしても本名を明かせないでいた。事情を知る田所さんが配慮してくれて、打ち合わせも「ほんのむし」で通していた。エプロンのポケットにたまたま入っていた小銭で、急いで切符を買う。改札を通り、山手線のホームを目指す。下りエスカレーターに足を踏み入れるなり、ホームに電車が滑り込んでくるのが見えた。はっとり先生がドアの前に立っている。

「はっとり先生、待って下さい。私です。ほんのむしです――」

叫んでみても、その声はホームにとどろくアナウンスや雑音に紛れていってしまう。ありきたりな言葉は、周囲に柔らかくなじみ、楽に進んでいくことができるけれど、その分埋没しやすいのだ。とうとう電車のドアが開いた。もう恥ずかしがっている場合ではない。

この言葉であれば、どんな騒音も突き抜けていくことができる。ダイアナは心を決めた。

「ダイアナです。私の名前はダイアナです！」

その時、はっとり先生がようやくこちらを見た。二人の間に「ダイアナ」という名前が横たわっているのが、目に見えるようだった。エスカレーターの乗客が一斉に振り向く。自然と道がひらく格好になり、ダイアナはひといきに駆け下りた。息を切らせて見上げるとはっとり先生は、気弱そうににやっとした。

「なんか緊張したら、お腹が痛くなってきちゃって……。逃げたわけじゃないよ」

先生の吐く息の白さと自分のそれが溶け合うのがわかる。遠ざかっていく電車にはうっすらとみぞれが積もっていた。

「先生はつまり……アンじゃなくてすべてのダイアナのために『秘密の森のダイアナ』を書いたっていうことですよね」

先生はじっとこちらを見た後で、こう言った。

「みんながみんな、アンみたいに飛び立てるわけじゃない。ほとんどの女の子は村で生きていく。脇役《わきやく》のダイアナこそが多くの女の子にとって等身大で、永遠の〝腹心の友〟たるべき存在だから……。アンみたいに変わった女の子があの小さな村で受け容《い》れられたのは、ダイアナが親友になったからだと僕は思っている。アンの良いところをダイアナは自然に引き出してあげたんだ」

先生はくすりと笑った。ダイアナは恥ずかしくなって言葉が出てこなくなる。すると先生が口を開いた。

「僕は小さい頃から友達がいなかった。だから処女作のヒロインにダイアナという名前を付けたんだ。本好きな女の子達の永遠の親友になればいいと思って。リアリストだけど夢の世界を信じてる、優しいけれど人の支えになる強さも持っている、そんなダイアナみたいな存在の本になればいいと思って」

「私、ダイアナっていうんです。大きい穴でダイアナ……。ずっと自分の名前が嫌だったけど、今初めて好きになれました」

ありったけの希望と感謝を込めて、父を見つめた。はっとり先生は首をかしげながらも、確かに嬉しそうだった。彼の大きな瞳は自分と同じはしばみの色をしていた。

「そうか……。きっとお母さんは君が世界一ラッキーになれるようにって思ったんじゃないかな」

はっとり先生はそれきり、口をつぐんでダイアナを見つめた。何かひどくもどかしそうで、物言いたげだった。今にも泣き出しそうに目の周りと鼻の頭が赤い。

「そんな格好で寒くないの？」

シャツにエプロンというダイアナの出で立ちに目をやり、ようやくそうつぶやいた。

「あ、お店飛び出して来ちゃったから……。でも、すぐに戻るんで、大丈夫です」

「風邪引いちゃうよ。ほら、これ巻きなよ」

止める暇もなく、はっとり先生はマフラーを外すと、こちらの首にくるくると巻き付けた。大きな手が頰にかすかに触れる。田所店長に抱きついた時を除き、異性に体を近づけたことは全くないのに少しも怖くはなかった。毛羽立った安物のマフラーだけれど、首元から全身にゆっくりと血が巡り出すのがわかる。ダイアナはかすかにまつげを伏せて手触りを楽しむ。煙草《たばこ》と歯磨き粉とコーヒーの匂いが立ち上る。次の電車はすぐにやってきた。

「ありがとうございます。あの、ええと、このマフラー……」

「いいよ。安物だし。あげるよ。こんなことしか出来なくて、ごめんね」

先生はそう言って、電車に飛び乗る。

「もちろん、私、万引きに関しては許すことができません。二度とあんなことしないで下さいね!! 書店員のエゴじゃありません。生まれてくる赤ちゃんのために!!」

慌ててそうつけ足した。先生は瞼《まぶた》をうっすら赤くし、うるさそうにうつむいた。

ドアがゆるやかに閉まり、電車が動き出す。姿がこちらの視界から消えるまで、先生は小さい男の子のようにバツが悪そうにこちらを見ていた。山手線を見送りながら、ダイアナはどこまでも光る明るい一本道が自分の中にも伸びていくのがわかった。

エスカレーターを昇り、改札を出る。店へと戻る道すがら、ダイアナは何度もマフラーに触った。理想とは違う。万引きは許せない。でも、次がある。チャンスはいくらでもある。今は焦らずに、生まれて初めて手にした、お父さんの感触を味わっていたかった。

店に戻ると、彩子も神崎さんの姿もすでになかった。やっぱり——。もう今の私達には、あれ以上話すことなんてないのだ。哀《かな》しみと失望が押し寄せてくる。けれど、サイン会の片付けに、レジ締め、明日の納品確認とやることは山積みだった。ダイアナは気を取り直すと、マフラーを外し、なくさない場所に置いておこうと休憩室へと向かう。

その時だった。ビジネス本コーナーで、さっき見たばかりのリクルートスーツを発見したのは。

何か、言わなければ、と思った。こちらが戻ってくるまで待っていてくれたことがしがみつきたいくらい、嬉しかった。ダイアナの視線を感じたのか、スーツ姿の女の子はゆっくりとこちらに振り返った。

「夕方の書店って、小学校の図書館と同じ匂いがするのね」

今まさに自分も感じていたことを、彩子がはにかみながら言う。

「あのね、ダイアナ……。本を探してもらえないかな？　卒業まであと二ヵ月なんだけど、やっぱり……、出版社を受けたいと思って今になって本気出してるんだ。ええと、何か、息抜きっていうか、気分が前向きになるような本、探してもらえないかな」

まかせて、とつぶやき、ダイアナは児童書のコーナーに彩子を誘う。迷うことなく『アンの愛情』を見つけ出し、差し出した。彩子は怪訝《けげん》そうに首をひねる。

「『赤毛のアン』が面白いのは『アンの青春』までなんじゃなかったっけ。ダイアナ、あの頃そう言ってたよね。恋愛や結婚がメインになって面白くないって」

本の話をするだけで、十年のブランクが埋まっていくのが、なんだか魔法みたいだった。ダイアナはわざと仕事用の口調を選んだ。

「本当にいい少女小説は何度でも読み返せるんですよ、お客様。小さい頃でも大人になっても。何度だって違う楽しみ方ができるんですから」

優れた少女小説は大人になって読み返しても、やっぱり面白いのだ。はっとり先生が言ったことは正しい。あの頃は共感できなかった心情が手にとるようにわかったり、気にも留めなかった脇役が俄然《がぜん》魅力を持って輝き出すこともある。新しい発見を得ることができるのと同時に、自らの成長に気づかされるのだ。幼い頃はぐくまれた友情もまた、栞《しおり》を挟んだところを開けば本を閉じた時の記憶と空気が蘇《よみがえ》るように、いくつになっても取り戻せるのではないだろうか。何度でも読み返せる。何度でもやり直せる。何度でも出会える。再会と出発に世界中で一番ふさわしい場所だから、ダイアナは本屋さんが大好きなのだ。いつか必ず、たくさんの祝福と希望をお客さんに与えられるようなお店を作りたい。

『アンの愛情』に夢中になっている様子の彩子は、こちらを見ずに、しかし、しなやかな意志を感じさせる声でこう言った。

「ねえ、ダイアナ。あのさ、今日、仕事何時に終わるの？」

お互いの心臓の高鳴りが聞こえる気がした。彩子の桜色に染まった指の中で、真新しい白い紙がぱらぱらとめくれ、辺り一面に彩子とダイアナの愛してやまなかった匂《にお》いを花びらのようにまき散らしていた。

参考文献

『さよなら、「いい子」の魔法』ゲイル・カーソン・レヴィン著、三辺律子訳、サンマーク出版
『赤毛のアンのお料理ノート』木間三千代・トシ子料理、文化出版局編、文化出版局
『アンの愛情』ルーシー・モード・モンゴメリ著、村岡花子訳、ポプラ社
『デートレイプってなに？…知りあいからの性的暴力』アンドレア・パロット著、村瀬幸治監修、冨永星訳、大月書店

解説

鴻巣友季子

柚木麻子さんの小説はぐいぐい読ませるけれど、後から、いかに精緻《せいち》な、凝った作りになっているか気づく。名作へのオマージュや引用がさりげなく鏤《ちりば》められていたりする。

などと言うと、なんだか難しい小説？　その名作とやらを知らないと楽しめないの？　と思われそうだが、柚木作品に親しんだことのある人なら（今、この解説を本編より先に読んでいる人は、最高におもしろい本編から読んでくださいね！）、もちろんそんなディレッタント気取りの小説とはわけが違う、格が違うのをご存じだと思う。

海外の少女小説、女子小説を語らせたら人後に落ちない柚木さん。きっとその体には、『若草物語』や『長くつ下のピッピ』や『悲しみよ　こんにちは』や『高慢と偏見』など数々の名作が血となり肉となっているのだろう。だから、こんなに自然に、そして縦横無尽に、古典の精髄を自家薬籠《やくろう》中のものとして、魅力的な現代の物語が書けるのだ。

さて、今回の『本屋さんのダイアナ』は広い意味で、『赤毛のアン』の本歌取り作品と言ってもいいと思う。ただのパスティーシュではない。

まずは、ガーリッシュな装丁とタイトルだが、そんなイメージは読み始めてすぐに、心地よく裏切られる。ダブルヒロインのひとりの登場シーンから見てみよう。小学校三年生、新しいクラスでの自己紹介の場面だ。

「矢島ダイアナです。本を読むのが好きです」

出来るだけ小さな声で言い、すぐさま椅子《いす》に腰を下ろす。周囲と目を合わさないように膝小僧《ひざこぞう》を見つめた。皆がひそひそ話しているのがわかる。

「ダイアナだって！　あの子、外国の子？」

「違うよ。私、二年の時一緒だったけど、日本人だよ。確か、公園の近くのアパートにお母さんと二人で住んでるの」

「へえ、でも、髪が金色だよ」

「あれ、根っこは黒いじゃん。へんなの」

（中略）

「ねー、ダイアナってどういう字書くの？　カタカナ？」

「……大きい穴」

消え入るような声でつぶやくと、どっと笑いが起きた。

なんと、大穴と書いて「だいあな」と読ませるという超弩級《ちょうどきゅう》のドキュンネームに、まずはノックアウトされる。彼女が赤ん坊の頃に離別した父親が競馬狂いで、「青葉賞」からとった「青葉」ちゃんという名前と迷った末、こちらにしたというからすごい。

十六歳でダイアナを産み、現在、キャバクラに勤めているダイアナの母は通称「ティアラ」。ダイアナという名前については、「世界一ラッキーな名前じゃん！」とご満悦だ。

ダイアナは小学校一年の時も二年の時も、図書館をたくさん利用した人に贈られる『たくさん借りましたで賞』を受賞している。本好きの聡明な少女だが、このおかしな名前と金髪のせいで、クラスメイトにいじめられる。

自己紹介の後の休み時間、さっそく、「ピンク色のカーディガンを羽織り、髪を編み込みにした女の子」の「みかげ」ちゃんがつかつかと寄ってきて、なんだかんだと絡《から》んだのち、「なによ、ダイアナなんて変な名前のくせに。あんたのママ、おかしいよ！」などと罵倒《ばとう》してくる。

小3女子がカーディガンをふつうに着ないで、肩に羽織っているわけです。髪の毛は（おそらくママによる）手のこんだ編み込みだし、この登場時点で、彼女は意識高い系で、ちょっといじわるで、めんどうそうな役柄《ロール》だとわかります。そういえば、吉田としの名作『木曜日のとなり』（一章ごとにヒロインの少女と相手の少年の視点を交替させながら描き、昭和の当時としてはテーマも斬新な小学生小説でした）でも、お金持ちでいじわるな女の子は髪型が凝っていたし、そのママは毛皮のコートなんか肩に羽織って登場したものなあ。

ともあれ、ここにダイアナの救世主があらわれる。

「ダイアナは変な名前じゃないわよ。みかげちゃん」（中略）

「『赤毛のアン』って知ってる？　アンの親友はダイアナって言うんだよ」

来た！　声の主である「彩子《あやこ》」ちゃんは育ちがよく、まわりからも一目置かれる存在だ。そういう強力なキャラクターが味方についてくれた。しかも、本好きらしい。ダイアナにとって、『赤毛のアン』は「ほとんどベストワン」と言ってもいいくらい、大好きな一冊だった。そしてダイアナといえば、「アンの自慢の美しい親友」なのだ！　有名なアンのセリフが即座にわたしの頭に浮かんでくる。

「自分がきれいならそれに越したことはないけど、わたしの場合、それは無理だから、きれいな親友をもてたら最高ね」（鴻巣訳）

ダイアナは、気の毒な境遇のアンの「腹心の友」（村岡花子訳）となり、心の支えにもなる良家のお嬢さんだ。そう、ダイアナと大穴、アンと彩子、『本屋さんのダイアナ』は、『赤毛のアン』のヒロインと親友の構図を引きつつ、それを反転させているのだ。これまた、心憎い。アンが彩子という名になるあたりも、明治期の日高柿軒《しけん》訳『フランダースの犬』で、アロアが「綾」ちゃんという名になっていたのを想起させ、わたしはまたまた胸がキュンとなるのだった。ちなみに、その翻訳では、ネロは「清」、パトラッシュは「斑《ぶち》」。話が脱線しがちで申し訳ないが、『本屋さんのダイアナ』はこんな風にいろいろな本を呼び寄せる物語の森なのである。

◆

本作には、『赤毛のアン』への言及や引用が多々あるだけではない。この名作の存在がプロットの関節にもなっているし、なにより「腹心の友」という『赤毛のアン』シリーズの主題の一つを下敷きにしている。

つまり、『赤毛のアン』シリーズをアンと親友ダイアナの交替二視点で、小学生から二十歳頃まで書いたような恰好《かっこう》になる。ただし、前述したように、アンとダイアナの構図は反転している。

大穴《ダイアナ》は父親を知らず、母親にも構ってもらえず（アンは孤児だった）、自分の髪の毛にコンプレックスがあり（アンは自分の赤毛が嫌でたまらなかった）、名前も大嫌いで変えたいと思っている（アンは「コーデリア」という名前で呼んでほしい、それが無理なら名前の最後にeのつくAnneだと思ってほしいと言い張る）。彼女がアンの役回りをし、一方、お金持ちの家に生まれ、きれいな黒髪の彩子がダイアナ役を担《にな》う。

彩子には、お行儀の悪い食べ方をする矢島ダイアナが、小説に出てくる「みなし子」に見えてすっかり敬服してしまうし、ダイアナはカフェオレ色で統一された彩子の家が羨《うらや》ましくてならない。

この境遇のかけ離れたふたりが、『赤毛のアン』などのさまざまな古典名作やお気に入りの児童文学などを介して仲良くなっていく。本が人と人を結びつけ、絆《きずな》を深める触媒としてはたらくのだ。

もう一つの主題は、女性が家庭や社会の束縛からいかに解放され自立するか、ということ。こちらの主題は、架空の作家「はっとりけいいち」による『秘密の森のダイアナ』とその続編に重ねあわせて展開されていく。『秘密の森のダイアナ』は、魔女のせいで両親と生き別れたお姫様が、独りぼっちで森で生き抜いていく物語であり、続編は、王妃になったダイアナの娘が豊かな生活を捨てて森へ入り、自分の力で呪《のろ》いを解くという物語だ。ダイアナも彩子もそれぞれの立場から、この主人公たちに自己投影している。矢島ダイアナ、「アン」のダイアナ、『秘密の森……』のダイアナ、三人のダイアナの人生が重ねあわされ、織りあわされていく。

さらにダイアナと彩子の物語の背後から、ときに『若草物語』や『風と共に去りぬ』、ときに『ボヴァリー夫人』や『悲しみよ　こんにちは』といった同様のテーマを擁する作品が顔をのぞかせ、そのエコーが追いかけてくる。なかなか複雑な造りだが、音楽のフーガ形式にたとえれば、わかりやすいかもしれない（フーガは曲の途中から、前に出た主題や旋律が次々と追いかけるように出てくる曲。遁走曲《とんそうきょく》とも）。じつにみごとな小説のフーガだ。

さて、ふたりの蜜月《みつげつ》関係に取り返しのつかない罅《ひび》が入るのが、小学校高学年のとき。読むものもたがいに違ってくる。早熟なダイアナはサリンジャーを読みこなすが、彩子にはおもしろさがまだわからない。

結局、恋愛と受験がらみのすれ違いが元で、ふたりは絶交状態になってしまう。それぞれ心に虚《うつ》ろなものを抱え、行方の定まらない中高時代を送るが、高校卒業後のふたりには意外な逆転が待っている。

◆

最後に、もう一つのテーマにふれておきたい。どの章にも、あからさまな、あるいは隠微な、無意識の抑圧と虐待（いじめ）が書かれており、これは森茉莉《まり》や幸田文《あや》という偉大な父をもった女性の書き手の作品や、向田邦子の『父の詫《わ》び状』などにも出てくる。「父親探し」「父性原理からの解放」も、本書の主題の一つだろう。

ダイアナの母の過去には一体なにがあったのだろう。彼女の人生を狂わせたのが何だったのか、この部分の謎《なぞ》を完全に解いてしまわず、読者の想像に委《ゆだ》ねたのは、とても賢明だと思う。

作中で書物が多機能をはたす、本についての本、小説についての小説。子どものころ読んだきりになっていた古典作品の新たな面がつぎつぎと見えてくるスリルがたまらない。それによって、アンやダイアナやジョーやパッティやロッテやエリザベスを自分の中に抱えている読者（男性読者の中にも彼女たちはいるかもしれない）は、新たな自分を発見することにもなるだろう。『本屋さんのダイアナ』は『赤毛のアン』を始めとする古典名作の、柚木麻子による卓抜な「新訳」でもあるのだから。

（平成二十八年五月、翻訳家）

この作品は平成二十六年四月新潮社より刊行された。

モンゴメリ
村岡花子訳

アンの幸福
―赤毛のアン・シリーズ5―

サマーサイド高校校長として赴任したアンを迎える人々の敵意――生来のユーモアと忍耐で苦境をのりこえていく個性豊かな姿を描く。

モンゴメリ
村岡花子訳

アンの夢の家
―赤毛のアン・シリーズ6―

アンとギルバートは海辺の「夢の家」で甘い新婚生活を送る。ユニークな隣人に囲まれた幸せな二人に、やがて二世も誕生するが……。

モンゴメリ
村岡花子訳

炉辺荘《イングルサイド》のアン
―赤毛のアン・シリーズ7―

医師の夫ギルバートを助け、六人の子供を育て、友達を迎えるアンの多忙な日々。だが、愛に生きることはなんと素晴しいものだろう。

モンゴメリ
村岡花子訳

アンをめぐる人々
―赤毛のアン・シリーズ8―

シンシア叔母の猫はどこ？　シャーロットの昔の崇拝者とは？　一見平穏なアヴォンリーに起る様々な事件を愛とユーモアで紹介する。

モンゴメリ
村岡花子訳

虹の谷のアン
―赤毛のアン　シリーズ9―

〝虹の谷〟に遊ぶ子供の純な夢や願いは、角つき合わす大人どもには天使の声となって響いた……。自然と人情の美しさに満ちた珠玉編。

モンゴメリ
村岡花子訳

アンの娘リラ
―赤毛のアン・シリーズ10―

大戦が勃発し、成長した息子たちも娘の恋人たちも次々に出征した。愛する者に去られた悲しみに耐える、母親アンと末娘リラの姿。

モンゴメリ
村岡美枝訳

アンの想い出の日々（上・下）
—赤毛のアン・シリーズ11—

モンゴメリの遺作、新原稿を含む完全版が待望の邦訳。人生の光と影を深い洞察で見つめた、「アン・シリーズ」感動の最終巻。

村岡恵理著

アンのゆりかご
—村岡花子の生涯—

生きた証として、この本だけは訳しておきたい——。『赤毛のアン』と翻訳家、村岡花子の運命的な出会い。孫娘が描く評伝。

リルケ
高安国世訳

若き詩人への手紙・若き女性への手紙

精神的苦悩に直面している青年に、苛酷な生活を強いられている若い女性に、孤独の詩人リルケが深い共感をこめながら送った書簡集。

M・ミッチェル
鴻巣友季子訳

風と共に去りぬ（1〜5）

永遠のベストセラーが待望の新訳！　明るく、私らしく、わがままに生きると決めたスカーレット・オハラの「フルコース」な物語。

J・オースティン
小山太一訳

自負と偏見

恋心か打算か。幸福な結婚とは何か。十八世紀イギリスを舞台に、永遠のテーマを突き詰めた、息をのむほど愉快な名作、待望の新訳。

カポーティ
村上春樹訳

ティファニーで朝食を

気まぐれで可憐なヒロイン、ホリーが再び世界を魅了する。カポーティ永遠の名作がみずみずしい新訳を得て新世紀に踏み出す。

P・オースター
柴田元幸訳
孤独の発明
父が遺した夥しい写真に導かれ、私は曖昧な記憶を探り始めた。見えない父の実像を求めて……。父子関係をめぐる著者の原点的作品。

サガン
河野万里子訳
悲しみよ こんにちは
父とその愛人とのヴァカンス。新たな恋の予感。だが、17歳のセシルは悲劇への扉を開いてしまう――。少女小説の聖典、新訳成る。

バーネット
畔柳和代訳
小公女
最愛の父親が亡くなり、裕福な暮らしから一転、召使いとしてこき使われる身となった少女。永遠の名作を、いきいきとした新訳で。

バーネット
畔柳和代訳
秘密の花園
両親を亡くし、心を閉ざした少女メアリ。ヨークシャの大自然と新しい仲間たちとで起こした美しい奇蹟が彼女の人生を変える。

フローベール
芳川泰久訳
ボヴァリー夫人
恋に恋する美しい人妻エンマ。退屈な夫の目を盗み重ねた情事の行末は？ 村の不倫話を芸術に変えた仏文学の金字塔、待望の新訳！

E・ブロンテ
鴻巣友季子訳
嵐が丘
狂恋と復讐、天使と悪鬼――寒風吹きすさぶ荒野を舞台に繰り広げられる、恋愛小説の恐るべき極北。新訳による〝新世紀決定版〟。

幸田 文著

父・こんなこと

父・幸田露伴の死の模様を描いた「父」。父と娘の日常を生き生きと伝える「こんなこと」。偉大な父を偲ぶ著者の思いが伝わる記録文学。

柴崎友香著

わたしがいなかった街で

離婚して1年、やっと引っ越した36歳の砂羽。写真教室で出会った知人が行方不明になっていると聞くが——。生の確かさを描く傑作。

平松洋子著

夜中にジャムを煮る

つくることと食べることの幸福が満ちる場所。それが台所。笑顔あふれる台所から、食材と道具への尽きぬ愛情をつづったエッセイ集。

百田尚樹著

フォルトゥナの瞳

「他人の死の運命」が視える力を手に入れた男は、愛する女性を守れるのか——。生死を賭けた衝撃のラストに涙する、愛と運命の物語。

向田邦子著

男どき女どき

どんな平凡な人生にも、心さわぐ時がある。その一瞬の輝きを描く最後の小説四編に、珠玉のエッセイを加えたラスト・メッセージ集。

森 茉莉著

恋人たちの森

頽廃と純真の綾なす官能的な恋の火を、言葉の贅を尽して描いた表題作、禁じられた恋の光輝と悲傷を綴る「枯葉の寝床」など4編。

江國香織著
ちょうちんそで
雛子は「架空の妹」と生きる。隣人も息子も「現実の妹」も、遠ざけて――。それぞれの謎が繙かれ、織り成される、記憶と愛の物語。

小川未明著
小川未明童話集
人間にあこがれた母人魚が、幸福になるようにと人間界に生み落した人魚の娘の物語「赤いろうそくと人魚」ほか24編の傑作を収める。

小川洋子著
博士の愛した数式
本屋大賞・読売文学賞受賞
80分しか記憶が続かない数学者と、家政婦とその息子――第1回本屋大賞に輝く、あまりに切なく暖かい奇跡の物語。待望の文庫化！

恩田陸著
図書室の海
学校に代々伝わる〈サヨコ〉伝説。女子高生は伝説に関わる秘密の使命を託された――。恩田ワールドの魅力満載。全10話の短篇玉手箱。

河合隼雄著
こころの読書教室
「面白い本」には深いわけがある――カフカ、漱石から村上春樹まで、著者が厳選した二十冊を読み解き、人間の心の深層に迫る好著！

川上弘美著
どこから行っても遠い町
二人の男が同居する魚屋のビル。屋上には、かたつむり型の小屋――。小さな町の人々の日々に、愛すべき人生を映し出す傑作小説。

倉橋由美子著
大人のための残酷童話
世界中の名作童話を縦横無尽にアレンジ、物語の背後に潜む人間の邪悪な意思や淫猥な欲望を露骨に焙り出す。毒に満ちた作品集。

黒柳徹子著
小さいころに置いてきたもの
好奇心溢れる著者の面白エピソードの数々。そして、『窓ぎわのトットちゃん』に書けなかった「秘密」と思い出を綴ったエッセイ。

向田和子著
向田邦子の恋文
邦子の急逝から二十年。妹・和子は遺品から、若き姉の〝秘め事〟を知る。邦子の手紙と和子の追想から蘇る、遠い日の恋の素顔。

佐藤多佳子著
黄色い目の魚
奇跡のように、運命のように、俺たちは出会った。もどかしくて切ない十六歳という季節を生きてゆく悟とみのり。海辺の高校の物語。

佐野洋子著
シズコさん
私はずっと母さんが嫌いだった。幼い頃からの母との愛憎、呆けた母との思いがけない和解。切なくて複雑な、母と娘の本当の物語。

瀬尾まいこ著
あと少し、もう少し
頼りない顧問のもと、寄せ集めのメンバーがぶつかり合いながら挑む中学最後の駅伝大会。襷が繋いだ想いに、感涙必至の傑作青春小説。

檀　ふみ著
父の縁側、私の書斎
煩わしくも、いとおしい。それが幸せな記憶の染み付いた私の家。住まいをめぐる様々な想いと、父一雄への思慕に溢れたエッセイ。

梨木香歩著
裏庭
児童文学ファンタジー大賞受賞
荒れはてた洋館の、秘密の裏庭で声を聞いた——教えよう、君に。そして少女の孤独な魂は、冒険へと旅立った。自分に出会うために。

梨木香歩著
西の魔女が死んだ
学校に足が向かなくなった少女が、大好きな祖母から受けた魔女の手ほどき。何事も自分で決めるのが、魔女修行の肝心かなめで……。

梨木香歩著
春になったら莓を摘みに
「理解はできないが受け容れる」——日常を深く生き抜くことを自分に問い続ける著者が、物語の生れる場所で紡ぐ初めてのエッセイ。

西加奈子著
白いしるし
好きすぎて、怖いくらいの恋に落ちた。でも彼は私だけのものにはならなくて……ひりつく記憶を引きずり出す、超全身恋愛小説。

林　芙美子著
放浪記
貧困にあえぎながらも、向上心を失わず強く生きる一人の女性——日記風に書きとめた雑記帳をもとに構成した、著者の若き日の自伝。

L・キャロル
矢川澄子訳
金子國義絵

不思議の国のアリス

チョッキを着たウサギ、チェシャネコ、ハートの女王などが登場する永遠のファンタジーをカラー挿画でお届けするオリジナル版。

ライマン・フランク・ボーム
河野万里子訳
にしざかひろみ絵

オズの魔法使い

ドロシーは一風変わった仲間たちと、オズ大王に会うためにエメラルドの都を目指す。読み継がれる物語の、大人にも味わえる名訳。

J・G・ロビンソン
高見　浩　訳

思い出のマーニー

心を閉ざしていたアンナに初めてできた親友マーニーは突然姿を消してしまって……。過去と未来をめぐる奇跡が少女を成長させる！

ルナール
高野　優　訳

にんじん

赤毛でそばかすだらけの少年「にんじん」を、母親は折りにふれていじめる。だが、彼は負けず生き抜いていく――。少年の成長の物語。

S・モーム
金原瑞人訳

月と六ペンス

ロンドンでの安定した仕事、温かな家庭。すべてを捨て、パリへ旅立った男が挑んだものとは――。歴史的大ベストセラーの新訳！

モリエール
内藤　濯　訳

人間ぎらい

誠実であろうとすればするほど世間とうまく折り合えず、恋にも破れて人間ぎらいになっていく青年を、涙と笑いで描く喜劇の傑作。

本《ほん》屋《や》さんのダイアナ

新潮文庫　ゆ－14－2

平成二十八年七月一日　発行
令和六年十一月十五日　五刷

著者　柚《ゆず》木《き》麻《あさ》子《こ》

発行者　佐藤隆信

発行所　株式会社新潮社
郵便番号　一六二―八七一一
東京都新宿区矢来町七一
電話 編集部(〇三)三二六六―五四四〇
読者係(〇三)三二六六―五一一一
https://www.shinchosha.co.jp

価格はカバーに表示してあります。

乱丁・落丁本は、ご面倒ですが小社読者係宛ご送付ください。送料小社負担にてお取替えいたします。

印刷・大日本印刷株式会社　製本・株式会社植木製本所

ISBN978-4-10-120242-6 C0193